LE CŒUR EN MIETTES

Claire Calman

LE CŒUR EN MIETTES

Traduction de Danièle Darneau

Roman

Titre original : *Love is a Four Letter Word*

© Claire Calman, 2000
© Presses de la Cité, 2000, pour la traduction française
ISBN 2-258-05332-3

Pour ma sœur Stéphanie,
qui m'a dit de m'accrocher

Prologue

Elle se sent tomber, lentement... la pointe de sa chaussure heurte le bord du trottoir, elle tend le bras en avant, sa main ressemble à une ombre pâle qui se découpe comme une feuille sur un ciel sombre. Le trottoir vient à sa rencontre, quadrillé comme une ville vue du haut d'un gratte-ciel, et la texture des plaques de béton devient soudain très nette.

Ce n'est pas une mauvaise chute : une bosse au genou gauche, qui se transformera bientôt en un énorme bleu violacé, une égratignure qui lui brûle l'intérieur de la main, une paire de bons collants fichue, rien de plus.

Rentrée chez elle, Bella pose un sac de fèves surgelées sur son genou en guise de vessie de glace et s'offre un verre de Chivas. Mais, en dépit de tous ses efforts pour se persuader qu'elle n'a pas fait une mauvaise chute, le lendemain matin, elle se réveille avec l'impression que quelqu'un a appuyé sur un bouton pour la vider de toute son énergie pendant la nuit.

Elle boit son café en prenant appui contre le plan de travail de la cuisine, sans oser s'asseoir de crainte de ne plus pouvoir se relever.

Pendant la nuit, Londres semble être devenue un simulacre de métropole, non plus animée et stimulante, mais bruyante et fatigante. Des ordures s'envolent des caniveaux. Des grains de poussière piquent les yeux. La jeune femme se sent aussi fragile qu'un lapin pris dans la lumière des phares. Des bus surgis de nulle part se ruent sur elle. Les cyclistes font des écarts pour l'éviter en l'insultant copieusement. Elle traverse la rue, tendue, si tendue qu'elle croit entendre le bruit de pompe de son cœur qui bat la chamade. Un passant la bouscule, et elle se dit qu'elle va éclater en mille morceaux. Dans son imagination, son corps explose et ses restes retombent en gerbes de feu d'artifice avec un tintement de verre qui s'écrase sur le sol. Les gens accourent pour balayer les morceaux et les rassemblent minutieusement, mais ils en oublient quelques-uns cachés au fond du caniveau par une poubelle ou un lampadaire.

Son médecin ne montre aucune compassion. Il écoute ses réponses en soufflant sa réprobation par les narines. Il dit que c'est le résultat de mois entiers de surmenage. De stress prolongé. Que ce n'est pas étonnant. Il lui demande si elle attend d'avoir des ennuis vraiment sérieux pour réagir. Si oui, elle est en bonne voie.

— Pas de cachet, dit-il, pas d'ordonnance. Un congé. Du repos. Revoyez votre façon de vivre.

— C'est tout ? demande-t-elle.

C'est tout.

Son patron n'est pas surpris.

— Moribonde comme tu es, tu ne m'es d'aucune utilité. Allez, prends un mois de congé et file vers les Caraïbes. Et surtout, n'oublie pas de te soûler au mai-tai et de draguer les serveurs.

Les Caraïbes ? Dans son état d'épuisement, la simple idée de descendre jusqu'à l'agence de voyages du bout de

10

la rue est au-dessus de ses forces. A la rigueur, elle est d'accord pour qu'on lui administre du mai-tai par perfusion.

Elle est allée rendre visite à ses amis Viv et Nick, qui sont maintenant installés dans une ville du Kent. D'un pas incertain de convalescente, elle déambule à travers un entrelacs d'étroites ruelles bordées de maisons de guingois et de vieux murs de silex. Elle ne fait pas plus d'une chose à la fois, comme les gens qui se remettent d'une attaque et réapprennent à exécuter les gestes qu'ils tenaient pour définitivement acquis.

C'est alors que, en longeant une rue calme près de la rivière, elle aperçoit le panneau « A Vendre ».

Comparé à l'appartement de Londres qu'elle louait avec Patrick, le n° 31 est un enchantement : ensoleillé, spacieux, donnant sur un vrai jardin, et non pas sur une bande de béton triste et perpétuellement plongée dans l'ombre.

— Oui, dit Viv, un nouveau départ, c'est exactement ce qu'il te faut, Bella. Les employeurs vont s'arracher tes services, avec l'expérience que tu as.

Dans une sorte d'état second, elle négocie avec le notaire, avec la société de crédit. Elle envoie des lettres de candidature. Les formulaires, la paperasserie deviennent pour elle des dérivatifs bienvenus, des choses tangibles et concrètes, des tâches à sa portée. On prend un stylo, on remplit les cases en capitales bien lisibles. Les questions sont simples : Nom, Adresse, Coordonnées bancaires. Salaire actuel. On fait tout bien soigneusement et on obtient le résultat recherché. Ça a un côté magique.

Les semaines s'écoulent lentement. Elle les traverse sur pilote automatique, s'acquitte de sa période de préavis avec, aux lèvres, un sourire efficace, bien en place, et, en tête, des projets dûment programmés. Maintenant qu'elle sait qu'elle va partir, elle rogne sur ses heures de travail, elle passe ses soirées à remplir des papiers et à faire des plans. Elle va jusqu'à accueillir les pépins et les retards – la mesquinerie du vendeur à propos de la cabane de jardin, la découverte par l'expert de taches d'humidité dans toute la maison – comme des stimulants destinés à lui permettre de montrer les dents.

Dans son classeur à anneaux, où les différentes rubriques sont séparées par des intercalaires de couleur, elle peut retrouver n'importe quelle pièce en l'espace d'une seconde. En se refermant, les anneaux émettent un « clic » très satisfaisant qui témoigne que toute sa vie est là, bien en ordre. Elle s'occupe de ses transferts de comptes, prévient son médecin, son dentiste, envoie des cartes de changement d'adresse joliment dessinées. Toutes ces tâches : passer quelques appels téléphoniques, plier en trois des lettres format A4 avant de les introduire dans des enveloppes, prendre les mesures des rideaux, sont faciles. Et elles remplissent sa tête. Elle a besoin de tout cela pour la garder, comme si chaque étape de l'aventure de l'achat de la maison était une agrafe bien solide maintenant ensemble les différents morceaux d'une assiette ancienne craquelée.

1

Maintenant qu'elle était là, l'idée semblait beaucoup moins bonne. Autour d'elle, de toutes parts, s'étendait un paysage cubiste de caisses en carton. Les déménageurs avaient eu la prévenance de les poser par terre de telle façon que la moindre traversée de la pièce prenait des allures d'expédition nécessitant l'usage de cordes, de crampons et d'équipages entiers de huskys. De plus, le chauffage avait décidé de se mettre en grève. Normal. Sans doute le vendeur avait-il enlevé quelque organe vital de la chaudière aussitôt les signatures apposées sur le contrat.

Ce personnage avait cultivé l'art de la mesquinerie au point de l'amener à des sommets – ou plutôt à des profondeurs – insoupçonnables. Le moindre joint, le moindre raccord faisait l'objet de discussions interminables au téléphone. Ses manières oscillaient entre l'obséquiosité et l'agressivité déguisée. Il tenait absolument à lui vendre les appliques en fer forgé qui garnissaient les murs, sous prétexte qu'elles étaient pratiquement neuves. Elle avait répondu par la négative. Et les étagères encastrées ? Elle avait tenu bon et répliqué que, justement, elles l'étaient, encastrées ! Et les tringles à rideaux ? Le tapis des escaliers ?

— Il est encore très bon, avait insisté le grigou, comme un chien qui refuse de lâcher un os.

— Mmmm... avait-elle émis en se retenant de riposter que son bon état était un défaut, sauf si elle choisissait de l'insérer au milieu d'un décor kaki. Vous y êtes visiblement attaché, alors, emportez-le avec vous, c'est mieux.

Assise sur une marche d'escalier, elle tendit un pied pour ouvrir le dessus de la caisse la plus proche en essayant de ne pas prendre son jean dans la barre de seuil. Elle aperçut le balai des toilettes, le miroir enveloppé dans un papier bulle, le crocodile de caoutchouc qui couine. Oh oh ! Elle vérifia l'étiquette collée sur le côté de la caisse : « SDB ». Merveilleux. Ce carton était censé être au premier. Impossible d'être plus claire, pourtant. Mais, visiblement, ce n'était pas suffisant. L'étiquette aurait sans doute dû être libellée ainsi : « Caisse pour la salle de bains (c'est-à-dire en haut : la pièce qui contient la baignoire). » Il ne lui restait plus qu'à ajouter la rubrique suivante à sa liste kilométrique des tâches à accomplir : monter les caisses qui sont en bas et descendre les caisses qui sont en haut.

Son regard tomba sur la peinture qui s'écaillait au-dessus des plinthes. Elle habitait la seule maison de la rue atteinte de psoriasis. L'humidité. Il fallait s'en occuper en priorité. En tout cas, avant de fixer les cordes des fenêtres à guillotine ou de refaire la salle de bains ou de reboucher les fissures dans l'atelier ou de réaliser une peinture murale sur le mur du fond du jardin, ou... Elle voyait s'étirer la liste devant elle, comme un ruban de papier qui se déroulait à l'infini.

On tambourina violemment contre la porte d'entrée.

— Salut la vieille ! Pourquoi t'as pas sonné ?

— Salut la grosse ! C'est ce que j'ai fait !

Viv fit la bise à Bella et lui tendit un carton doré.

— Oh, comme c'est gentil ! Un carton, justement j'en manquais ! Comment tu as fait pour deviner ?

— Ce sont des gâteaux. Des rations de survie. Mon Dieu ! C'est le même bazar dans toutes les pièces ?

Affolée, Viv secouait la tête en tous sens, faisant voler ses cheveux roux coiffés à la va-vite.

— J'ai sans doute plus d'affaires que je ne le croyais, répondit Bella avec un haussement d'épaules.

— Qu'est-ce qu'il y a là-dedans ?

— Je ne sais pas. Des bouquins, des cadres, des gamelles, des familles de réfugiés. Des tas de trucs, quoi.

Viv ouvrit un carton.

— Des vieux catalogues d'exposition ?

— En fait, j'avais l'intention de les trier et de jeter ceux dont je ne veux plus, mais...

— *Festina lente.* Hâte-toi lentement. C'est la devise de ta famille ?

— Merci de ces charmantes paroles. Tu ferais mieux de te rendre utile ! Aide-moi donc à retrouver la bouilloire. Elle est dans un carton marqué « CU », ce qui signifie cuisine, et non pas cui-cui ; je préfère prendre les devants avant que tu ne me fasses une de tes astuces vaseuses ! Le carton est sans doute là-haut, dans la salle de bains.

Pour sa première nuit dans sa nouvelle maison, Bella laissa une lumière allumée comme elle en avait l'habitude. Elle avait dû faire un saut en catastrophe à la boutique ouverte en soirée pour acheter des ampoules, car l'ancien propriétaire avait pris soin de les enlever toutes, sans exception. Elle resta longtemps éveillée en gardant les yeux fixés sur le rai de lumière qui filtrait sous la porte de la chambre. Je devrais être complètement surexcitée. Une nouvelle maison. Un nouveau job. Une nouvelle ville. Je ne devrais pas être aussi négative. Qu'est-ce que ça peut faire si je n'ai qu'une semaine devant moi pour ranger la maison avant de commencer chez Scotton Design ? La maison a besoin de quelques réparations ? C'est bien pour ça que le prix était si raisonnable.

Mais une voix contraire s'éleva : Est-ce que tu as complètement pété les plombs ? Tu trouves que tu n'en as pas assez bavé, il faut qu'en plus tu mettes toute ta vie cul par-dessus tête ! Te voilà condamnée à vivre dans ce chaos qui pue le moisi jusqu'à la fin de tes jours. Tu ne connais personne ici à part Viv et Nick, et ils ne vont pas passer leur temps avec toi. Ils sont deux, ils n'ont besoin de personne.

Ses paupières se fermèrent, et elle pensa à Patrick. S'il était là, avec elle, que ferait-il en ce moment ? Il ronflerait, sans doute ! se dit-elle pour couper court à toute illusion. Elle décida qu'il aurait aimé la maison. Elle bâilla et se blottit sous le duvet. C'était ça, l'ennui de ne pas avoir de mec. Un mec serait venu à bout de l'humidité. Et des cartons. Et puis non, après tout. Patrick se serait contenté d'enjamber les cartons en affirmant, péremptoire : « Il faudrait absolument qu'on s'en occupe. »

Mais, au moins, il aurait frotté ses pieds glacés pour les réchauffer.

Bella se mordit les lèvres. Elle n'allait pas pleurnicher sur son sort. Et le côté positif, alors ? Elle avait une jolie maison à elle, qu'elle pouvait décorer à son gré, maintenant que M. Petty avait embarqué ses chères appliques murales et ses immondes tapis. Comme elle était située à côté de chez Viv, ses factures de téléphone allaient notablement s'alléger puisqu'elle n'aurait plus à payer d'interminables communications longue distance. Et elle n'aurait plus à retenir son souffle chaque fois que Val, son collègue, arriverait à portée de respiration. Son nouveau travail serait intéressant et moins stressant, sûrement. Oui, se répéta-t-elle pour se consoler, je serai moins stressée, c'est ça, le plus important. Finis les voyages en métro, serrée comme une sardine, le nez enfoui dans l'aisselle des autres. Finies les sommes astronomiques laissées aux chauffeurs de taxi, quand elle rentrait tard le soir. Fini l'appartement si sombre qu'elle était obligée de garder les lumières allumées en plein jour. Fini d'être confrontée au souvenir de Patrick à chaque fois qu'elle ouvrait la porte pour retrouver son appartement plongé dans le silence. Elle se susurra mentalement des phrases d'un optimisme béat : Oui, j'ai un pot terrible ! Tout baigne ! Un nouveau départ ! C'est génial ! J'ai tout l'avenir devant moi ! Méthode Coué, méthode Coué...

2

Bien. Mes stylos, ma serviette. J'ai ciré mes chaussures.
Ah, mon rouge à lèvres. Voyons mes cheveux. Zut, quelle
connerie ! On ne pouvait pas dire que c'était une réussite.
Elle ressemblait à un chien de berger qui aurait couru dans
les sous-bois. Elle se tira la langue dans la glace en haletant
pour compléter l'effet. Et si elle les remontait… ?

Mettant son idée à exécution, elle souleva son abon-
dante chevelure frisée et se mira en faisant des mines.
Terrifiant ! A présent, elle ressemblait à un caniche sortant
de chez le toiletteur.

Ah, une idée ! Elle avait un chapeau quelque part.
Là-bas, un des cartons contenait des trucs à se mettre sur
la tête. La question était de savoir lequel. Elle donna un
coup de pied dans la première caisse à sa portée pour vérifier si elle émettait un bruit de carton à chapeaux. Après un
coup d'œil à sa montre, elle se dit que ce n'était pas le
moment de partir à la chasse aux couvre-chefs. Sans
compter que cela ne servirait à rien, car elle n'allait
pas pouvoir garder la tête couverte toute la journée. A
moins de prétendre être musulmane, ou suivre une
chimiothérapie.

Elle alla boire un verre d'eau à la cuisine pour calmer son estomac. Nom d'une pipe, c'était pire que de se rendre à un premier rendez-vous ou de se préparer pour son premier jour de classe. Mais quand même, tu as trente-trois ans ! Personne ne va te tripoter ou essayer de te piquer ton plumier.

Maman parle avec M. Bowndes, le directeur. Elle pose une main sur son bras et rit en renversant la tête en arrière. Bella garde la sienne baissée et contemple ses chaussures neuves. Elles sont bleu marine avec des petites boucles argentées et des brides qui sont encore trop raides pour qu'elle puisse les fermer elle-même. On est en septembre, mais elle porte des socquettes blanches immaculées avec des ancres bleues autour des chevilles. Les autres filles, elles, ont des chaussettes grises qui s'arrêtent sous le genou. Des chaussettes d'automne.

A travers son nouveau chapeau bleu, elle sent une main lui tapoter la tête. Elle lève les yeux.

— Je suis très content de voir une élève correctement habillée, avec le chapeau de l'école, la félicite M. Bowndes, penché vers sa mère. Il n'y a plus beaucoup de parents qui s'en donnent la peine, de nos jours.

Il rit comme s'il venait de faire une plaisanterie, et Bella suppose que c'est une plaisanterie pour adultes, parce qu'elle ne voit pas ce qu'il y a de drôle là-dedans.

— Mais c'est tellement charmant, je trouve, non ?

Maman prend une voix bizarre, comme si elle allait se mettre à chanter, et elle tapote le bord du chapeau de Bella du bout de son long doigt.

Raide et muette sous son chapeau, Bella imagine qu'elle est un champignon bleu marine. Elle aimerait être dans les bois, sentir ses pieds s'enfoncer dans la mousse veloutée, les ongles de ses orteils pousseraient, s'allongeraient, s'enracineraient dans le sol. Des lapins s'arrêteraient pour lui parler et la chatouilleraient avec leur museau. Elle écouterait les feuilles frissonner dans le vent.

M. Bowndes fait des signes d'au revoir à sa mère, puis remet Bella à une autre fille qui l'accompagne jusqu'à sa classe.

Elle est la seule à porter un chapeau.

Elle mit plus de temps à trouver Scotton Design qu'elle ne l'avait imaginé. C'était certainement parce qu'elle était arrivée par l'autre côté. Il fallait sans doute tourner là, juste après ce marchand de chaussures. Voyons voir… la dernière fois, je suis arrivée par la gare… j'ai donc peut-être tourné à gauche, là, et pas à droite. A moins que si ?

Elle s'arrêta quelques instants, essayant d'ignorer la panique qui montait en elle. Un passant poussa un soupir sonore en la contournant, agacé par cette touriste qui encombrait le trottoir. Le clocher de la cathédrale surgit soudain sur sa gauche. Ah… la cathédrale sur ma gauche, ça veut dire, oui… on passe devant un fast-food et devant Waterstone.

Renouant avec ses vieilles habitudes londoniennes, elle entra de façon machinale dans un café proche du bureau pour prendre un cappuccino. La mousse déborda par le trou du couvercle et coula le long du gobelet comme de la lave.

Elle était encore en train de lécher ses doigts lorsqu'elle arriva à la réception, où elle fut accueillie par sa nouvelle patronne.

— Bella ! Vous êtes là ! Parfait ! dit Seline en consultant sa montre. Rendez-vous avec un nouveau client à quatorze heures. Mais comme je serai à l'extérieur pendant presque toute la matinée, j'ai seulement deux minutes pour vous mettre au courant ! O.K. ?

— Très bien ! répondit Bella en élevant la voix pour tenter de lui donner un ton exclamatif identique à celui de sa patronne. Sans problème !

Du regard, elle chercha à repérer un endroit où poser son café qui s'échappait en cascade. « Demain, je prendrai un quadruple expresso pour faire le plein d'énergie, ça m'évitera de ressembler au loir d'*Alice au pays des merveilles* », pensa-t-elle.

— Gail ! Faites les honneurs de la maison, s'il vous plaît !

— Tenez, donnez-moi ça.

Gail débarrassa Bella de sa tasse, de son manteau, de sa serviette.

— Ne faites pas attention à Seline. Elle essaie juste de vous impressionner parce que vous êtes la nouvelle responsable de création branchée qui vient tout droit de la capitale. Bien, voilà les toilettes… la cuisine… la machine à café… les sachets de thé. Maintenant, je vais vous présenter aux autres pensionnaires de l'établissement…

— On retourne manger des tapas ? lui demanda Viv au téléphone. Je ne change pas mes habitudes, c'est toujours là que je vais… allez, vas-y, dis-moi que je te fais pitié.

— Je me demande pourquoi tu perdrais ton temps à faire le tour de la ville dans le seul but de me prouver que tu es une aventurière. Or, tu sais très bien que tu n'es pas une aventurière, puisque tu te contentes de tes deux restaurants, toujours les mêmes. De toute façon, ce sont les deux seuls endroits potables. Tu peux t'estimer heureuse de ne pas avoir le choix.

— Toi non plus ! Tu habites ici, maintenant, tu t'en souviens ?

— Oui, mais moi, j'ai un petit vernis de civilisation urbaine, tandis que toi, tu crois que le tarama, c'est une danse folklorique roumaine.

Pour le moment, Bella était sincèrement heureuse des possibilités limitées qu'offrait cette petite ville de province. A Londres, elle se sentait un peu l'âme d'un héros de l'antiquité grecque confronté à un impossible dilemme.

Patrick, lui, abordait le problème par étapes : d'abord par continent, puis par pays.

« Bien, l'Europe : italien, français, grec ? »

Puis venait la quête de la sainte Trinité que constituaient la qualité des plats, l'amabilité du service et l'atmosphère. Il mettait tellement de temps à imaginer toutes les combinaisons possibles que, de fil en aiguille, il était presque trop tard pour sortir.

« Au Conco d'Oro, il y a la gentille serveuse, mais la dernière fois, les légumes étaient ramollos. Au Beaujolais, c'est pas mal, les frites sont bonnes, mais je ne supporte pas le regard de supériorité condescendante du serveur quand je demande du vinaigre. »

— Pardon, pardon, pardon.

Viv entra en trombe dans le bar à tapas avec vingt minutes de retard.

— C'était la crise totale au boulot. Le réseau complet a disjoncté : une espèce de crétin a branché un sèche-cheveux, et ça a fait sauter le compteur.

Viv aimait beaucoup les crises.

Elles commandèrent des bières et discutèrent pour savoir s'il valait mieux choisir les *pinchos morunos* ou le *pollo al ajillo*.

— Qu'en penses-tu ? s'enquit Viv en désignant le serveur d'un haussement de sourcils. Pas trop mal, hein ?

Pour toute réponse, Bella se contenta de froncer le nez.

— Tu es vraiment difficile ! Je croyais que tu aimais le genre beau ténébreux latin ?

— Il est sans doute de Bromley, répliqua Bella. Je sais, je sais. Je ne trouverai jamais personne, à ce compte-là. Tu es comme ma mère.

— Est-ce que j'ai dit ça ? Bien sûr que si, tu trouveras quelqu'un ! Pas la peine de s'affoler ! Tu as bien le temps.

— Qu'est-ce que c'est que ça ? l'interrompit Bella en tendant l'oreille.

— Quoi ?

— Tic-tac. Tic-tac. C'est mon horloge biologique. Tu l'entends ? Je crois que ma mère l'entend à plus de cent kilomètres. Moi, je m'en fiche. Après tout, qu'est-ce que ça peut faire si je n'ai pas de gosses ? Je pourrai toujours en prendre à temps partiel quinze jours par an.

— Au fait, comment vont tes parents ? demanda Viv en parlant à travers la rondelle de citron vert qu'elle avait ôtée de sa bouteille de bière et coincée entre ses lèvres. Ont-ils déjà visité ta nouvelle propriété ?

— Je les tiens à distance le plus longtemps possible. Comme toujours, Alessandra m'a demandé de tes nouvelles la dernière fois que je l'ai eue au téléphone.

Bella avait donné à sa voix un timbre théâtral en prononçant le prénom de sa mère.

— Je la vois d'ici en train d'examiner les traces d'humidité : « Oh, c'est un effet de peinture voulu, Bella chérie ? »

— Ce qu'il te faut, déclara Viv, c'est un plan d'action. Pour rencontrer des hommes.

— Je ne refuse jamais les invitations, même si elles ne sont pas spécialement intéressantes.

— Merci, répondit Viv. C'est la dernière fois que je sors avec toi.

— Pas toi, idiote.

Bella but d'un trait une bonne rasade de bière, directement à la bouteille.

— Je te l'ai dit, reprit-elle. Je ne m'en fais pas. J'aime bien être seule.

— Menteuse !

— Non, pas du tout, c'est vrai. Je ne vois pas pourquoi je te raconterais des histoires. Bien sûr, toi, tu as rencontré un mec parfait, alors tu imagines que les célibataires ne sont que des demi-personnes, et tu les plains.

Viv secoua la tête.

— Nick n'est certainement pas parfait, sa propre mère elle-même le reconnaît. Et à ton nouveau boulot ? C'est combien, le pourcentage officiel ?

C'était leur code à l'époque où elles chassaient le mâle en groupe. Les deux autres, Kath et Sinead, avaient fait défection depuis longtemps en commettant le péché capital : elles s'étaient mariées. Et depuis que Viv vivait avec Nick, Bella était la seule à être restée célibataire.

— 0,5. Deux mariés, un homo, et un autre trop visqueux pour prendre le risque de le laisser dans la même pièce qu'un paquet de biscuits.

— Et tu n'as rien eu, même pas un soupçon de mec, ces derniers temps ?

— Je ne sais même plus à quoi ça ressemble. Les mecs, ce sont bien ces êtres pleins de poils à l'ego hypertrophié, c'est ça ? Je suis sortie deux fois avec un cadre de l'agence de pub, Tim, tu te souviens ? Il a été mortel. Il a passé son temps à me bassiner avec son portefeuille d'actions et à me prodiguer des conseils sur ce que je devrais acheter et vendre. Beurk. Je préfère m'en passer. De toute façon, je déteste ces histoires de couple.

— Quelles histoires ?

— Tu sais bien, partager la même opinion sur tout : « Nous pensons ceci et nous faisons cela. A notre avis, *Citizen Kane* est surévalué et nous préférons la cuisine de Sze Chuan à la cuisine cantonaise… » Les personnalités se délitent et finissent par se fondre l'une dans l'autre.

— Tu dis des bêtises. Nous, on n'est pas comme ça.

— Tu vois ? « Nous, on n'est pas… » « Je » n'existe plus ?

— Quand même…

Viv soupira et fit signe au garçon d'apporter deux autres bières.

— Il y a un tas de choses agréables : l'amour, on partage des choses, le sexe, par exemple.

— Le sexe ? Qu'est-ce que c'est que ça ? C'est ce qui se passe quelque part entre le moment où on se roule la première pelle et celui où on claque la porte d'entrée ? Ah oui, j'ai connu ça un jour…

— Donc, tu n'as pas… commença Viv en hochant la tête d'un air entendu, depuis… ?

— Non. Personne depuis Patrick. J'ai été décrétée zone non baisable. C'est officiel.

Personne depuis Patrick. Elles se souvenait de la dernière fois. C'était à Noël. Plus exactement, le lendemain de Noël. Ils venaient de rentrer de leur séjour chez les parents de Patrick à Norfolk, après avoir fait toute la route sous un crachin très désagréable.

L'appartement est froid et inhospitalier. Le réfrigérateur, vide, à l'exception d'un tube de purée de tomates à moitié utilisé, d'un pauvre citron et de deux bouteilles de vin, n'a rien pour évoquer Noël.

— Je crois que je vais aller direct au lit, annonce-t-elle, réprimant mal un bâillement. Je suis crevée.

— Bonne idée. Je te suis.

Elle se déshabille lentement et ôte ses vêtements avec distraction, en faisant glisser ses poignets toujours boutonnés par-dessus ses mains, trop paresseuse pour défaire les boutons. Elle attrape son grand tee-shirt blanc sous son oreiller, ses chaussettes de lit pelucheuses, puis traverse la salle de bains pour aller se brosser les dents.

— Tu vas lire, ce soir ? demande Patrick.

25

Les livres qu'on lui a offerts à Noël sont toujours dans leur sac en plastique, dans l'entrée.

Elle secoue la tête. Elle éteint la lumière avec un « clic ».

Elle sent sa main se glisser de son côté, sous son tee-shirt, caresser son ventre par-derrière.

— Tu es douce et chaude.

Elle se retourne pour l'embrasser.

— Bonne nuit, dit-elle.

Elle sent sa langue s'introduire avec précaution entre ses lèvres ; elle marmonne qu'elle a vraiment trop sommeil, que la journée a été longue. Il caresse ses cheveux, lui parle doucement, il lui dit qu'il l'aime, que sa peau est douce, qu'il a envie d'elle.

Son corps commence à répondre automatiquement au contact de sa peau, de sa main qui se glisse entre ses cuisses. Elle se sent devenir humide, elle l'entend soupirer tout bas au moment où ses doigts la trouvent.

Le lendemain de Noël, l'année dernière, elle s'en souvient. Oui, c'était ce jour-là.

— Celui-là, il est plutôt mignon. Là-bas… ne regarde pas, dit Viv en baissant progressivement la voix.

— Très bien. Je ne regarde pas.

— Non. Maintenant, regarde. Vite.

Bella tourna la tête et fit semblant d'étudier le mur, où un poster espagnol faisait de la publicité pour une corrida. Elle répondit en chuchotant à son tour :

— Viv, il est avec quelqu'un. Tu as vu la personne qui est à la même table que lui, avec des boucles d'oreilles et un chemisier à pois ? Elle n'est pas en accompagnement du plat, tu sais : tenez, voilà du pain et une femme pour la soirée.

Viv agita la main en signe de désaccord.

— C'est peut-être sa cousine, elle est venue lui rendre visite...

— C'est peut-être aussi le dalaï-lama déguisé en femme, mais je crois qu'il vaut mieux s'en tenir à la première hypothèse, tu ne crois pas ? Deux personnes, un homme, une femme, dans un restaurant, le soir. C'est probablement un couple. Tu devrais le savoir. Sortir, aller au restaurant, est tout à fait fréquent pour des gens normaux. Je l'ai lu dans le supplément du dimanche de mon journal.

Elles marchèrent ensemble jusqu'à la cathédrale, puis leurs chemins se séparèrent. Ainsi éclairé, l'édifice était magnifique... et il n'y avait pas un touriste en vue pour l'apprécier. Pendant la journée, il agissait comme un aimant sur les groupes de Japonais qui suivaient leur guide armé d'un parapluie fermé et brandi comme la baguette de tambour d'une majorette ; il attirait aussi les troupes d'écoliers français affublés de casquettes bleues identiques, assorties à un petit sac en plastique accroché à leur cou et signalant : « Voici mon passeport et tout mon argent. Volez-les-moi. »

Bella emprunta le pont qui enjambait les eaux sombres et chatoyantes de la rivière. Quelques barques se balançaient en se cognant les unes dans les autres avec un bruit caractéristique de bois heurtant du bois. Le spectacle avait quelque chose de mystérieux et d'excitant. C'était le genre de soirée qui pouvait inciter votre partenaire à se tourner vers vous en disant : « Allez, on va passer le week-end à Rome. On part tout de suite ! » Mais existait-il vraiment un homme capable de faire ce style de proposition ? Viv se plaignait souvent de ne jamais réussir à partir avec Nick. Elle-même, lorsqu'elle était avec quelqu'un, n'avait jamais fait spontanément avec son compagnon des choses extravagantes comme prendre l'avion pour le Continent sur un coup de tête, ou faire l'amour par terre, dans la cuisine ou dans la salle de bains. Une fois, dans un accès d'excitation, elle et Sean, son copain d'avant Patrick, avaient entrepris de le faire dans les escaliers. Mais les jeans qu'ils s'étaient mutuellement descendus avec fièvre les encombraient et il y avait bien trop de genoux impliqués dans l'opération. Sans compter qu'au bout de deux minutes elle ne pensait plus qu'à la marche qui lui écrasait le bas du dos. Ils furent obligés de s'arrêter et de monter jusqu'à la chambre, les jambes entravées par leur jean ; le temps d'arriver, le feu de leur folle passion s'était éteint comme un pétard mouillé.

C'était le genre d'idées saugrenues que développaient les magazines féminins en mal de copie : « Votre vie amoureuse perd de sa magie ? Epicez-la un peu en excitant votre partenaire au moment où il s'y attend le moins. » Mais en fait d'épices, les clichés sur le romantisme et le sexe avaient la vie dure. Par exemple : « Glissez des mots tendres dans ses poches pour qu'il les découvre pendant la journée. » Et : « Au cours d'une sortie, surprenez votre mari en lui disant à l'oreille que vous ne portez pas de culotte. » La seule chose qu'il en déduira, c'est que vous êtes atteinte de sénilité précoce. Que se passerait-il si vous le lui annonciez au moment où vous errez à travers les allées du supermarché pour trouver des olives à peu près mangeables ? Oh oui, il serait très surpris. Mais serait-il suffisamment excité pour vous renverser sur les packs de lait stérilisé ? Ou pour vous prendre sur un congélateur rempli de glaces au café et de petits pains surgelés ? N'auriez-vous pas les fesses un peu trop au frais ? Les autres clients feraient-ils semblant de ne rien voir, en bons Anglais, tout en essayant de passer le bras entre vos cuisses en s'excusant : « Pardon, pourrais-je avoir le cheese-cake à la mandarine ? J'ai ma belle-sœur qui vient passer le week-end... » ?

Elle croisa deux jeunes gens qui marchaient en crabe, s'arrêtant tous les deux pas pour s'embrasser. Un autre couple d'une cinquantaine d'années passa, main dans la main. Au début de son histoire avec Patrick, la vue d'autres amoureux en train de rire, de s'embrasser et de se faire des mamours lui faisait plaisir, lui donnait le sentiment d'être reliée à eux par un secret. Il arrivait parfois que quatre paires d'yeux se rencontrent et se parlent en souriant : « Nous, on sait que la vie est belle. »

Mais ce soir-là, ce spectacle la rendait triste. Pour qui se prenaient-ils, ces couples, avec leur air supérieur ? Si elle devait commettre un jour l'erreur de recommencer à vivre en couple, elle ne s'en croirait pas pour autant supérieure. D'ailleurs, elle détestait cette expression : vivre en couple ; comme en prison, en difficulté, en détention. Mais bientôt, un remords la saisit : Comment peux-tu être si méchante à la vue du bonheur des autres ?

Elle ralentit le pas et prit la résolution d'être plus positive. Tout allait bien. Elle avait du temps à elle, ce qui lui permettait de se consacrer à sa maison. Elle pouvait traîner tout le week-end en haillons. Sortir avec des tas de mecs différents. Plus besoin de passer son temps à ranger les serviettes parce qu'il n'avait pas intégré le concept du pliage. Plus besoin de dépenser des fortunes en confiture aux trois fruits, juste parce qu'il aimait ça.

Mais j'ai fini par l'aimer aussi, cette confiture, se rappela-t-elle. Et est-ce que je sors vraiment avec des tas de mecs ? Non, mais si je veux, je peux le faire, et c'est ça qui compte.

Le soir, dans son lit, Bella repensa à Viv et Nick. Curieuse, cette façon dont Viv était passée brutalement de Viv à Viv-et-Nick, comme s'il avait toujours été là.

Incontestablement, Nick était un élément de la vie de Viv, tout comme Viv était un élément de la vie de Nick. Evidemment, ce n'est pas sur ce dernier qu'elle-même aurait jeté son dévolu. Au moment de lui attribuer sa chevelure, Dame Nature était certainement arrivée en fin de stock. Il avait des traits doux, malléables, qui semblaient pouvoir être modelés à volonté. Et sa passion pour sa voiture, une Karmann Ghia bleu pâle, était un peu curieuse, d'autant plus imméritée que le véhicule avait une prédilection pour la bande d'arrêt d'urgence et tendait à déclarer forfait pour tout voyage dépassant les quarante kilomètres. Mais il fallait reconnaître que Viv et lui s'aimaient et qu'ils s'entendaient à merveille. On pouvait trouver pire sur ce plan. Ses propres parents, par exemple ; son père, si doux, si attentionné, et sa mère… passons. Au moins, elle avait la chance de ne pas lui ressembler.

Peut-être Viv était-elle en train de penser à elle au même moment. Pelotonnée contre Nick, elle lui disait : « J'ai l'impression que cette pauvre Bella a jeté l'éponge. Elle n'a pas fait l'amour depuis plus d'un an. Elle ne retrouvera sans doute pas un deuxième Patrick, il était si gentil ! Tout de même, elle devrait avoir passé le cap, maintenant. »

Bella entendait ces mots tourner en rond dans sa tête. Elle devrait avoir passé le cap, maintenant, elle devrait avoir passé le cap, maintenant…

3

A côté des deux mots « Yaourt – Idées ?? » figurant sur son bloc-notes, un portrait de sa nouvelle patronne prenait joliment forme. Le creux entre sa nuque et le col de son chemisier, les lunettes posées sur le sommet de sa tête, comme si elles regardaient le plafond, tout y était... Bella suivit des yeux la ligne tracée de façon quasi autonome par son crayon : l'angle du menton de Seline s'avançait avec détermination, tel un poulet qui fonce vers le grain.

— Bella ?

Seline la regardait d'un air interrogateur.

D'un geste sec, la portraitiste posa sa tasse de café sur le dessin et prit un air trahissant la plus profonde réflexion, l'air de quelqu'un qui pèse le pour et le contre des différentes options avant de donner son avis. Où en étaient-ils ? Toujours à la campagne pour le yaourt, ou avaient-ils abordé le projet du manoir-hôtel ? Elle se sentit coupable, comme une écolière prise en flagrant délit de manque d'attention. Bella Kreuzer ! Es-tu encore en train de rêver tout éveillée ?

— Hum... émit-elle tout en essayant de loucher sur le

bloc d'Anthony pour lire la note qu'il était en train de gribouiller pour elle.

— « Le style de vie Yaourt » ? la pressa Seline. Avez-vous d'autres idées pour le nouveau design ? Le groupe d'études trouve que son côté « bonne santé » ne va pas. Le client veut un nouveau regard.

— Oui, c'est aussi mon avis, confirma Bella en hochant la tête d'un air docte, très responsable de création consciente de l'extrême importance du design d'un emballage de yaourt. Nous pourrions développer l'idée que ces yaourts sont également drôles et sensuels. La cliente, la consommatrice, veut sentir qu'elle peut être en bonne santé tout en s'accordant un petit plaisir, et en éprouvant en même temps une légère culpabilité. Je vais faire quelques propositions demain, avec un type de visage plus sexy.

— Parfait ! s'exclama Seline, ravie, en faisant claquer son stylo contre ses dents. Quelqu'un a une autre idée ?

L'intérieur de la lèvre inférieure de Bella était endolori à l'endroit où elle l'avait mordu. Elle travaillait dans cette agence depuis seulement quinze jours, et, déjà, elle avait du mal à garder un visage impassible. C'était le même genre de boulot que lorsqu'elle était dans la publicité ou les magazines féminins. Comment garder une expression d'adulte intelligent quand les gens vous parlaient de yaourts ou de détergents, ou d'une nouvelle gamme de peinture, en accordant à ces produits autant d'importance que s'il s'agissait de traitements contre le cancer ou de moyens d'apporter la paix dans le monde ?

Seline, dirigeante de Scotton Design (ou Scrotum Design, comme disait finement Anthony), était une personne parfaitement sensée qui, elle se plaisait à le répéter, savait « apprécier la plaisanterie comme tout le monde » ; ce qui était vrai quand « tout le monde » était, comme elle, étranger au concept même d'ironie. Mais si, d'aventure, les caractères des slogans imprimés sur un paquet de protège-slips n'évoquaient pas les capacités d'absorption du produit, tout en étant synonymes de fraîcheur, de liberté, de bonne santé sexuelle, de vie privilégiée et active, Seline criait à la catastrophe. Et cela ne concernait que les caractères ! Et d'abord, est-ce qu'on avait besoin de protège-slips ? Les slips étaient bien suffisants, non ? Le jour viendrait bientôt où l'on sortirait des protège-protège-slips pour garder les protège-slips au frais et au sec.

Arrivée à ce stade de ses réflexions, Bella se reprit : Arrête tes bêtises et mets-toi au boulot. Vous allez voir ce que vous allez voir, je vais vous montrer comment on exprime l'insouciance et la liberté sur un visage. C'est peut-être débile, comme boulot, mais ça m'occupe et il faut bien que quelqu'un paie mes travaux, le traitement contre l'humidité, et le système d'extraction, et le remplacement des cordelettes des fenêtres, et cette foutue sonnette, et j'aurais bien besoin d'un congélateur aussi... Instantanément, la liste des choses à faire apparut dans sa tête et se mit à tourner autour d'elle en l'emmaillotant comme une momie égyptienne. Elle ferma les yeux à cette pensée et se réconforta à l'idée qu'elle serait chez Viv sous peu, à condition de pouvoir s'éclipser discrètement et d'échapper aux griffes de Seline.

— Bella ! Quelle surprise !

Nick entra dans la cuisine et commença à remplir la bouilloire.

— J'ai l'impression que ta dernière visite remonte à hier. Ah, c'était vraiment hier. Alors, comment ça va depuis vingt-quatre heures ?

— Ça va, ça va. C'est sa faute. C'est elle qui m'a fait

venir, se justifia-t-elle en pointant un doigt accusateur sur Viv.

— C'est vrai, c'est moi, confirma Viv en enlaçant son homme. Mais c'est pour toi qu'elle vient. Elle va m'apprendre à faire sa super tarte au poisson pour que je puisse la faire à tes parents ce week-end.

— Je rectifie : en fait, je vais faire la tarte au poisson pour le congélateur, pendant que Viv me regardera en hochant la tête et en marmonnant : « Oh, je crois que je vois. Montre-moi une dernière fois comment on épluche les pommes de terre, je m'attaquerai à la tarte plus tard. »

— Quelqu'un veut une tasse de thé ? proposa Nick. Ah non, je vois que vous avez trouvé le vin.

Il remplit leurs verres à ras bord, se servit d'olives et alla s'allonger sur le canapé dans le salon.

— Maintenant, je suis hors de portée de voix, dit-il, vous pouvez parler de mecs et de sexe et de vos trucs de filles !

— Tes chaussures, Nick ! cria Viv depuis la cuisine.

Il y eut un discret froissement de papier journal qu'on glissait sous des pieds.

— Nick, fais comme si tu étais un vrai homme pendant quelques minutes, fit Bella en entrant dans le salon avec Viv.

— A ta disposition, Bella.

— Oh, tais-toi, tu sais ce que je veux dire. Viv dit que je devrais te demander comment m'y prendre pour attirer les mecs.

— Depuis quand tu demandes conseil à Viv ? Je croyais que tu n'en voulais pas, de mec ?

— C'est exactement ce que j'ai dit. Viv ne me croit pas. Mais je voudrais quand même faire l'amour de temps en temps avant d'oublier le mode d'emploi.

Viv intervint :

— Allez, dis-nous. Elle est mignonne. Je comprends pas, les mecs devraient se battre devant sa porte.

— Non. Les gens vous demandent de leur donner sincèrement votre avis, et après, ils vous en veulent.

— Je te promets que non, Nick. Ma parole de scout ! affirma Bella en levant trois doigts.

— Tu n'as jamais été scout ! se moqua Viv.

Son amie lui fit signe de se taire.

Mais l'homme secoua la tête et continua de lire son magazine tout en mâchouillant une pastille de menthe.

Viv lui envoya une série de petits bruits de baisers, imitée par Bella. Nick soupira.

— D'accord, mais c'est à tes risques et périls. Bien sûr, ce n'est pas que mon opinion et je sais bien que je ne suis pas un vrai homme ; mais si tout ce que tu cherches, c'est une aventure, eh bien, montre tes jambes, ma fille. Porte une minijupe et ris quand les mecs font des blagues. Ça devrait marcher.

— C'est tout ce que tu as à donner comme conseils ? s'indigna Viv en envoyant une chiquenaude à son magazine.

— Quoi ? Quoi ? Ça fait douze fois que je relis cette phrase. Sois gentille, arrête de m'embêter, dit-il en cachant son visage derrière son journal.

— Nick, on promet d'arrêter tout de suite de t'embêter, insista Bella en soulevant doucement un coin de son refuge et en le regardant par en dessous. Et on va te faire du café, et on va rire de tes blagues, quand tu en feras, mais est-ce que… j'ai ce qu'il faut, tu vois ce que je veux dire ?

— Mon Dieu… Comment tu es… ? Comme je te l'ai dit, les jupes, c'est bon. A part ça, un, commença Nick en comptant sur ses doigts, tu portes trop de noir. C'est pas très gai. Deux, fais quelque chose pour tes cheveux ; ils sont beaux, mais en général on ne voit pas ta figure, ce qui est quand même un peu dommage. Tu ne peux pas les attacher ou quelque chose comme ça ? Trois, cette veste, elle ne t'avantage pas vraiment. T'as rien d'autre à te mettre ? Elle est trois fois trop grande... tu as l'air de vouloir te cacher derrière pour passer inaperçue.

— Nick ! lui lança Viv en guise d'avertissement.

— Mais non, c'est très bien, répondit Bella en tendant la main pour attraper un bonbon à la menthe. C'est celle de Patrick.

— Oh, excuse-moi.

— C'est pas grave. Continue.

— En plus, tu pourrais sourire, de temps en temps. Les mecs aiment ça. Ils ont l'impression que vous êtes contente de les voir.

— Comme ça ?

Bella arbora un énorme sourire plein de dents et se mit à faire des bonds tout autour de la pièce.

— La vie est absolument fabuleuse ! Que je suis heureuse de vivre !

— Donc je suppose que si moi, je me recouvrais la figure avec mes cheveux, ce ne serait pas dommage ? s'enquit Viv.

— Je savais que ça allait arriver. Je vous déteste toutes les deux ! s'exclama Nick en abandonnant son canapé. Si quelqu'un me demande, vous direz que je fais semblant d'être un vrai homme en lisant mon *Auto Magazine* dans les chiottes.

Elle trouva deux messages sur son répondeur en rentrant chez elle. Le premier avait été laissé par l'artisan chargé de s'occuper de l'humidité, qui disait qu'il ne pourriat rien faire tant que le temps ne s'améliorerait pas... Peut-être espérait-il que chaque jour de pluie supplémentaire aggraverait les dégâts et qu'il y aurait encore un peu plus de plâtre à gratter, ce qui lui permettrait d'augmenter la facture. L'autre message était de son père, Gérald :

« J'appelle simplement pour dire bonjour. Pour voir si tout va bien. Bon, je suis sûr que tu t'en sors bien. Appelle-nous de temps en temps. Je t'embrasse bien fort. Papa. » C'était toujours ainsi qu'il terminait ses messages téléphoniques, comme s'il écrivait une lettre.

Elle n'était pas d'humeur à parler à qui que ce soit, il n'y avait rien à la télé, et elle n'était pas du tout inspirée par la perspective d'essayer de rendre un yaourt sexy. Elle se fit donc couler un bain parfumé à l'huile de lavande. Ses bougies étaient réduites à l'état de moignons tristes. Elles avaient coulé le long des bougeoirs tarabiscotés recouverts de faux vert-de-gris et les avaient habillés d'une croûte gothique. Elle s'assit sur le bord de la baignoire pendant que l'eau coulait et ramassa paresseusement quelques morceaux de cire qu'elle jeta dans les toilettes. Puis elle perdit un quart d'heure à chercher de nouvelles bougies dans les cartons. Elle passa ses doigts dans ses cheveux comme si elle posait pour une pub de shampoing, mais ses doigts se prirent dans sa chevelure et elle se mit à la recherche d'une barrette.

— Je suis trop sensible pour m'exposer à la lumière artificielle, prononça-t-elle à haute voix. Où donc sont les pétales de rose pour mon bain ? Et que fait mon eunuque chargé de me vernir les ongles des pieds et de presser mes boutons ?

Elle avait pris l'habitude de prendre son bain à la lueur des bougies avec Patrick. C'était le genre de choses que vous trouvez tout à fait légitimes quand vous vivez en couple, comme de se savonner mutuellement le dos, de jouer avec la mousse et de se porter volontaire pour avoir le côté avec les robinets. Instantanément, l'image de Patrick tel qu'elle l'avait vu pour la dernière fois lui apparut.

Elle attrapa son gant de crin et entreprit de se frotter avec ardeur. Le traitement avait-il vraiment un effet sur la cellulite ? Ou se contentait-il de vous faire mal et de vous rougir la peau, de sorte que la cellulite se remarquait moins ? Elle examina ses cuisses à la lueur tremblante des bougies. En dehors du fait qu'elles rendaient la vue de la cellulite difficile, ce qui était déjà une raison suffisante, les bougies étaient extrêmement fonctionnelles : elles lui évitaient de subir le bruit de l'extracteur qui se mettait en marche lorsqu'on allumait la lumière et continuait d'émettre son gémissement de moustique en goguette pendant une heure au moins après l'extinction de l'ampoule. Bella prévoyait de le faire réparer un jour, après les travaux d'assèchement, mais la liste avait atteint de telles proportions qu'elle se sentait incapable de s'attaquer au premier poste ; aussi, pour le moment, laissait-elle la porte ouverte et la lumière du palier allumée lorsqu'elle se rendait aux toilettes, et prenait-elle son bain à la lueur des bougies.

Allongée dans la baignoire, elle était enveloppée du parfum frais de la lavande et de la lueur vacillante des flammes. Les événements de la journée tourbillonnaient dans son cerveau, prosaïques mais insistants. Seline était-elle fâchée après elle ? Elle aurait dû demander des détails à Anthony à propos de la présentation de la semaine suivante. Combien de temps prendrait le traitement contre l'humidité ? Et y aurait-il beaucoup de désordre ? Peut-être serait-elle obligée de s'installer ailleurs pendant quelques jours. Si seulement quelqu'un pouvait la décharger et prendre tout en main !

Bella se plongea encore un peu plus dans l'eau bienfaisante, trempa son gant de toilette et le posa sur son visage. Elle ferma les yeux et s'imagina qu'elle pouvait se voir d'en haut. Elle aurait bien aimé pouvoir flotter au-dessus de son corps, sentir son cerveau, ses pensées, se détacher, tirer sur sa chair en s'arrachant d'elle comme un sparadrap. La pluie tapait durement contre la fenêtre, tels des doigts qui tambourinaient contre le verre.

Rassemblant tout son pouvoir d'imagination, elle l'invoqua. Elle entendit son pas, la poignée de la porte tourna.

Derrière ses paupières closes, elle voyait les flammes des bougies envoyer des ombres tremblotantes sur les murs ; des dessins de lumière dansaient sur ses cuisses luisantes, sur ses seins. La porte s'ouvre à la volée et il la regarde, une question dans les yeux. D'un sourire, elle lui donne son accord et il vient vers elle, s'agenouille à côté du bain.

Une mèche de ses cheveux retombe sur son front et il la repousse de la main. Le silence. Il n'a pas besoin de parler, ses yeux brillent de désir. Au début, il se contente de la caresser des yeux en suivant ses formes, puis il remonte ses manches et tend les mains vers elle.

En bas, le téléphone sonna et son répondeur se mit en marche.

« Bonjour, c'est encore papa. Ça te dirait de venir nous voir ce week-end ? Ce serait bien. Maman dit que tu peux amener qui tu veux, tu sais. Si tu as envie. S'il y a quelqu'un. Tu peux venir toute seule, bien sûr ! Tant que tu veux. Je t'embrasse bien fort. Oh, et on a toujours ton cadeau pour ta crémaillère. »

Bella leva les yeux au ciel, prenant d'invisibles auditeurs à témoin. Il était vrai qu'elle n'était pas retournée à la Maison du Plaisir depuis un bon bout de temps. Elle ne pourrait pas y échapper jusqu'à la fin de ses jours.

L'eau commençait à se rafraîchir. Elle avait atteint la même température que sa peau ; dans quelques minutes, elle serait trop froide. Bella avait le choix : ou renouveler l'eau, ou sortir. Mieux valait sortir, si elle voulait éviter d'être aussi sexy qu'une noix fripée.

Il n'était pas trop tard pour rappeler papa. Oui, elle irait, sans doute. Il n'y avait pas de raison pour que ça se passe mal. De toute façon, un petit changement de décor ne pouvait pas lui nuire ; elle pourrait se promener avec papa et le chien, ça la distrairait de la vue des cartons qui traînaient toujours.

Elle frissonna et se secoua en tapant machinalement ses pieds contre le bord de la baignoire ; un souvenir des bains de son enfance, lorsqu'elle avait à cœur de protéger le tapis. Essaie de ne pas envoyer de l'eau partout, Bella chérie. Si tu mouilles le tapis, il va rétrécir.

4

— « Ev'ry time we say goodbye, I die a little... »

Bella chantait avec Ella Fitzgerald tout en suçant un bonbon acidulé. Mais un automobiliste surgit sans prévenir au rond-point et elle l'insulta, ce qui n'empêcha pas Ella de poursuivre : « ... why a little, why the gods above me... »

Pourquoi n'était-elle pas partie à l'heure du déjeuner ? Cela lui aurait évité les embouteillages du vendredi soir. Depuis qu'elle avait déménagé, elle n'était plus qu'à une centaine de kilomètres de chez ses parents, qui habitaient une maison recouverte de glycine, dans un village du Sussex mignon comme tout. Mais le voyage s'annonçait long, genre cross-country à travers des routes secondaires.

Au moment de s'éclipser, elle avait été coincée par Seline, lancée dans l'un de ses interminables monologues sur les maladies diverses et variées de ses chats. Bella avait fini par sortir à reculons en s'apitoyant depuis le seuil de la porte : « Ouh là là ! C'est terrible ! Il perd ses poils par poignées ? C'est la gale ? Pauvre bête ! »

Les pauvres bêtes en question étaient sans arrêt atteintes de quelque maladie dégoûtante, que leur maîtresse avait à cœur de décrire aux membres du personnel à différents moments de la journée ; on entendait donc se répéter les mêmes exclamations apitoyées en boucle, comme sur une cassette : « Ooh, des suppositoires ? Ah bon ? » On se demandait ce qu'attendait Seline pour les faire abattre et les remplacer par des chats tout neufs et en bonne santé.

Ah, voilà les panneaux. Deuxième, troisième sortie. C'est là.

Ella chantait toujours : « ... think so little of me, they allow you to go... »

Il faisait vraiment sombre, à présent, et les feux rouges des voitures qui la précédaient ressortaient sur le bleu-noir de la route en s'imprimant dans ses yeux comme pour l'hypnotiser.

La conduite de nuit avait un côté mystérieux. La route se déroulait devant elle, pleine de promesses de voyages au gré de sa fantaisie, balisant son chemin par une traînée de lumières qui semblait traverser le ciel comme une constellation inconnue. Soudain, le panneau qu'elle venait de dépasser s'afficha dans sa tête. C'était là qu'elle devait tourner : A259 Rye, Hastings. Sur le point de dépasser une Fiat plus vieille encore que sa Peugeot rouge, elle abandonna sa tentative et regagna sa file. La voiture qui la suivait la tança d'un appel de phares désapprobateur. Concentre-toi, ma fille ! Ah, si seulement elle pouvait se débarrasser de cette fatigue qui collait à elle comme de la glu !...

Il y avait un bon vieux relais pour routiers sur le bord de cette route, à environ quatre kilomètres, si ses souvenirs étaient bons. C'était un rescapé de l'époque où les mecs faisaient gronder les moteurs de leurs motos pour impressionner les filles en bottes à fermeture à glissière et mini-jupe. Par quelque miracle, il n'avait pas été transformé en distributeur de bouffe insipide style Mc quelque chose avec des chaises en plastique mou, des œufs frits en plastique mou et un service non seulement mou, mais authentiquement mauvais, qui arborait des badges portant l'inscription : « Bonjour, je m'appelle Nikki et je suis heureuse d'être à votre service. » L'enthousiasme desdites Nikki était aussi convaincant que la face de carême jaunâtre d'une vieille tante en chapeau de sortie violet. Pourquoi ne disaient-ils pas clairement les choses : « Qu'est-ce qu'y a ? Je m'appelle Germaine. Je vous servirai quand j'aurai le temps. »

Des lumières vives, le bruit des œufs cassés dans l'huile chaude, l'odeur des petits déjeuners servis toute la journée. A l'entrée de Bella, les rares clients installés dans la salle levèrent le nez, abandonnant pour un instant leurs journaux ou leurs tasses remplies de thé fumant. Elle regretta de ne pas avoir pris le temps de se changer en sortant du travail. Elle traversa la salle pour aller passer sa commande, et le claquement de ses talons, amplifié de façon grotesque par le lino recouvrant le sol, parut envoyer à la ronde un signal en morse : « Regardez-moi, regardez-moi. » L'ourlet de sa nouvelle jupe s'arrêtait au-dessus de ses genoux et les exposait aux regards ; elle réprima son envie de tirer dessus. Pour compenser, elle boutonna le haut de sa veste de tailleur.

— Vous paierez après, dit la serveuse derrière son comptoir. Attendez une petite seconde pour votre thé, je suis en train d'en refaire. Je vous apporte tout de suite votre sandwich.

L'aimable serveuse vida la théière et y remit du thé. L'eau bouillante envoya autour de ses mains une vapeur tourbillonnante qui matifia le métal du récipient et l'or de son alliance.

— Ça va, Jim ? demanda-t-elle en se tournant vers un

costaud plutôt séduisant, qui s'était avancé pour payer. Tu vas où, cette fois, beau gosse ?

— Pas loin, à Southampton. Mais tu peux quand même me donner un sandwich pour la route, hein !

— Je te donne tout ce que tu veux, quand tu veux, Jim !

— Doucement, doucement, il y a une dame. Ne faites pas attention, dit le beau gosse en se tournant vers Bella.

Il portait un tee-shirt blanc sous sa chemise de coton à carreaux, style chemise américaine. Elle voyait bouger les tendons de sa nuque bronzée. Il releva sa manche jusqu'au coude et frotta les poils noirs de son avant-bras d'un air absent.

— Ça va ? lui demanda-t-il en souriant.

Bella baissa les yeux, soudain consciente de l'avoir observé pendant trop longtemps. Ses yeux se posèrent sur ses mains. Les ongles du camionneur étaient coupés ras, ses doigts étaient fermes et sûrs.

— Très bien, merci.

— C'est sûr ? Vous voulez que je vous dépose quelque part ? Vous avez l'air un peu paumée.

— Non, pas du tout, répondit Bella en lui adressant un sourire assuré, mais distant. J'ai ma voiture.

Elle croisa les bras, puis se sentit stupide d'être ainsi sur la défensive.

— Merci.

— Pas de problème.

Il fit un pas en arrière, puis lui sourit et leva la main comme pour lui dire : « Ne vous inquiétez pas, je ne vais pas vous embêter ! « Puis il se retourna vers la serveuse qui officiait au comptoir.

Le bacon était épais et salé, coincé entre deux grosses tranches de pain de mie beurré. Bella avala son sandwich et but son thé en affectant des manières assurées de femme indépendante. A l'aise, Blaise. Cool, Raoul. Des manières de dame, quoi !

Au moment de payer, elle avisa des pavés de pudding, du genre solides et indigestes comme son père les aimait tant. Le genre de pâtisserie qu'un monde séparait des impeccables desserts à la vanille et à la cannelle que confectionnait sa mère. Elle en demanda deux.

— Bon, ben, j'encaisse que ça, alors. Jim vous offre votre thé et votre sandwich.

Bella regarda la serveuse sans comprendre.

— Il a dit comme ça qu'il aimait pas laisser les demoiselles dans la détresse, expliqua la jeune femme. Moi, je crois plutôt que vous lui avez tapé dans l'œil, ajouta-t-elle en soupirant. Ah, vous en avez de la chance ! Y m'inviterait à faire un tour, je dirais pas non !

Elle rit et Bella sourit d'un air complice.

Pendant le reste du voyage, l'image de son chevalier servant en chemise à carreaux ne cessa de la hanter. Et si elle avait répondu que, oui, elle avait besoin qu'on l'emmène quelque part ? Elle s'imagina en train de monter dans la cabine du camion.

Il serait debout derrière elle, les yeux rivés sur ses cuisses dévoilées par sa jupe remontée, pendant qu'elle se hisserait dans l'habitacle. Assise à côté de lui dans le camion, haut, très haut au-dessus de la route environnée de nuit, elle se tournerait vers lui pour admirer sa silhouette qui se profilerait contre le ciel étoilé, et respirerait son odeur, faite de peau de mâle, de sueur, de coton.

Là, dans la chaleur de la cabine, avec, sous ses pieds, les vibrations rassurantes du moteur, elle se sent en sécurité. Pas besoin de parler, d'interrompre le ronronnement qui emplit leur cocon douillet par un verbiage inutile. Il y a lui, elle, et la route qui se déroule devant eux. Son corps musclé est solide comme le roc, solide et inflexible. Elle a envie de sentir ses mains, ses doigts chauds dans sa nuque, le contact de son menton rugueux contre sa joue. Qu'il la tienne contre lui sans parler.

Puis elle tend la main et ses doigts se fraient un chemin sur le tissu délavé de son jean tendu sur sa cuisse. Il se retourne pour la regarder, pour voir ses yeux, son consentement. Il met en route ses feux de détresse et se dirige vers la bande d'arrêt d'urgence.

Maintenant, il la conduit à l'arrière, il tend la main vers la sienne, à la lueur orange des feux clignotants. Il la soulève sans effort jusqu'à l'arrière du camion. Ses mains sont fermes et confiantes autour de sa taille. Elle recule, s'adosse contre un chargement de caisses amoncelées et l'attend. Son ombre s'avance vers elle dans le noir. Une main se pose sur ses cheveux. Sa bouche. Ses mains qui soulèvent sa jupe. L'odeur du désir. Elle soupire lorsqu'il la touche en posant ses mains chaudes sur la peau fraîche de sa cuisse. Sa voix qui murmure des choses dans ses cheveux, son cou. Ses mains. Son...

Une voiture qui arrivait en face lui fit des appels de phares. Elle resta éblouie quelques instants, puis comprit et alluma ses lanternes.

Ma pauvre fille, tu arrêtes de fantasmer sur les camionneurs ? A qui le tour, après ça ? Aux ouvriers du bâtiment obligeants : « J'ai appris que vous aviez un trop-plein d'humidité en ce moment » ? Aux électriciens : « Je vais vous brancher ça ! » ? Sans parler des livreurs : « Où est-ce que je vous le mets, mon chou ? »

Allez, remue-toi un peu et trouve-toi un mec, nom d'une pipe !

C'était très bien de faire une pause après Patrick, mais maintenant, la plaisanterie avait assez duré. Techniquement, elle était sûrement redevenue vierge, toute refermée, comme les oreilles percées quand on ne porte plus de boucles d'oreilles.

Lorsqu'elle retournait chez ses parents, elle était immanquablement en proie à une sensation étrange faite d'un curieux mélange de plaisir et de contrariété. Retrouver la maison elle-même était agréable : l'éclat des meubles bien astiqués, ses couleurs douces, sa propreté et son ordre... Cette maison tranchait complètement avec l'appartement qu'elle partageait avec Patrick et avec sa nouvelle maison au décor fait de coussins chatoyants et de tapis exotiques, de tableaux, toujours dans les cartons, de plantes qui dégoulinaient déjà des étagères. Elle était contente de retrouver les petits plats de sa mère, l'amour de la cuisine était une chose qu'elles avaient en commun, et l'humour de son père, sa candeur, son plaisir de la revoir.

Pourtant, les motifs d'irritation ne manquaient pas non plus. Par exemple, ses parents attendaient d'elle qu'elle aille dire bonjour aux voisins qu'elle n'aimait pas, même si ceux-ci ne tenaient pas plus qu'elle-même à ces politesses épisodiques. Autre exemple, ils utilisaient des verres à vin pour lilliputiens, de telle sorte qu'elle devait sans arrêt remplir son verre sous le regard d'une paire d'yeux exprimant une muette réprobation. Elle n'aimait pas non plus la façon dont son père, correct, discret, s'effaçait toujours devant le point de vue de l'autre. Et, encore moins, l'efficacité imperturbable de sa mère, son air de déception stoïque.

Elle se demanda s'il était possible d'être adulte quand on était avec ses parents. Même si on s'imaginait être une grande personne, ce n'était sûrement qu'une illusion. On pouvait très bien parler avec eux de la vie, ou des livres, ou de la politique comme dans n'importe quel groupe d'adultes civilisés de milieu égal, et puis il vous suffisait d'émettre une seule opinion un peu provocatrice, et votre père partait de son petit rire gentil et indulgent, hochait la tête et souriait de son sourire qui disait : « Tu as de drôles d'idées, mais on ne te prend pas au sérieux parce que tu es jeune et que tu ne sais pas. » Ou votre mère avancera les lèvres, attentive à ne pas montrer tout à fait sa désapprobation : « C'est dommage que tu penses cela. Peut-être changeras-tu avec le temps. Enfin, je suppose que je n'ai qu'à m'en prendre à moi, si je n'ai pas su t'élever comme il faut. »

En rentrant à la maison, Bella sentait les inévitables questions informulées qui flottaient dans l'air :

« As-tu trouvé quelqu'un d'autre ? » demandait le rayon de lumière qui filtrait de l'abat-jour de soie ivoire, dans l'entrée. « Fais-tu assez d'efforts ? » lui chuchotait-on de derrière les rideaux de velours. « Tu dépasses le temps imparti, lui susurrait la salière en argent avec force miroitements. « Combien de temps encore devrons-nous attendre ? » se plaignait le tapis moelleux sous ses pieds.

Alessandra, sa mère, était plus subtile, naturellement. Elle était passée maître dans l'art des reproches par insinuation, de telle sorte que le sujet de conversation le plus innocent pouvait se transformer en un véritable champ de mines, avec des dangers cachés qui vous guettaient à chaque pas. Ses silences à multiples facettes exprimaient le doute, la honte et les espoirs en éclats.

« Tu te souviens de Sarah Forbes, qui a un an de moins que toi ? avait-elle minaudé lors de sa précédente visite. Celle qui habitait à Church Street, dans cette maison avec la fausse bow-window ? Elle vient de se marier avec un jeune homme adorable. Elle portait un très joli voile à son mariage… ça détournait l'attention de son nez. »

Le texte subliminal était clair comme de l'eau de roche : *Elle a un an de moins que toi et elle n'a pas tes avantages, mais même une fille comme elle a réussi à dénicher un mari. Un homme convenable. Et elle n'est même pas belle. Tu aurais pu faire mieux qu'elle.*

Bella avait esquivé soigneusement les balles et avait aussitôt riposté : « Je suis très contente pour elle. Je vais lui envoyer une carte. Va-t-elle continuer à travailler au magasin, d'après toi ? » Traduction : *Elle a beau être mariée, on ne peut pas dire qu'elle fasse des étincelles sur le plan de la carrière. Au minimum, tu pourrais être fière de mes talents et de ma réussite !*

« Oh, je ne crois pas qu'elle ait besoin de ça, Bella chérie. Son mari est avocat ; il est associé dans un cabinet très réputé, à ce qu'on dit, avait contré Alessandra avec un sourire serein. Ça marche très bien pour lui. Il est vrai que les hommes peuvent se consacrer à leur carrière. Ils n'ont pas la même pression que les femmes. »

Impressionnant : une attaque sur deux fronts.

Un : *Non seulement elle a alpagué un type qui a de l'argent, mais il exerce une profession libérale et il a de l'avenir.*

Deux : *Les hommes n'ont pas de bombe à retardement nichée dans leurs organes de reproduction, donc, c'est très bien qu'ils soient ambitieux et qu'ils réussissent. Et toi, tu n'entends pas le tic-tac de l'horloge ?*

Faiblement, Bella avait renvoyé un dernier boulet, bien lourd et bien maladroit : « Un avocat ? Oh, c'est pas grave. Elle aurait au moins pu se trouver un mec qui exerce un métier respectable. Tu connais la blague : Qu'est-ce qu'on dit quand cent avocats sont enchaînés ensemble au fond de l'océan ? On dit que c'est un bon départ. » Pathétique. Un pétard mouillé. Cela ne méritait même pas de contre-attaque. Alessandra avait soupiré doucement, pas du tout impressionnée, et tapoté ses cheveux pour arranger son chignon parfait. « Tu veux bien faire le café, ma chérie ? avait-elle alors demandé en regardant le chemisier froissé de Bella, les sourcils froncés. Il faut que je monte un instant. » Une fois levée elle avait précisé : « Il y a des florentins que j'ai faits moi-même dans la boîte bleue. » Le coup de grâce : *Si tu ne réussis pas à trouver un homme et à*

49

nous donner des petits-enfants, tu peux au moins te rendre utile en nous faisant le café. Peut-être que si tu te donnais la peine de faire tes biscuits, comme moi, tu aurais quelqu'un.

Et cette manière de prononcer les mots étrangers de façon exagérément parfaite, comme si elle parlait au journal télévisé ! Surtout en italien, bien qu'elle fût née à Manchester, ses parents étant arrivés en Angleterre plusieurs années avant sa naissance. Sa manière de prononcer « Bella », en s'attardant sur le double « l », comme un serveur italien qui vous fourre son poivrier en forme de phallus sous le nez : « Du poivre noir, *bella signorina ?* »

« Mais merde, j'en veux pas, de mec ! » avait envie de lui dire Bella, juste pour la voir sursauter. Comme si c'était plausible ! Aucune femme n'a envie de rester seule. Les bonnes sœurs, peut-être… Alessandra considérerait cette fille appartenant à une espèce étrangère avec un froncement de sourcils perplexe. Peut-être bien qu'elle finirait effectivement au couvent. Bella imagina l'expression de sa mère à l'annonce solennelle de sa décision : « Mère, j'entre au couvent. Jamais plus tu ne me reverras. » Ce mélange de ce qui pouvait passer pour des sentiments voilant ses yeux mordorés : l'incompréhension, la honte, la lueur de culpabilité de se sentir, comment ? soulagée ? Le mieux était de choisir la solitude de l'anachorète, de l'ermite. Peut-être l'austérité de sa cellule lui permettrait-elle de se remettre à la peinture et de se consacrer à la création ; le monde extérieur serait réduit à des fibres qu'elle tisserait en images. Elle choisirait pour uniques sujets, clairs et vibrants, les pensées qui habiteraient son esprit ; amenées à la vie par ses pinceaux caressants et séducteurs, elles choqueraient le papier vierge par leur hardiesse. Sainte Bella des divins coups de pinceaux, ricana-t-elle intérieurement.

Il était déjà tard lorsqu'elle arriva et sa mère s'était couchée. Elle fit un saut à la buanderie pour dire bonjour à Hund, le chien, mais il dormait dans son panier, roulé en boule dans une vieille couverture. Son père, lui, l'avait attendue, assis dans la cuisine, en lisant un magazine féminin. Il l'embrassa avec tendresse et brancha la bouilloire.

— Devine ce que j'ai apporté, papa ?

Bella posa les morceaux de pudding sur deux assiettes de porcelaine.

— Tu me gâtes ! Ne le dis pas à ta mère ! Dis, est-ce que c'est vrai ? s'inquiéta Gerald en désignant du doigt une page du magazine. Ils disent que soixante-quatre pour cent des femmes tombent plus facilement amoureuses des hommes qui pleurent.

— Ça m'étonnerait. Tu ne sais pas que les gens qui font ces statistiques les fabriquent de toutes pièces à soixante-douze pour cent, ou alors qu'ils se contentent d'interroger cinq personnes de leur bureau. Cela dit, je suppose que la plupart des femmes préfèrent les hommes sensibles.

Elle servit le thé tout en précisant :

— Pas une lavette, bien sûr, mais quelqu'un qui s'intéresse à leurs sentiments et toutes ces conneries.

Gérald pouffa dans sa tasse.

— Que c'est délicatement dit !

Il prit un morceau de pudding et la regarda par-dessus ses lunettes cerclées d'acier.

— Tu as rencontré des gens hum... intéressants, récemment ?... Que veux-tu, les parents, ça se mêle de tout.

— Pas de problème, papa. Je m'en fiche quand ça vient de toi. Hélas, non. Tu peux laisser ton veston dans la naphtaline, pour l'instant. Tu peux aussi le fourguer à quelqu'un, si tu veux. Je ne pense pas que ça arrivera un jour.

— Ecoute, tu sais qu'on t'aime quoi que tu fasses. Tout ce qu'on veut, c'est ton bonheur.

— Ouais, ouais. Discours parental dûment effectué et reçu. Mais vous voulez des petits-enfants. Vous en voulez tous. Mes copines disent la même chose de leurs parents. Enfin, c'est juste une phase, vous arriverez à la surmonter.

Gerald sourit.

— Mais qu'est-ce qu'on va faire du service à petit déjeuner Winnie l'ourson qu'on a gardé ? Et on a douze rouleaux de papier peint Jeannot Lapin au grenier.

— Oh, la ferme ! lança-t-elle affectueusement. Je t'ai apporté ton pudding préféré. Que veux-tu de plus ?

Bella dormit dans son ancienne chambre. Elle était très différente, maintenant, plus propice au repos. Alessandra avait refait les papiers dès la semaine suivant son départ pour l'école de dessin à Londres. Elle avait recouvert de tons pêche très doux l'ambitieuse fresque murale inspirée de la jungle du Douanier Rousseau dont Belle avait revêtu l'un des murs. « Bien sûr, tu peux en faire une autre si tu veux, Bella chérie, peut-être quelque chose de plus *simpatico*, non ? Une gerbe de lys, ça ferait très joli sur la porte du placard. » Mais Bella ne s'était pas posé trop de questions : de toute façon, la pièce avait sérieusement besoin d'être repeinte, et elle n'allait pas refaire tout le mur.

En revanche, le lit était resté à la même place, à côté de la fenêtre, coincé entre le mur et le côté de l'armoire.

Blottie au creux de son lit d'enfant, Bella eut envie qu'on vienne la border et lui faire la lecture. Elle tira la couette sur son menton et éteignit la lumière.

Elle est couchée dans son lit et chuchote dans l'oreille de Fernando, sa petite grenouille en peluche. Il est tout aplati aux endroits où il a été serré trop fort. La petite lampe de chevet est allumée et elle émet une douce lumière chaude ; Fernando a peur du noir. Un foulard rose est attaché autour de l'abat-jour pour atténuer la luminosité.

Bella entend maman parler à Poppy sur le palier. Poppy vient parfois la garder. Bella l'aime bien. Elle a des cheveux frisés avec des mèches de couleur au milieu, des raisins secs au chocolat dans son énorme sac en patchwork, et, une fois, elle a laissé Bella regarder avec elle le policier du samedi soir, alors qu'elle n'avait pas la permission.

Dehors, sur le palier, maman est en train de dire :

— ... et empêchez-la de se lever. Elle dit souvent qu'elle veut vérifier qu'il n'y a rien sous le lit, mais ne cédez pas à ses caprices.

— D'accord, répond Poppy. Amusez-vous bien.

La porte de la chambre s'ouvre et maman entre.

— On s'en va, maintenant, Bella chérie. Tu ne vas pas embêter Poppy, c'est promis ?

Elle s'avance vers le lit et se penche pour lui donner le baiser du soir. Maman sent délicieusement bon : le parfum, et la soie, et les boucles d'oreilles scintillantes, et le soir ; Bella respire toute son odeur et se soulève pour mettre les bras autour d'elle.

— Ne me décoiffe pas, Bella. Je viens de me coiffer. Bonne nuit, ma chérie, dors bien.

Papa vient après elle.

— Juste pour te faire un petit bisou.

Il marche sans faire de bruit, bien qu'elle soit encore réveillée, et s'assied sur le lit. Il passe ses bras sous elle et la serre bien fort contre lui. Elle sent la matière douce et soyeuse de sa cravate contre sa joue, le tissu rugueux de sa veste contre son nez.

— Tu veux bien vérifier, papa ? S'il te plaît !

Il se met à quatre pattes pour regarder sous le lit.

— Pas de problème, dit-il.

Il se relève et lui envoie un baiser depuis la porte.

— A plus tard, madame Placard.

— A tout à l'heure, monsieur le Facteur, répond-elle.

5

— Tu n'es pas obligée de te lever tout de suite, dit Gerald en passant la porte, une tasse de thé à la main. Ta mère est allée chez le coiffeur, donc tu es tranquille.

— C'est sympa de sa part d'avoir sorti les drapeaux et formé un comité d'accueil.

— Tu as envie d'un bon petit déj' ?

Au cours de sa balade traditionnelle dans le village, elle acheta deux cartes postales touchantes de laideur, des reproductions d'aquarelles de la rue principale et de l'église, puis alla s'asseoir à la Bouilloire qui Siffle pour écrire ses cartes et prendre un café.

— Maman est rentrée, annonça Gerald à son retour. Surtout, n'oublie pas de lui faire des compliments sur sa coiffure !

Bella tira sur son chemisier pour le lisser et frappa à la porte de la chambre de ses parents.

— Oui ?

Elle passa la tête à l'intérieur.

— Ce n'est que moi. Je passe te dire bonjour.

— Oh, bonjour, Bella chérie ! s'exclama Alessandra, assise devant sa table de toilette. Ne reste pas sur le pas de la porte. Entre, entre ! Je suis contente de te voir.

Bella se pencha pour embrasser la joue offerte par sa mère.

— Tu es bien coiffée comme ça. C'est très classe. La couleur est bien, aussi.

Alessandra scruta le visage de sa fille pour étudier son expression, puis tourna la tête d'un côté, et de l'autre, en se regardant dans le miroir.

— Moi, je trouve que je m'en serais mieux tirée toute seule. Peu importe, comment vas-tu, chérie ?

Alessandra vaporisa un nuage de laque sur sa chevelure en recouvrant ses yeux d'une main, remit en place une mèche échappée de sa banane. L'odeur du salon emplit les narines de Bella, lui renvoyant le souvenir des longues heures d'attente qu'elle avait passées chez le coiffeur, assise sur une chaise en balançant les jambes, plongée dans un livre, ou dessinant dans le carnet à dessin offert par son papa.

— Très bien. Oui, je vais très bien.

L'image trois fois reflétée d'Alessandra la fixa attentivement depuis le miroir à trois faces.

— Ça fait une éternité que nous ne t'avons pas vue, prononça le visage complet du miroir central. Il faut vraiment que tu viennes plus souvent.

— J'aurais bien aimé, mais… j'ai eu mon déménagement. J'ai toujours des tas de choses à faire, tu sais bien ce que c'est, avec mon boulot et tout le reste.

— Il est sûr que nous, nous sommes un peu hors course, répondit le profil droit, tandis qu'une main, à petits mouvements rapides, recouvrait sa joue de poudre translucide.

— La maison est très agréable, comme toujours. Le vase, dans l'entrée, il est nouveau ?

Le reflet hocha la tête et lui jeta un regard de côté.

— Ton père s'ennuie beaucoup de toi, dit le profil gauche. Vraiment, tu pourrais essayer de penser à lui de temps en temps.

— Mais je pense à lui !

Bella mit ses pouces dans les passants de la ceinture de son jean et baissa le nez vers la pointe de son pied gauche. Le cuir usé formait un contraste très joli avec la laine vert pâle du tapis : il ressemblait à un morceau d'écorce tombé sur de la mousse tendre, au printemps. Et si elle allait peindre dans les bois ? En catimini, comme pour rencontrer un amant secret. Elle eut une vision d'arbres sombres, d'ombres coupées en tranches par des rais de lumière. Ah, Bella chérie, tu reprends tes pinceaux ? Ça me fait plaisir. C'est tellement bien pour une femme d'avoir un passe-temps...

Alessandra passa du rouge à lèvres sur sa bouche déformée par un sourire en forme de rictus.

— Qu'est-ce que tu en penses ? C'est nouveau. Epice ambrée.

— Très joli, approuva Bella, hochant la tête en direction du reflet. Ça met en valeur la couleur de tes yeux.

Les yeux d'Alessandra, pailletés de petits éclats, brillèrent dans la glace. Elle sourit, ses traits s'adoucirent.

— Tu le penses vraiment ? Viens, descendons prendre une tasse de café.

Le reflet enleva le surplus de rouge sur ses lèvres en se tournant de gauche à droite.

— J'ai fait de nouveaux *biscotti*. Tu vas les goûter et me dire ce qu'il y a dedans.

Bella inspira l'air chargé de sel et regarda la mer. C'était une belle journée claire, mais venteuse. La crête des vagues était surmontée d'une mousse blanche. Elle aimait la plage par les journées comme celles-ci, suffisamment froides pour confiner les bataillons de pique-niqueurs dans leurs voitures, d'où ils surveillaient la mer avec une suspicion non déguisée. Même si, désormais, elle n'habitait pas très loin de la côte, elle avait une tendresse particulière pour cette partie précise, la plage de son enfance, à vingt kilomètres de chez ses parents.

Lorsqu'elle était partie pour son escapade, elle avait bien vu que son père mourait d'envie de l'accompagner, mais elle avait attrapé ses clés de voiture et avait filé sans paraître s'en rendre compte. Car il eût été impossible de refuser à sa mère de se joindre à eux, et il n'était pas question de se livrer à un triste simulacre de promenade familiale, avec la battue pour trouver un endroit abrité du vent et le cirque à cause de ses cheveux.

Deux véliplanchistes bondissaient au-dessus des vagues, disparaissant et réapparaissant. Leurs voiles rose et vert fluo volaient comme des ailes d'oiseaux exotiques. La marée était basse et, près du bord de l'eau, une petite fille jetait maladroitement des pelletées de sable dans son seau. Les bords de son chapeau blanc étaient rabattus si bas que sa vue se réduisait sans doute à la surface qu'elle occupait. Elle paraissait bien décidée à se lancer dans de grands travaux de construction, mais les manches de son gilet l'embarrassaient et elle était trop jeune pour les remonter toute seule. Sa mère, assise à proximité, lisait un magazine et vidait sa canette de Coca à petites gorgées.

Bella lança un caillou en visant un petit morceau de bois qui flottait le long de la grève. Le caillou rebondit sur les galets. Un chien se mit à japper. Son maître lui lança un regard furieux, comme si elle avait cherché à l'atteindre. Presque, se dit-elle. Encore un, et je retourne à la Maison du Plaisir.

Papa l'emmène à la plage et l'aide à enlever ses chaussures et ses chaussettes.

— Tu as envie d'aller faire trempette, Ding-Dong ?

Parfois, il l'appelle comme ça pour rire, parce que Bell [1] est le diminutif de Bella ; mais maman dit que c'est idiot et pas bien, car Bella, c'est un très joli nom. Il signifie « Belle », elle le sait puisque c'est elle qui a choisi ce prénom et qu'elle est italienne.

— C'est moi qui le fais.

Il retire aussi ses souliers et ses chaussettes, et relève les jambes de son pantalon jusqu'à ses genoux. La mer est froide et Bella pousse un cri perçant lorsque les vagues viennent se précipiter sur ses chevilles. A travers l'eau, ses pieds ont l'air de ne pas lui appartenir, comme si elle venait juste de les trouver pendant qu'elle cherchait des coquillages. Ils sont pâles et doux et le soleil dessine des petites lignes brillantes dessus à travers les vagues. Quand elle sort de l'eau, les galets lui paraissent deux fois plus durs et coupants.

— Aïe, aïe, aïe !

Papa la soulève et la porte bien au-dessus de sa tête, tout là-haut près des grandes mouettes blanches. Papa dit que les mouettes poussent leur cri pour les marins et les pêcheurs perdus en mer. Elle se demande comment ils peuvent se perdre, parce qu'il n'y a pas de routes sur la mer et qu'on n'a pas besoin de carte. Il suffit de regarder autour de soi, et on voit la plage.

Sans prévenir, papa la met tête en bas et elle ne voit plus que les galets et la mer et le ciel, puis de nouveau le ciel et la mer et les galets. Elle hurle, enchantée :

— Papa, papa, mets-moi par terre !

Elle lui permet de lui remettre ses chaussettes parce que ses pieds sont encore humides et que c'est difficile à faire comme il faut. Il les lui met en faisant plein de plis et les talons ne sont pas à leur place, et après, il serre trop les

----

1. *Bell* signifie « cloche » en anglais. *(N.d.T.)*

boucles de ses chaussures rouges et la gauche lui pince un peu le pied, mais elle ne dit rien.

Il l'emmène boire un jus de cerise et manger du *Welsh rabbit*[1] dans un café où des bandes multicolores pendent sur le seuil et remuent doucement au vent. Elle voudrait que cette journée ne finisse jamais : les mouettes qui volent au-dessus d'elle, les bulles roses et sucrées du jus de cerise, le crissement des galets sous les pieds, le goût salé de la mer quand elle lèche ses doigts, et papa qui lui remet ses chaussures en baissant la tête sur les boucles qu'il referme, pendant qu'elle attend sagement qu'il ait fini, assise sur le muret.

— Bon, très bien, Ding-Dong. On y va. Maman doit nous attendre.

Alessandra tripotait ses cheveux.

— Magnifique, dit Gerald. Comme toujours.

Elle lui manifesta son désaccord par un geste de la main en agitant ses longs doigts fins.

— On se demande vraiment pourquoi on passe tant de temps et on dépense tant d'argent pour vous plaire, à vous autres, les hommes...

Elle se tourna vers sa fille pour la prendre à témoin, notant en silence son jean délavé et ses cheveux rassemblés en une hâtive queue-de-cheval, puis se détourna de nouveau.

— ... si vous n'êtes même pas capables de faire la différence.

Sur ce, elle mit le cap vers la cuisine.

— Amusez-vous et tâchez de ne pas vous mettre dans mes jambes. Je vais préparer quelques petites choses pour le dîner. Rien de spécial, puisqu'il n'y a que nous.

---

1. Toast au fromage. *(N.d.T.)*

« Rien de spécial » se révéla sous forme de petites tarte-lettes aux asperges et au gruyère, suivies d'une terrine au poulet fumé et aux épinards, accompagnée de salade.

— Quoi de neuf ? s'enquit Alessandra, d'un air faussement indifférent, après qu'ils eurent atteint sans encombre la dernière partie du dîner, des poires chaudes au porto, servies avec de la crème fraîche.

Est-ce que tu sors avec quelqu'un ? Bella sentit la question muette de sa mère traverser la nappe de lin amidonnée et contourner un vase de porcelaine rempli de roses en boutons, bientôt suivie d'une seconde question : Essaies-tu, au moins ?

— Rien d'extraordinaire, répondit Bella en se concentrant sur un morceau de poire récalcitrant, avant de remettre la conversation dans le droit chemin, avec l'aisance précise d'un politicien : Je dois faire des travaux dans la maison pour éliminer l'humidité. Il faudra gratter le plâtre jusque-là, précisa-t-elle en levant sa main à hauteur de poitrine.

— Tu vas en avoir pour cher, commenta Gerald. Tu veux qu'on t'aide ?

— Est-ce que tu as... commença Alessandra.

— Merci, mais tout va bien côté finances... et Seline a l'air d'être très contente de moi pour l'instant ; sans doute parce que j'ai amené quelques clients intéressants, des gens qui sont prêts à payer. Elle dit que si tout va bien, nous pourrions envisager une association l'année prochaine.

— Mais c'est merveilleux ! Ça s'arrose !

— Evidemment, c'est bien qu'elle apprécie tes talents, mais n'est-ce pas un peu risqué ? intervint Alessandra. Ne serais-tu pas un peu responsable juridiquement si la société faisait faillite ?

Bella prit une gorgée de vin.

— Tu as raison, il faut toujours regarder le bon côté des choses, lança-t-elle en se levant de table. Je fais du café ?

— Il vaut peut-être mieux que ce soit moi, Bella chérie. Le percolateur est assez capricieux.

— Je le comprends tout à fait, marmonna Bella entre ses dents.

Le dimanche matin, Gerald l'emmena faire le tradi-tionnel tour du jardin. Côte à côte devant la partie potager, ils pointaient le doigt, faisaient des commentaires, comme deux juges chargés d'attribuer une médaille à un concours d'horticulture.

— On s'approche de la mauvaise période, maintenant, bien sûr, il n'est pas très beau. J'ai l'intention de planter des courges, cette année. Ta mère dit que ça fait de la bonne soupe.

— Ah bon ? Ne dit-elle pas plutôt que ça fait une *excel-lente*[1] soupe ?

— Ne te moque pas de ta mère, ma fille !

Chaque fois que Bella mentionnait ou admirait une plante, un légume, Gerald se précipitait en se déplaçant avec une grâce surprenante sur les étroits chemins qui séparaient les plates-bandes :

— Attends, je vais t'en donner, je vais t'en donner. Tiens, voilà.

C'était décourageant, elle n'avait encore rien fait dans son petit bout de terrain, alors que papa faisait des miracles dans son jardin.

— Je me demande si je ne devrais pas le redessiner... le rendre plus facile à gérer, d'une certaine façon, dit-elle. C'est le fouillis total.

— Très bonne idée. Je vais venir jeter un coup d'œil, si

_____

1. En français dans le texte. *(N.d.T.)*

tu veux, ou alors, il faut que tu trouves quelqu'un qui connaît vraiment le métier.

— Evidemment, je ne sais pas ce qui se fait en ce moment, dit Alessandra en sortant un corsage de son armoire pour l'offrir à sa fille, mais ce genre de vêtement est toujours utile.

Et ce sera toujours mieux que l'affreuse chemise que tu portes.

— C'est superbe, s'enthousiasma Bella en posant la joue sur la manche en satin. Tu es sûre que tu ne veux pas le garder ?

— Nous ne sortons plus aussi souvent qu'avant. J'ai trop de vêtements de soirée, je n'en ai plus l'usage.

Si j'avais ton âge, je sortirais danser tous les soirs, et j'aurais des cohortes d'admirateurs à mes trousses.

Bella tint contre elle un petit haut en crêpe et s'examina dans la glace. Il était adorable, d'un rouge cerise profond.

— La couleur va merveilleusement bien avec tes cheveux. Je ne comprends pas pourquoi vous, les jeunes, vous portez tout le temps du noir. Prends-le.

Alessandra sortit la jupe assortie de son armoire.

— Tiens. Je n'entre plus dedans. Ça fait partie des joies de l'âge, ironisa-t-elle en tapotant ses hanches toujours minces.

Tu ne seras pas éternellement jeune.

— Et ça ne te fera pas de mal d'avoir quelques affaires mettables. Avec ton physique, c'est vraiment dommage de ne pas te mettre plus en valeur.

Pourquoi ne fais-tu pas davantage d'efforts ? Jamais tu n'arriveras à mettre le grappin sur un homme si tu n'y mets pas du tien.

Ainsi vêtue de la jupe et du corsage, Bella se sentit différente, d'une élégance inhabituelle, gracieuse, adulte. Elle fit quelques pas dans la chambre et la jupe effleura doucement ses jambes. Les volumineuses manches du chemisier étaient transparentes, plus suggestives que la chair nue.

— C'est vraiment splendide sur toi, affirma Alessandra. Très joli pour les grandes occasions. Ou lorsque tu es invitée à dîner au restaurant.

— De nos jours, les hommes n'invitent plus les femmes au restaurant, rétorqua Bella, ignorant la question cachée. Chacun paie sa part.

— Oh oui, bien sûr. Enfin, ce que je voulais dire..

Alessandra s'interrompit et eut un petit rire.

— Il faut des talons hauts, naturellement, ajouta-t-elle en regardant les bottes de week-end de sa fille.

Tu n'as pas envie qu'on te remarque ?

— J'ai des chaussures élégantes, tu sais.. c'est juste parce que...

— Non. Evidemment, nous ne pouvons nous attendre à ce que tu uses tes plus belles affaires chez nous.

Sur ces mots, elle se détourna et sortit.

Seule dans la chambre de ses parents, Bella se tourna vers le miroir. Elle examina froidement le reflet qui lui faisait face. Le haut rouge cerise et la jupe lui semblèrent soudain ridicules, trop chics ; il était visible qu'ils ne lui appartenaient pas... Elle ressemblait à une petite fille qui a mis les talons hauts de sa maman et son boa en plumes. Comment tomber sous son charme, la trouver belle dans ce déguisement ? Il était clair que c'était une supercherie, un coucou qui s'était introduit dans le nid et s'était approprié une chose ne lui appartenant pas. Elle tira sur la fermeture, la prit dans le tissu avant de réussir à l'ouvrir, puis attrapa son jean.

— N'oublie pas ton cadeau pour la nouvelle maison, lui recommanda Gerald pendant qu'elle rassemblait ses affaires devant la porte. Tu as de la place sur le siège arrière ?

— Sois gentil, Gerald, tu veux bien le faire, s'il te plaît ?

Elle n'avait pas besoin de le déballer pour savoir de quoi il s'agissait. Il y avait deux objets : l'un grand et lourd, à l'évidence une sorte de pied de lampe, et l'autre de forme bizarre, qui ne pouvait être qu'un abat-jour. Même sans la voir, Bella savait que cette lampe n'irait pas avec son intérieur. Elle était trop grande, et certainement trop volumineuse. Il y avait gros à parier que le pied était décoré d'oiseaux exotiques ou de fleurs pleines de goût. Elle avait sûrement coûté cher. Pour le prix, ils auraient pu lui payer quelques serviettes neuves. Ou une paire de bonnes casseroles.

— Oh, que c'est gentil ! Je suis contente d'avoir un vrai beau cadeau !

— Tu ne veux pas l'ouvrir ?

Alessandra s'était plantée derrière comme une propriétaire. C'était évidemment elle qui l'avait choisi.

— Mais il a l'air bien protégé comme ça. Je préfère le transporter emballé. J'aurai la surprise en arrivant à la maison.

Alessandra remit une mèche de ses cheveux en place et croisa les bras.

— Tu as raison. Bon, eh bien, bon retour.

Elle se pencha en avant et planta un baiser d'oiseau sur la joue de sa fille.

Gerald lui remit une enveloppe lorsqu'elle fut à l'intérieur de la voiture.

— Ce n'est pas un gros chèque, tu sais. C'est quelque chose pour le jardin.

— Ça a l'air un peu plat pour un cerisier.

— Allez, va-t'en, dit-il en se baissant pour l'embrasser. Le ticket de l'autre cadeau est dedans aussi, au cas où tu voudrais l'échanger contre une chose plus utile dans un premier temps. N'hésite pas à nous inviter à ta pendaison de crémaillère, si tu n'es pas trop gênée de montrer tes vieux parents. Nous viendrons plus tôt pour te donner un coup de main, si tu le souhaites.

— Ne dis pas de bêtises, papa !

Oh, ça, je ne risque pas de les inviter, se dit-elle. Elle voyait le spectacle à l'avance.

Son salon. Des amis debout, en train de bavarder et de faire des exercices d'équilibre avec les mains pleines d'assiettes, de verres et de serviettes. Ils évoluent prudemment au milieu des cartons toujours entassés. Arrivent les parents, qui font une entrée digne de celle de Cléopâtre dans Rome, avec des tas de chichis d'écharpes, de gants et de manteaux à enlever. Qui s'affolent parce qu'ils ont oublié tellement de choses, puis ils se rendent compte que non... et où se trouvent les... ? Son père, dans tous ses états, comme un petit vieux, qui s'inquiète pour sa voiture, demande si on ne peut pas faire quelque chose pour le problème du parking. Et Alessandra qui fond sur la cuisine en notant des yeux la présence de la photo de Bella et de Patrick toujours en place sur le tableau d'affichage, et qui trouve la cuisine absolument adorable : Comme c'est pratique d'avoir tout à portée de main ! Et qui désigne les rideaux traînant par terre : Bien sûr, il y a tellement de choses à faire dans une nouvelle maison ; on ne trouve pas le temps de faire les ourlets des rideaux et tous ces petits travaux si ennuyeux ! Oh, et le parquet nu avec de simples descentes de lit dans la chambre : pourquoi n'a-t-elle rien dit, s'ils avaient su, ils se seraient fait un plaisir de l'aider à acheter un tapis, vraiment, un plaisir ; à moins que ce ne soit plus ce qui se fait chez les jeunes ? Car ils ne sont plus tout à fait au courant de ce qui se fait.

Venir plus tôt pour donner un coup de main ? Merci, non merci.

Bella donna un coup de klaxon péremptoire en franchissant le portail. Dans son rétroviseur, elle vit son père lever le bras bien haut, comme s'il faisait des signaux à un bateau passant au large depuis une île déserte. Sa mère avait levé une main prudente, comme tendue vers quelque chose qu'elle n'espérait pas pouvoir atteindre.

6

« Pourquoi ne pas prendre des cours du soir ? C'est une bonne façon de rencontrer des gens tout en se perfectionnant ! »

Bella avait feuilleté un magazine féminin dans les toilettes du bureau. Le conseil était toujours le même : une lectrice écrivait qu'elle souhaitait rencontrer des gens, et, invariablement, la réponse suivait. Mais pouvait-on vraiment rencontrer des mecs potentiels à un cours du soir ?

Elle interrogea Viv et Nick pendant le dîner. Nick décréta que c'était une approche rationnelle.

— Rationnelle ? s'étonna Viv. Oh oui, la rationalité, c'est ce qui compte avant tout, c'est bien connu !

— Et dans quel domaine envisages-tu de te perfectionner ? demanda Nick. La menuiserie ou la mécanique auto ?

Bella avait plutôt songé au travail sur vitrail ou au patchwork. Mais Viv lui exprima sa façon de penser :

— Ecoute, est-ce que tu as envie de rencontrer des mecs, oui ou non ? Va donc prendre des cours de patchwork si tu veux, mais ne viens pas te plaindre après en pleurnichant parce que le meilleur coup de la classe est une femme de quarante-sept ans qui, elle au moins, a du poil au menton !

— Ça ne me dérangerait pas ! Ce que je veux, c'est rencontrer des gens. Rien de plus.

Ils étaient installés à table tous les trois et mangeaient des crevettes à l'ail et au gingembre. Les filles essayaient de ne pas se moquer de Nick qui tentait en vain de se servir des baguettes. Pour la troisième fois, il perdit sa crevette au moment de la porter à ses lèvres.

— Ce suspense me tue, Nick. Prends une fourchette.

Viv se tourna à demi vers Bella et commenta entre ses dents :

— Il fait ça à chaque fois.

— Non, non, ça y est, je sais comment faire.

La crevette tangua dangereusement, suivie par trois paires d'yeux qui ne perdaient pas une miette de son trajet entre le bol et la bouche de Nick.

— Mais tu sais, il n'y a pas de médaille d'or au bout, lui dit Bella, qui, elle aussi, laissa tomber sa crevette dans son assiette.

Nick disparut à la cuisine et se mit à remuer la vaisselle.

— D'ailleurs, ce n'est même pas la peine. Même si je rencontre quelqu'un, je ne sais pas comment on fait pour garder un mec. Le plan sorties-restau et le plan baise non-stop, ça va, je m'en tire, mais dès qu'on sort de là, je suis nulle. Il doit y avoir une formule secrète, mais je ne la connais pas. Tu ne veux pas me donner ta recette magique ? Tu m'as l'air d'avoir percé le secret à jour.

— Viv, où as-tu caché les fourchettes bleues ? braila Nick depuis la cuisine. Je n'aime pas prendre les autres pour manger chinois.

— Ouais, tu as raison, nous sommes le couple parfait, ironisa Viv, avant de crier à son homme : Dans le deuxième tiroir, celui où elles sont d'habitude !

— Donc, il n'y a pas de formule ? insista son amie.

— Du genre « les gouttes magiques de ma grand-mère écossaise » ? S'il y en a une, personne ne me l'a donnée, et personne n'a pris la peine de la donner à Nick, je peux te le dire. Lui, il croit que le soutien mutuel, c'est de s'appuyer l'un sur l'autre quand on sort bourrés du pub. Aucune idée, ma cocotte. Si, j'en ai une. Je crois qu'il faut parler au sein du couple, à mon avis, c'est ce qui compte le plus... qu'on en ait envie ou pas. Autrement, on reste pendant des semaines à ruminer un petit détail minable et on finit par partir en claquant la porte. Ah oui, et un peu d'amour, ça ne fait pas de mal. Ça vous aide à surmonter les moments pénibles, et il y en a souvent, termina-t-elle en élevant la voix.

Bella se mordit la lèvre inférieure.

— Et c'est tout, madame la conseillère ?

La voix plaintive de Nick leur parvint depuis la cuisine :

— Je ne les trouve pas...

— Non. Il faut aussi une bonne dose de chance... répondit la conseillère en se levant pour aller prendre la direction des opérations dans la cuisine. Non, pas ce deuxième tiroir-ci, ce deuxième tiroir-là ! Et il faut aussi savoir naviguer entre les salauds et les cons, et les fils à maman, pour dénicher le gentil garçon normalement névrosé qui n'est même pas capable de trouver une fourchette dans sa propre cuisine ! fit-elle en revenant à table.

— Peut-être vaudrait-il mieux que je mette un terme à tout ça, dit Bella en faisant mine de se poignarder à l'aide de sa baguette.

— Attends la semaine prochaine. Ce sera au tour de Nick de passer la serpillière.

Au bureau, Bella parcourut la documentation sur les cours pour adultes qu'elle avait empruntée à la bibliothèque et se dit qu'avant tout, elle avait besoin de prendre des cours pour comprendre le catalogue. Pour quelle raison ses concepteurs avaient-ils adopté une présentation aussi compliquée ? Un instant, elle fut tentée de renoncer et d'attendre septembre. D'ici là, elle aurait retrouvé un peu d'énergie pour le déchiffrer, et elle pourrait repartir du bon pied avec la nouvelle année scolaire. Mais septembre était encore loin, et son esprit d'entreprise risquait de l'avoir abandonnée entre-temps. Pour elle, l'expression : « Pourquoi remettre au lendemain ce qu'on peut faire le surlendemain ? » n'était pas une formule humoristique, c'était une philosophie de l'existence tout à fait valable. Non, il fallait absolument agir maintenant. Son unique exploit, au cours des dernières quarante-huit heures, était d'avoir confectionné un gâteau au citron, ce qui n'était pas vraiment une priorité absolue, et d'avoir fait l'ourlet des rideaux de sa chambre. D'ailleurs, elle avait même triché en ajoutant après coup « Faire l'ourlet des rideaux de la chambre » à sa liste kilométrique, bientôt disponible en coffret de dix volumes, de manière à pouvoir le rayer et se prouver qu'elle était capable de liquider certaines affaires.

Elle reprit sa brochure depuis le début et se demanda si elle ne devait pas rechercher par ordre géographique. Choisir un endroit facilement accessible et prendre une matière au hasard. Ou choisir à l'aveuglette. Elle ferma les yeux, ouvrit le catalogue et mit la main sur la page qui se présentait. « Apprendre à dessiner et à peindre. » Très amusant. Probablement la seule activité dont elle n'avait pas besoin parce qu'elle savait déjà faire. Enfin, elle avait su faire. Son rêve d'autrefois de devenir peintre s'était soldé par un premier échec embarrassant ; c'était une folie de jeunesse qu'il valait mieux oublier.

Malheureusement, il n'existait pas de cours du soir pour toutes les questions vraiment délicates. A quoi servait de s'embêter à suivre «La maîtrise du tableur (niveau moyen) » ou « Créez en brodant à la machine », s'il vous fallait en réalité « Comment rencontrer quelqu'un (débutants) » ou « Comment se prendre en main (niveau zéro) » ?

Le cours « Décoration des gâteaux (niveau avancé) » était sûrement, eh bien... la cerise sur le gâteau. Mais la possession d'un gâteau était un préalable, et cela impliquait d'avoir tous les ingrédients dans les bonnes proportions et de les mélanger ensuite de façon à ce qu'ils se marient bien ensemble... L'analogie, qui commençait à s'entortiller sur elle-même, dirigea le cours de ses pensées sur un sujet plus prosaïque : son repas.

Elle attrapa son sac et mit le cap vers la sandwicherie. Chemin faisant, elle poursuivit sa rêverie. Il faudrait que les cours guident les élèves progressivement, pour leur permettre de passer de, par exemple, la leçon 1 : « Le premier coup de fil », à la leçon 2 : « Le premier dîner », puis à : « Enlever ses vêtements sans s'emmêler les pinceaux », « Rester zen tout en lui enfilant un préservatif », « Rencontrer ses parents », « Comment gérer les bouderies (néophytes) », et enfin, à la sortie : « Comment dire : J'ai besoin de plus d'espace », quand en réalité on a envie de dire « Tire-toi. »

« La mécanique auto (débutants 1) » commençait le mardi soir à dix-sept heures trente. Bella rentra en vitesse après son travail pour prendre sa voiture. L'engin refusa de démarrer.

— Ha-ha-ha-ha, très drôle ! persifla-t-elle en tapant rageusement sur le tableau de bord.

Comme c'était réconfortant de constater qu'après tout, Dieu avait le sens de l'humour !

Naturellement, elle s'affola, s'acharna sur le démarreur, appuya trop fort sur la pédale d'accélérateur et fit tout ce qu'il ne fallait pas faire en sachant qu'il ne fallait pas le faire ; et elle noya le moteur. Elle alterna les séances de charme : « Allez, tu es une petite bagnole super, tu as envie de faire un petit tour, non ? Hop, on y va ! » en se penchant en avant pour se donner l'illusion qu'elle avançait, et les séances d'insultes : « Saloperie de tire, tu vas démarrer ? Je te laisse une dernière chance avant de t'échanger contre un scooter ! »

Elle coupa le contact et resta assise sans bouger pendant quelques minutes. Merveilleux. Une chose de plus dans sa vie qui foirait. Cette idée de cours du soir était une idée idiote, de toute façon ; jamais elle ne rencontrerait le moindre mâle par ce moyen. Pourquoi n'acceptait-elle pas tout simplement le fait qu'elle n'était qu'une pauvre vieille fille pitoyable, qui n'aurait jamais ni mari ni enfants ? Il ne lui restait plus qu'à se jeter à corps perdu dans l'aide aux affamés ou aux victimes du papier peint déprimant, en faisant le tour du monde en tricycle, suivi d'une marche sponsorisée jusqu'à Liverpool en tongs.

Une dernière tentative. La voiture démarra. Evidemment ! Un coup d'œil à sa montre : ça valait encore le coup. Au moins, elle pourrait encore s'inscrire, à défaut de pouvoir suivre le cours.

Elle trouva la salle mais, avant de se jeter dans l'arène, elle eut la bonne idée de regarder à l'intérieur par un interstice dans la porte.

Une douzaine de personnes environ étaient agglutinées autour de ce qu'elle supposa être un moteur de voiture. Les gens s'écartèrent tout à coup pour laisser le passage à un homme d'une cinquantaine d'années en combinaison de travail bleue. Il s'avança au centre, tandis que les autres se tournèrent du côté de Bella. Tous les présents, à l'exception de deux, étaient des femmes. Les deux qui n'en étaient pas se serraient l'un contre l'autre et paraissaient fort peu engageants. Les cheveux poil-de-carotte du premier se dressaient tout hérissés sur sa tête, comme s'il venait de subir une grande frayeur. Le visage du second était entièrement piqueté de boutons d'acné. Ni l'un ni l'autre ne pouvaient avoir plus de dix-sept ans.

Elle recula et entreprit une retraite stratégique, le dos au mur, comme dans un mauvais film d'espionnage de série B. Après tout, qu'est-ce qu'elle en avait à faire, des moteurs ? Et c'était bien à ça que servaient les cours de mécanique.

Tout de même, il était dommage d'abandonner maintenant qu'elle était dans la place. D'après la brochure, il y avait de nombreux cours dispensés ce soir-là. « Soyez votre propre comptable. » Qui pourrait résister ? « Italien (niveau moyen). » Ça pourrait être intéressant, mais en dehors de *grazie* et de *spaghetti al pesto* elle ne savait rien dire. De plus, Alessandra ne serait que trop contente de s'en mêler et de corriger sa prononciation. « Danse folklorique polonaise. » Mais, à cette heure-ci, le cours était quasiment terminé. « Dessin d'après modèle. » Début dans trente secondes. Sans doute n'y aurait-il pas beaucoup d'hommes, mais elle se ferait plaisir, et elle n'était pas obligée de dire qu'elle savait dessiner. D'ailleurs, elle n'avait pas assisté à un seul cours depuis l'Ecole des beaux-arts, mais elle avait adoré cette immersion complète dans le travail. Quand elle dessinait, elle était entièrement concentrée sur sa tâche, uniquement préoccupée d'observer et de reproduire en deux dimensions ce qu'elle voyait en trois.

Elle courut à la recherche de la salle en longeant les couloirs. WG 4 : quel drôle de nom pour une salle ! Pas de WG 4 à l'horizon, pas plus que de WG 1 ni de WG 2 ni de WG 3.

Elle finit par la trouver dans une annexe et entra en trombe dans la classe au milieu du discours d'introduction du professeur.

Celui-ci leur demanda de l'appeler JT et leur recommanda de poser toutes les questions qu'ils souhaitaient. En dépit du fait qu'il réclamait d'être désigné sous ses initiales, il paraissait pas mal.

Ledit JT leur suggéra de commencer par une séance rapide d'un quart d'heure avant de se lancer dans un travail plus long.

Le modèle se déshabilla et prit la pose, penché en avant, une jambe sur une chaise.

Enfin, elle finissait par se retrouver en face d'un homme nu ! L'avantage, c'était qu'elle n'éprouvait pas la moindre gêne, contrairement à ce qui se passait en pareil cas.

Personne n'attendait d'elle qu'elle s'esclaffe devant de laborieux calembours. Elle n'allait pas non plus au-devant d'une découverte pénible, comme, par exemple, la constatation que son partenaire s'imaginait que les préliminaires consistaient en dix minutes de fouilles énergiques au sein des poils de son pubis. Aucune cystite ne la guettait, ni l'obligation de présenter l'heureux élu à sa mère. Merveilleux.

Bella farfouilla dans son sac à la recherche d'un crayon. Comme c'est bizarre, se dit-elle. Dès que l'on se met à observer, à dessiner, la nudité disparaît. Le modèle devient tout simplement un squelette recouvert de chair, fait de volumes et de surfaces planes, de zones d'ombre et de lumière. Que ne pouvait-elle réduire les gens à cette simplicité le reste du temps : à l'angle d'une jambe, à la courbe d'une épaule, au poids d'une main reposant sur une hanche... Le dessin n'était pas un art facile, loin de là. Par exemple, comment s'y prendre pour représenter ce pied aux proportions modifiées par sa position en avant sans le faire paraître estropié ? Et comment dessiner ces petites choses pendouillantes sans les faire ressembler à des abats de poulet ? L'observation attentive vous aidait à apprendre, à mieux comprendre. On pouvait reproduire la réalité tout en en faisant une interprétation personnelle.

Mais on pouvait aussi vivre sur cette planète pendant

mille ans – d'accord, trente-trois, mais ça n'en était pas plus facile pour autant – et continuer à ne rien comprendre aux autres, ni à soi-même.

Chassant ces pensées infructueuses, Bella se concentra sur le modèle et se plongea dans le dessin.

Lorsque le moment de la pause arriva, sortant d'une sorte d'état second, elle reprit conscience de la réalité qui l'entourait. Elle cligna des yeux comme si les lumières avaient été soudain allumées. La tête encore remplie d'images, de formes, elle fut pendant quelque temps incapable de parler. Les mots restèrent à l'état de symboles dans son cerveau avant de pouvoir être traduits en sons. Réfléchissant à ce phénomène, elle en conclut que le dessin lui apportait le même sentiment d'accomplissement que l'amour. Elle n'avait pas besoin d'autre chose.

Elle eut conscience d'une présence sur sa gauche. C'était JT qui vérifiait son travail. Il hocha la tête, approbateur.

— Je vois que vous n'êtes pas exactement ce qu'on appelle une débutante, dit-il.

7

Dimanche. Le jour inventé dans le seul but de rappeler aux célibataires du monde entier à quel point ils sont tristement seuls. Et pourtant, elle avait un programme assez chargé !

Pour commencer, un petit détail, une broutille : les caisses à déballer. Son déménagement remontait déjà à plusieurs semaines, et elle évoluait toujours au milieu de son paysage de carton. Mais à quoi bon tout défaire si c'était pour tout recommencer au moment des travaux d'étanchéité ?

Elle ne pouvait décemment retourner chez ses amis. Viv avait beau dire qu'elle était la bienvenue, l'autre soir, Nick avait glissé une remarque pleine d'humour. « Je ne vois pas pourquoi on s'embêterait à faire des enfants, avait-il dit, nous, on a Bella ! Et on peut dire que ça nous évite des tas de soucis. On n'a pas besoin de chercher une bonne école, ni de financer ses études, on ne s'engueule pas à propos de ses sorties ou parce qu'elle monopolise le téléphone pendant des heures. C'est fantastique, avait-il ajouté, on se demande comment font les autres pour ne pas y penser. Pourquoi s'angoisser pendant des années quand il suffit d'adopter une enfant de trente-trois ans qui sait faire la cuisine et tout le reste ? »

Désopilant. Oh là là, comme elle avait ri !

Elle sortit sa liste : « S'occuper de la maison », lut-elle. « S'occuper du jardin. » Bouh, c'était trop pour un dimanche matin ! « L'humidité. » Elle souligna le mot fermement pour se donner l'impression qu'elle hâtait la solution du problème, en quelque sorte. Puis elle ajouta sous le mot, en sous-titre : « Mettre la main sur M. Bowman. » Venait ensuite : « Fissures dans le mur de l'atelier. » A l'évidence, c'était une entreprise de longue haleine, bien plus compliquée qu'il n'y paraissait.

La liste continuait par « Rideau de douche » et « Store pour la salle de bains ». Ah, voilà, très bien. Elle pouvait toujours faire une brèche dans sa liste en allant choisir des rideaux de douche. Habitat n'ouvrait pas avant midi. Cela lui laissait du temps pour faire un peu de rangement. Après son petit déjeuner.

Elle se composa un plateau avec des corn flakes et du lait froid, du thé, un muffin grillé. Puis elle introduisit une cassette, *Indiscrétions,* dans le magnétoscope, et s'installa confortablement sur son canapé.

Ah... le problème était là : dans le monde d'aujourd'hui, on n'avait plus aucune chance de tomber sur un mec comme Cary Grant. Mais elle se serait largement contentée de James Stewart. On arrivait au passage où, la veille du jour où elle allait se marier avec un autre, il embrassait Katharine Hepburn. Puis, passablement éméchés, ils allaient piquer une tête dans la piscine éclairée par la lune.

« Ce ne peut pas être quelque chose qui ressemble à de l'amour, n'est-ce pas ? murmurait-il dans ses cheveux.

— Non, non, ce n'est sûrement pas ça, il ne le faut pas ! soupirait Hepburn, adossée à un arbre, le visage éclairé par la lune.

« — Serait-ce... inopportun ? chuchotait Stewart de sa voix traînante.

— Terriblement ! »

Et en plus, Katharine réussissait à être belle quand elle était bourrée.

Bella arrêta la télé et renversa la tête sur les coussins. Que se passerait-il si elle ne trouvait pas de mec, sans parler du mec idéal, simplement un mec ? Elle deviendrait comme toutes ces femmes seules qui maternent leurs chats comme s'ils étaient des bébés et passent leurs vacances en groupe, en Thaïlande, pour apprendre à faire du batik. Au bout d'un moment, les copains abandonneraient toute tentative pour l'apparier à quelqu'un et penseraient à elle avec commisération, tout en lui racontant à quel point ils enviaient sa liberté : ça devait être merveilleux de faire tout ce qu'on veut, tout le temps... elle pouvait sauter dans un avion et partir à New York sans avoir à se préparer six mois à l'avance pour faire coïncider les emplois du temps... elle n'avait pas à passer sa vie en négociations pour décider qui ferait la vaisselle... ni à se disputer pour savoir qui avait sorti la poubelle en dernier... personne ne lui demandait d'explications à propos de la nouvelle veste en lin, si chère, qu'elle venait de s'acheter, alors qu'elle en avait déjà une... pas de débats interminables sur le thème de la trahison de leurs convictions socialistes parce qu'ils envisageaient d'envoyer les enfants dans une école privée, alors que, bien sûr, ils préféreraient une école publique, mais Lottie était tellement douée, jamais elle ne bénéficierait de toute l'attention voulue dans ces classes surchargées, donc ce ne serait pas juste... et qu'est-ce que ça devait être bien de pouvoir s'étirer dans son lit, de ne jamais se réveiller à trois heures du matin parce qu'on avait froid et qu'on n'était plus couverte, et qu'on en était réduite à se cramponner à un petit bout de couette pour éviter qu'il ne vous soit arraché par l'animal qui ronflait à côté de vous.

Mon Dieu, il était bientôt midi ! Il faut absolument, absolument, faire quelque chose de constructif. Mets-toi au dessin ou quelque chose dans ce genre. JT avait dit qu'il fallait dessiner tous les jours. « Une habitude indispensable, comme de se brosser les dents. »

Son regard tomba sur un petit bout de mur qui s'écaillait au-dessus de la plinthe, attendant d'être traité par le spécialiste, le Déshumidificateur, qu'elle imaginait atteint d'une affection bénigne mais désagréable, de nature fongique, peut-être. Ce qui la fit revenir à ses cartons. Et si elle les faisait passer pour une partie du décor ? Elle lancerait la mode : Fouillis design. Les suppléments du dimanche consacreraient des pages à l'art de disposer chez soi des cartons crachant leur contenu par terre, histoire d'en faire des photos distillant un parfum de négligé chic.

Cela lui rappela le problème du rideau de douche. Cet accessoire l'aiderait peut-être à se métamorphoser en femme du matin, dynamique, du genre à sauter du lit à six heures tapantes pour prendre une douche, avant d'avaler un yaourt, assise dans la position du lotus, au lieu de traîner dans la salle de bains pendant des heures, à lire et à rêvasser.

Bien, direction Habitat, séance tenante. Au retour, examen approfondi du jardin.

Si elle avait réfléchi deux minutes avant de prendre sa décision, Bella se serait avisée que Habitat n'était pas un endroit fréquentable le week-end pour une célibataire. Hélas, il était trop tard. A présent, elle connaissait l'horrible vérité : Habitat était le cœur, l'épicentre de l'enfer du dimanche. Jamais elle n'avait vu autant de couples. On devait les faire pousser en pots au sous-sol.

C'était le royaume des couples clonés avec cuisines à carreaux de terre cuite, machines à expresso miroitantes, corbeilles à pain en osier et porte-savon rigolos en forme de poisson. Ils avaient des rideaux en tissu lâche et fripé, des vestes en tissu lâche et fripé, des enfants en tissu lâche et fripé. Tous dans le moule, fabriqués pour remplir correctement leur rôle de consommateur et dépenser, dépenser, dépenser leur argent.

Dans les supermarchés, on met les bonbons et les chocolats à hauteur accessible, et votre main se tend automatiquement vers un lot de trois tablettes de chocolat aux noisettes. Dans les magasins de meubles, on fait sortir du sol des familles toutes prêtes pour vous faire saliver, vous, la triste célibataire, à la vue de ces idylles familiales. Et ça marche ; vous commencez à vous sentir bien, généreuse, vous sentez monter en vous le désir de vous reproduire. Vous finissez par être convaincue qu'il vous suffira d'acheter quelques tasses à café rustiques, une cruche à jus de fruits en poterie méditerranéenne et une nappe à carreaux avec des serviettes assorties pour acquérir vous aussi un mari idéal avec les enfants coordonnés et la vie parfaite qui en résulte.

Elle ne pouvait contourner un canapé sans trébucher sur un Caddie ou se retrouver avec un petit être en salopette en travers des genoux. Souvent, ledit petit être essayait de toute force de continuer sa route comme un jouet remonté, preuve irréfutable qu'il était alimenté par une source d'énergie sinistre et invisible.

Et tous ces jouets, pourquoi étaient-ils là ? Elle était bien dans un magasin de meubles ! Elle n'était pas venue pour acheter des chameaux en velours, ni des jolis petits cubes, ni des petits phoques mignons tout plein, qui vous dévoraient de leurs grands yeux noirs en semblant vous supplier de ne pas les massacrer à coups de crosse.

Machinalement, elle se dirigea vers un présentoir sur

lequel se trouvait un petit cochon en peluche et s'aperçut tout à coup qu'elle le tenait entre les mains. C'était un jouet tout doux, qu'elle s'apprêtait à acheter… pour elle ! Elle en fut aussi consternée que si elle était partie sans payer. Ce n'était qu'un début. Prochaine étape : quarante créatures mièvres et moelleuses dotées chacune de son petit nom entassées sur les oreillers. Puis elle finirait par leur faire la conversation le soir avant de s'endormir et par emporter leurs photos dans son portefeuille. Elle avait eu une collègue qui était arrivée un beau jour au studio avec un nounours auquel elle avait fait tendre la papatte pour lui dire bonjour. C'était une femme qui, par ailleurs, semblait parfaitement normale et saine d'esprit. Non, merci. Surtout, ne jamais devenir une mémère à peluches. Comment pourrais-tu… comment pourrait-on mettre des peluches sur un lit double ? C'était complètement infantile, digne d'une Lolita, un plaisir pour pédophiles.

Elle appela Viv pour lui raconter l'incident et lui faire part de sa perplexité.

— Mais tu n'en as pas acheté, non ?

— Non, mais j'étais dangereusement sur le point de le faire. Et, et, et… même après, j'ai compris que j'étais vraiment très près de sauter le pas. J'ai pensé que je pourrais peut-être le prendre et le cacher sous l'oreiller… Tu te rends compte ? Achève-moi tout de suite ; après, ce sera trop tard !

Viv baissa la voix pour lui confier que Nick avait une peluche.

— C'est pas vrai !

— Si. Mon Dieu, je ne devrais pas te dire ça. Je te préviens, si tu dis un mot, un seul, tu signes ton arrêt de mort. C'est un petit chien en peluche, mais c'est pas grave parce qu'il l'a depuis qu'il est tout petit. Il s'appelle Max.

— Il ne s'appelle rien du tout ! C'est du tissu et de la peluche.

— Ne sois pas aussi intolérante. Il est vraiment très mignon. Il le fait sauter sur mon ventre et lui fait faire des galipettes...

— Vous êtes deux pervers !

Viv aurait tout aussi bien pu lui révéler qu'ils portaient des uniformes de policiers au lit et qu'ils se faisaient mutuellement pipi dessus.

— Et dire que je croyais pouvoir compter sur toi, espèce d'horrible cynique ! Non, n'essaie pas de vous défendre, tu ne ferais qu'aggraver votre cas. Décidément, c'est une très, très mauvaise journée.

Bella résolut de restreindre ses futures visites à la zone dangereuse aux jours de nocturne, soirées où les femmes actives et célibataires vêtues d'élégants ensembles coordonnés, et non pas de vastes sacs informes passés sur des caleçons, partaient à la recherche de lampes parce qu'elles n'en avaient pas pour s'éclairer pendant le dîner.

Malheureusement, la perspective de ranger son atelier n'était pas plus engageante cet après-midi-là que les autres jours. Et si elle s'occupait du jardin ? L'idée lui plut un tout petit peu plus.

Prudemment réfugiée derrière la porte-fenêtre, elle vérifia l'état des lieux, le front et le nez écrasés contre la vitre froide, comme un enfant qui veut qu'on le fasse sortir pour jouer. Aucun doute, la situation empirait.

Lors de sa première visite de la maison, elle avait pu constater que le jardin était plutôt triste : un bout de gazon fatigué, quelques arbustes broussailleux et indéfinissables, des plantes grimpantes enchevêtrées. Comment ces pauvres végétaux avaient-ils pu si rapidement se transformer en forêt vierge ? L'extrémité du jardin devenait de plus en plus difficile à distinguer. Pour un terrain de cinq mille mètres carrés, ce n'était pas très ennuyeux. La richesse comportait aussi quelques inconvénients mineurs : ne pas pouvoir apercevoir les limites de sa propriété, peiner pour atteindre le bout de son couloir. Mais son jardin à elle était de dimensions modestes, grand comme un mouchoir de poche. C'était embêtant. Elle devait parvenir à contrôler la végétation pendant qu'il était encore temps. Bientôt les ramifications pointeraient leur nez vers les portes-fenêtres en agitant leurs vrilles devant les vitres ; le lierre s'enroulerait autour de la maison comme un boa constrictor et l'enserrerait. Elle se retrouverait comme la Belle au bois dormant, enfermée derrière une barrière d'églantiers, et elle attendrait son prince charmant, le seul homme assez courageux pour se frayer un chemin au travers.

Par où commencer ? Elle avait besoin, au minimum, d'une machette, d'une boussole et d'un guide de survie.

D'une ficelle accrochée à la poignée de la porte pour retrouver son chemin. Peut-être Viv pourrait-elle lui donner un coup de main. Mais elle avait déjà suffisamment à faire puisqu'elle repeignait la chambre avec Nick.

Le gazon avait l'air aussi désolé qu'une chevelure désordonnée répartie autour d'un crâne chauve. Il fallait absolument le tondre. Oui, la première chose à se procurer, c'était une tondeuse. Et cet énorme buisson avait besoin d'être taillé. Si seulement elle avait un sécateur ! Elle sortit sa liste et un stylo du tiroir de la cuisine. « Jardinerie, acheter des outils. »

La jardinerie était pleine de monde. Il y avait des gens qui achetaient des cabanes, d'autres qui chargeaient des sacs de compost dans le coffre de leur voiture et fixaient des treillis sur le toit ; un sacré boulot. Le simple fait de les regarder avait de quoi vous fatiguer. Des couples de retraités se penchaient tendrement sur des arbustes et des rosiers, avec autant de curiosité et de sollicitude que s'il s'agissait de choisir un petit-fils ou une petite-fille. Au moment où Bella dépassait une femme d'une soixantaine d'années en jean et gilet multicolore, elle l'entendit déclarer « Tu es joli, toi » à un houx panaché. Voilà ce qui m'attend, se dit-elle. Je porterai des vêtements trop jeunes de trente ans et je bavarderai avec les plantes. Je parie qu'elle a des chats.

Et si elle simplifiait le jardin ? Elle pourrait se contenter d'une pelouse, d'un petit arbre et de quelques plantes en pots. Mais le petit arbre deviendrait gros et jetterait son ombre sur tout le jardin, ce qui l'empêcherait de voir dehors. C'était comme acheter un joli petit bâtard uniquement pour le voir grandir, et s'apercevoir par la suite qu'il s'agit d'un croisement entre un danois et un bison.

Non, le plus urgent était de nettoyer le jardin avant de dépenser de l'argent en plantes qu'elle ne pourrait pas planter, faute de place. En attendant, elle choisit quelques pots d'herbes aromatiques pour se remonter le moral. En faisant la queue à la caisse, elle remarqua une annonce proposant les services d'un paysagiste : « Vous avez envie de changer de décor ? Si la forêt vierge qui entoure votre maison vous donne des cauchemars, il est temps d'agir. Que vous aimiez le style traditionnel ou l'avant-garde, la simplicité ou l'exubérance, je vous aiderai à créer votre jardin idéal et à réaliser vos rêves, et ce, pour un prix raisonnable. » L'annonce proposait une expertise gratuite. Elle nota le nom et le numéro de téléphone.

Tout en plantant ses herbes pour reculer le moment de faire sa lessive, Bella résolut d'appeler le jardinier immédiatement. Mais on était dimanche, et il n'était probablement pas chez lui. Il était certainement sorti, comme tout le monde, et il passait une magnifique journée au sein de sa famille, à porter le petit dernier sur ses épaules, à emmener le plus grand taper dans un ballon au parc... A échanger des sourires de fierté complice avec sa femme, mince comme un fil, au spectacle des enfants qui attaquaient joyeusement le monticule de choux de Bruxelles, une lueur malicieuse au fond des yeux, pendant que madame servait le rôti.

Les repas du dimanche de sa propre enfance ne ressemblaient pas tellement à ce tableau idyllique. Sa mère, concentrée sur le rôti qu'elle faisait saisir, rajoutant une petite dose de vin rouge dans la cocotte... Les couverts trop lourds pour ses petites mains d'enfant, la porcelaine fine, la nappe immaculée... Son visage de petite fille trop calme, lune pâle entourée d'un nuage de cheveux noirs... La voix profonde de son père, rassurante, brisant les silences, jouant à faire croire qu'ils étaient une famille heureuse.

Elle secoua la tête pour chasser ces pensées et alla farfouiller dans son sac à la recherche du numéro de téléphone qu'elle avait noté. Au moins pourrait-elle laisser un message, ce qui signifiait qu'elle pourrait ensuite rayer quelque chose de la liste.

Le répondeur lui demanda de laisser un message pour « Will Henderson ou Henderson le paysagiste ».

— Il me faut quelqu'un qui vienne avec une machette et un tonneau de désherbant, expliqua-t-elle au répondeur, ah oui, et il me faut un nouveau jardin.

Elle alla sortir la liste de son tiroir. Zut ! Le jardinier n'y figurait pas. Elle ajouta « Appeler jardinier » à la fin, puis raya fermement ces mots et monta à l'étage, assez ragaillardie pour affronter son atelier.

La fissure dans le mur était plus longue que dans son souvenir. C'était le genre de fissure qui vous faisait faire « Tss, tss ! », et prendre la résolution de « faire quelque chose pour ça », comme si on était une autorité en la matière.

Bella fit de la sorte, puis recula d'un pas pour examiner la fissure avec les yeux mi-clos. Non, elle n'allait pas la combler avec du bon vieux Polyfilla, trop passe-partout. A cela s'ajoutait le léger détail qu'elle n'en possédait pas. Elle hocha la tête comme si elle avait pris une décision, puis elle se mit à farfouiller dans les cartons à la recherche de ses peintures.

8

— Non, non, non, non et non.

— Donc, je considère que c'est non ? s'assura Bella.

Quelque chose lui donnait le sentiment que Viv n'était pas folle de joie à l'idée de l'accompagner à une lecture de poèmes.

Viv prétendait être allergique à la poésie depuis une expérience malheureuse à l'école. En effet, elle s'était endormie, et son menton avait tout à coup heurté son pupitre avec un bruit mat, pendant que le professeur, qui portait le nom malencontreux de Mme Mortel, leur lisait *La dame de Shalott* en se mettant sur la pointe des pieds pour bien souligner la métrique poétique, comme si elle était montée sur ressorts.

— Mais ce n'est pas de la poésie poétique, Viv, ce n'est pas mièvre, genre « Je marchais seul comme un nuage ». Elle est vraiment marrante. Et même crue, parfois. Tu aimerais beaucoup...

— Impossible, ma poule. Le vendredi, on s'achète des plats chez le chinois et on se fait notre soirée vidéo.

— Mais ça, c'est de la culture ! insista Bella. Tu te

souviens, la culture ? Autrefois, il y a à peu près quatre ans, tu savais ce que c'était.

Viv resta inébranlable.

Eh oui ! Tous les couples passaient régulièrement une soirée scotchés devant un film en mâchant du poulet chow mein et du bœuf à la citronnelle, ou le plat spécial n° 2. C'était une loi universelle, comme la gravité ou $e = mc^2$, impossible à remettre en cause.

Patrick, fouillant dans un tiroir :

« Où as-tu encore foutu la liste, Bel ? »

Le menu de chez Wong Kei.

« Je ne vois pas pourquoi il te la faut. On prend toujours la même chose : 5, 8, 27, 41, 63, 66. Beignets de crevette gratuits. »

Mon Dieu, elle se souvenait encore des numéros, c'était un code inscrit dans sa mémoire comme la combinaison d'un coffre. Combien de temps mettrait-elle à les oublier ?

— T'es pas drôle, Viv ! Je me demande parfois si vous n'êtes pas attachés par la hanche, comme des siamois. Non, non, n'essaie pas de protester. Je vais vous offrir deux anoraks assortis pour Noël. Des anoraks orange, avec des capuches rigolotes escamotables.

— Tu devrais y aller quand même, répondit Viv sans s'émouvoir. On ne sait jamais, peut-être qu'il y aura des mecs sympa.

— Tu as raison. Mais je me méfie des mecs qui vont écouter de la poésie.

— Tu es irrécupérable. En tout cas, ne m'accuse pas si tu ne le rencontres jamais, Lui... conclut-elle en prononçant le dernier mot d'une voix caverneuse, digne d'un mauvais film d'horreur.

Lui. L'homme magique, unique, celui dont toute femme sait qu'il est là, quelque part, et qu'il se débat au milieu de son existence solitaire parce qu'il ne l'a pas encore rencontrée, elle, sa femme idéale, son Elle à lui. Dans un sursaut de rationalité, Bella se rappela à l'ordre : ça ne marche pas comme ça, dans la vie. Certes, le vaste monde compte plusieurs centaines, voire même plusieurs milliers d'hommes susceptibles d'être parfaitement assortis à n'importe quelle femme. La plupart ne se rencontreront jamais, mais cela laisse tout de même quelque espoir de vivre une bonne petite vie avec un bon petit bonhomme tout à fait agréable. Et si pourtant il existait réellement, Lui, l'homme idéal qui vous est destiné ? On peut très bien rater un bus un matin, alors qu'il est dedans, seul, et prêt à vous rencontrer. On ignorera toujours que l'on aura été aussi près du bonheur. Ou alors, on peut le remarquer à l'autre bout d'une pièce, échanger un regard avec lui, l'espace d'un instant, sentir son cœur battre plus fort... Puis une autre vous le souffle sous le nez et met le grappin sur votre alter ego pour l'entraîner dans un mariage sans issue et sans amour. En ce moment même, votre alter ego personnel peut faire des galipettes avec une autre, ce traître infidèle, en ignorant les pensées qui viennent voleter dans son esprit comme des papillons, qui se battent pour qu'il écoute leur message disant que quelque chose de vital manque à sa vie.

Si d'aventure vous deviez avoir la chance de vous rencontrer, il reconnaîtra la sincérité de votre amour et fermera les yeux sur votre ventre proéminent et vos bras dodus.

Elle irait toute seule. Et pourquoi faire ? Elle était une femme indépendante, une vieille fille élitiste, comme elle avait entendu quelqu'un le dire. Mieux valait avoir des centres d'intérêt variés, aller écouter des poèmes, que rester vautrée sur le canapé à regarder la télé, en hésitant entre deux options : s'en tenir au poulet n° 63 aux champignons chinois, plat familier, ou prendre le risque de se lancer dans le poulet n° 67 aux noix de cajou.

Presque tous les sièges étaient déjà occupés lorsqu'elle arriva à la séance de lecture, après s'être difficilement extraite d'une conversation avec Seline sur le projet d'association entre elles. A ce sujet, Bella espérait pouvoir reculer le moment de la décision le plus longtemps possible. Ou même encore plus longtemps. La seule chose dont elle était sûre, c'était qu'elle ne voulait pas avoir à prendre de décision.

Elle se servit un verre de vin et jeta un coup d'œil discret par-dessus son verre pour rechercher l'éventuelle présence d'un mâle esseulé et séduisant. Ah, si seulement les mâles avaient la bonne idée de faciliter les recherches en arborant un badge « A prendre » ou « Marié, mais cherche à s'envoyer en l'air », ou « En ménage, mais la porte n'est pas fermée » !

Il y avait beaucoup de monde. La dernière fois qu'elle avait assisté à une telle séance de lecture, l'assistance était composée de trois personnes en tout en dehors de ce qu'elle supposait être la famille et les parasites immédiats. Elle s'était sentie obligée d'exagérer son enthousiasme pour compenser le vide de l'assistance et avait passé la soirée à hocher la tête et à froncer les sourcils en mimant la plus profonde émotion. L'entourage du poète s'était mis à guetter ouvertement sa réaction à la fin de chaque poème pour vérifier si son émotion était suffisante. Elle se demanda ce qui l'avait poussée à répondre à leurs attentes. Car, en définitive, c'était bien le poète qui était censé faire le spectacle.

Elle s'assit près d'une table où s'empilaient les livres de Nell Calder, la poétesse, et chercha un endroit où poser son verre. Il y avait un bout de table vide à côté. Elle tendit la main exactement au même moment que quelqu'un d'autre.

Leurs verres s'entrechoquèrent.

— Oh, excusez-moi ! s'écrièrent-ils à l'unisson.

— Eh bien, à votre santé !

L'homme sourit en la regardant droit dans les yeux. Belle gueule, mais quelles manières ! Nerveuse, tout à coup, elle détourna rapidement le regard, de peur qu'il ne se méprenne.

Elle l'observa du coin de l'œil. Il aurait eu besoin d'un coup de peigne. Ses cheveux, étrangement souples, comme élastiques, se dressaient en formant des angles bizarres par endroits.

Il surprit son regard posé sur lui et lui sourit.

Il y eut un son amplifié, d'abord grave, puis aigu, lorsque le micro fut enlevé de son support.

— Oh, très bien, les choses commencent à bouger, se réjouit Cheveux Elastiques.

Ce dernier se redressa pour tenter d'apercevoir les intervenants derrière l'obstacle formé par le curieux chapeau en patchwork porté par une spectatrice.

— Croyez-vous qu'elle a obtenu le permis de construire pour ce chapeau ? lui chuchota-t-il à l'oreille en désignant la femme d'un mouvement de tête. Nous sommes dans un secteur protégé.

Bella, qui était en train d'avaler une gorgée de vin, s'étrangla en recrachant quelques gouttes dans son verre. Horrible ! Mais c'était une façon comme une autre d'attirer l'attention.

Embarrassée, elle détourna les yeux.

Nell Calder fit son entrée. Applaudissements.

— Celui-ci m'a été inspiré par mon ex-mari, annonça la poétesse. Il s'appelle : *Puis-je avoir la garde du minuteur ?*

Consciente de la présence de Cheveux Elastiques à ses côtés, Bella balaya la salle des yeux, comme pour chercher des personnes de sa connaissance. Soudain, de l'autre côté de la pièce, à demi caché par une spectatrice qui tenait son verre devant elle, elle aperçut fugitivement un homme. Brun aux cheveux longs. L'angle d'un visage portant des lunettes cerclées d'écaille. Patrick ? Sa bouche s'assécha. Son cœur se mit à battre la chamade. Au bout de tout ce temps !... se dit-elle. Le visage livide, elle tendit le cou pour mieux voir, pendant que ses souvenirs affluaient à l'improviste et la submergeaient en lui coupant le souffle.

Elle se surprend à le chercher dans la pièce. Peut-être est-il dans la cuisine, en train de farfouiller dans le frigo à la recherche d'un bout de fromage, ou alors, il est aux toilettes, absorbé dans la lecture d'une photocopie du *National Geographic*. Mais il n'est pas là, bien sûr, elle le sait très bien. Et pourtant...

Ces gens, sa sœur, Sophie, qui paraît soudain si mince et si frêle que la moindre brise semble susceptible de l'emporter. James, l'un des plus vieux copains de Patrick, mal à l'aise et conscient de sa bedaine, serré dans le costume trop étroit qu'il a emprunté. Rose, la mère de Patrick, aussi irréprochablement pomponnée que pour un mariage, ses yeux vifs anticipant le moindre désir de chacun des convives : « Encore une petite goutte de Sherry ? Encore un canapé au saumon fumé ? Tout le monde a été merveilleux. Je n'ai rien eu à faire. Puis-je vous offrir autre chose ? Juste une petite bouchée ? » Son père, Joseph, engoncé dans son costume anthracite neuf, le nez baissé vers son verre où flottent des glaçons qui s'entrechoquent au milieu d'un lac de scotch... Il semble regretter de ne pouvoir les rejoindre dans ce liquide accueillant qu'il aimerait sentir autour de lui, à travers lui, dans lui, à la place du sang chaud qui, obstinément, circule à l'intérieur de son corps ; il voudrait blinder ses artères avec cet anes-thésiant glacé, il voudrait s'y noyer doucement et ne plus rien ressentir.

Et là, un petit groupe de collègues de Patrick en train de jongler avec des assiettes, des serviettes et des verres qu'ils tiennent en équilibre, avalant à coups de bouchées coupables toutes sortes de bonnes choses auxquelles il était impossible de résister. Son frère, Alan, qui hoche la tête pour signifier qu'il est tout à fait d'accord avec tante Patsy, mais qui ne peut s'empêcher de ramasser les pièces nichées au fond de ses poches, de les faire tinter au creux de sa main, puis de les relâcher ; il les ramasse, il les fait tinter, il les relâche. Il se rassure tant qu'il le peut en constatant qu'au moins il a prise sur ces objets, ces pièces conciliantes.

Mais lui n'est pas là, bien sûr. Elle le sait, et pourtant ces gens qui lui étaient le plus proches, les gens qui l'avaient aidé à faire ses premiers pas, qui avaient comparé leurs genoux couronnés avec les siens sur le terrain de jeux, toussé en inhalant la première bouffée de cigarette fumée en cachette, travaillé avec lui, discuté avec lui, ri avec lui, l'avaient embrassé, aimé… ces gens semblent projeter au milieu d'eux la forme de Patrick, un espace qui dessine les contours de Patrick, de sorte qu'elle sent sa présence, parmi eux. D'ailleurs, c'est pour lui qu'ils sont tous réunis.

— Allez, tu vas manger quelque chose, Bella, hein ?
On lui présente un plateau d'asperges emmaillotées comme de fragiles nouveau-nés dans des petits pains bis. Bella en prend un et, obéissante, le porte à sa bouche. Oui, elle en est capable. Elle est capable de fonctionner comme une personne normale. Mécaniquement, ses dents mâchent et font leur travail. Elle appuie la serviette contre sa bouche ; bleue, bleu moyen, presque la même couleur que la vieille chemise de Patrick, celle dont le col est si usé qu'elle avait essayé de le convaincre de la mettre aux chiffons, celle qui, maintenant, est sous son oreiller, non

lavée, qui l'attend, qui attend qu'elle enfouisse son visage dans son tissu fripé, qu'elle respire son bleu si doux, qu'elle la boutonne autour d'elle.

Ting, ting. Un drôle de bruit, un bruit de métal qu'on fait tinter contre du verre. Un couteau qu'on frappe à petits coups contre un verre de vin, bien affûté, comme un enfant qui décapite un œuf à la coque. Un son pour ponctuer les mariages, les anniversaires, annoncer les discours, un son de cérémonie. Quelqu'un dit quelque chose. Oui, les visages se tournent tous dans la même direction. Bella penche un peu la tête par mimétisme, comme le tournesol suit le soleil sans y penser.

C'est Alan, le frère de Patrick, qui parle :

— … tout le monde d'être venu, parfois de loin. J'en ai, nous en avons tous, été extrêmement heureux. Touchés. De vous voir si nombreux ici. De voir tant d'amis. De membres de la famille. Je.. eh bien…

Il éclaircit sa voix, serre les lèvres fermement, enferme ses mots dans sa bouche. Un sourire crispé, puis :

— Quoi qu'il en soit, je sais que Patrick n'aurait pas aimé nous voir faire des figures de six pieds de long, et il n'aurait pas du tout aimé voir se perdre de bons alcools, alors, je vous en prie, levez vos verres. A Patrick.

— A Patrick, répondent-ils en écho.

Alan lève encore son verre, et la glace tinte doucement comme une cloche à peine audible, dont le son est rapporté par une brise lointaine.

— Que sa mémoire reste vivante, dit-il.

— Que sa mémoire reste vivante.

Non, se dit-elle, elle ne va pas s'installer dans une collection de souvenirs rassemblés comme dans un album photo. Elle a envie de retourner en courant au cimetière, de balancer ses chaussures trop classe, affreusement parfaites, de les envoyer valser pour qu'elles s'élèvent tout droit, haut, très haut, par-dessus le mur, directement dans le bois qui se trouve derrière. Elle tomberait à genoux, gratterait la terre, enlèverait les mottes avec ses mains, déblayerait le sol humide et arracherait le couvercle de cette caisse rutilante. Elle le prendrait et le secouerait et lui crierait : « Arrête, Patrick ! Arrête ! Ce n'est pas drôle ! Ne fais pas ça. »

Elle verrait son visage se dérider, il éclaterait de rire, remonterait ses lunettes sur son nez et rirait sans pouvoir s'arrêter. « C'était génial ! dirait-il. Je vous ai bien eus, tous autant que vous êtes. Vous ne pouvez pas savoir à quel point c'était dur de rester sans bouger tout ce temps-là. Quand le prêtre a dit que j'avais toujours été un homme honnête et bien considéré, je me suis mordu la joue pour ne pas éclater de rire. Allez, Bel, c'était drôle, reconnais-le ! A propos, tu as un chapeau superbe. Il est neuf ? »

Et elle ne pourrait s'empêcher de rire avec lui, et elle le frapperait pour rire, et ils bavarderaient, évoqueraient les meilleurs moments, échangeraient leurs impressions, compareraient les tenues, commenteraient les différents épisodes, les retards, les attitudes, les larmes de crocodile, et ils riraient ensemble.

Mais ce n'est pas une plaisanterie. Et elle sait qu'elle ne retournera pas au cimetière. Qu'elle ne le peut pas. Qu'elle n'enfoncera pas les bras dans le sol spongieux. Aussi long-temps qu'elle ne regardera pas au fond du trou, ce sera une simple caisse placée là, au fond, un long coffre de chêne reposant dans la terre silencieuse, et Patrick pourra être partout : à la maison, en train de bricoler des « choses qui doivent être faites », comme il disait, ce qui, la plupart du temps, signifiait qu'il se contentait de faire le tour des installations ou des objets nécessitant une réparation en marmonnant « Hum, hum ». Ensuite, il s'asseyait avec un café et des mots croisés. Il pouvait être aussi en train de travailler, pragmatique et efficace, et faisait ses comptes rendus. Ou alors, il était dehors, sur un site, en train de prendre des mesures, de noter des détails. Ou encore, engagé dans une relation intense avec son ordinateur chéri. Ou étalé sur le canapé, un journal sur la figure, en train de ronfler avec cette espèce de sifflement bizarre, jusqu'à ce qu'elle le pousse ou lui torde le nez pour le faire arrêter.

Quelqu'un la prend dans ses bras. Elle serre doucement le corps d'une personne en bleu marine, poliment, sans savoir de qui il s'agit, mais reconnaissante de sa solide chaleur. Une main lui tapote l'épaule pour la consoler, comme un maître qui félicite son chien fidèle d'avoir bien exécuté son numéro. Et c'est effectivement un numéro. Bois ton sherry, grignote un canapé, tends ta joue pour qu'on l'embrasse, verse une ou deux larmes silencieuses. Pas de cris, pas de gémissements, pas d'horribles sanglots qui te déchirent la poitrine, pas de figure barbouillée de traînées de mascara, dessinées par des larmes qui semblent ne jamais vouloir s'arrêter. Elle ne s'est pas assise à même le sol, recroquevillée sur elle-même, la tête dans les genoux, en serrant très fort ses jambes pour éviter de tomber en morceaux, en petits fragments aiguisés, ou de s'écrouler doucement par terre, dans un bain de larmes et de douleur. Non. Elle a très bien exécuté son numéro. Elle sourit et embrasse la joue, en se demandant à quel moment il sera convenable de partir.

9

— … Isabelle, n'est-ce pas ?

Une main s'agitait devant elle, sollicitant son attention. Bella recula légèrement et tendit encore le cou pour essayer de mieux distinguer l'homme. Celui-ci tourna la tête dans sa direction : un nez plus long, une bouche plus fine. Tout à fait différent. Pas du tout Patrick. Non. Bien sûr que non. Elle chassa cette pensée et se retourna pour regarder la personne qui se tenait trop près d'elle. C'était la femme en possession illégale du chapeau en patchwork.

— Non, répondit Bella de façon machinale, Bella.

Qui était cette femme ? Sous le bord du chapeau, son visage lui semblait vaguement familier, mais elle n'arrivait pas à le situer.

— Oui, mais Bella, c'est bien le diminutif d'Isabella, non ? répliqua la femme d'un ton presque accusateur.

— Pas dans mon cas. C'est Bella tout court. Excusez-moi, sourit-elle, mais j'ai un gros problème avec les noms…

— Ginger Badell. Nous nous sommes rencontrées à Scotton Design la semaine dernière. J'ai créé des concepts pour Benson Foods.

La créatrice-conceptrice harponna un homme très grand et très mince qui battait nerveusement la semelle derrière elle et l'entraîna par le coude vers son interlocutrice :

— Et voici Roger, mon *amore*.

Avec un coup d'œil de part et d'autre des flancs de Bella, elle attira vers elle son maigrichon d'*amore*, comme si elle craignait que la jeune femme ne l'attrape tout à coup pour l'engloutir dans une étreinte passionnée.

Elles bavardèrent poliment quelques minutes pendant que Bella jetait de furtifs regards à la ronde pour tenter de détecter Cheveux Elastiques. Il n'était pas parti, tout de même ?

— Je suis heureuse de vous avoir revue, mentit Bella en battant en retraite, mais veuillez m'excuser. Je vais profiter de l'occasion pour me faire dédicacer un exemplaire.

Trois personnes la précédaient, désireuses comme elle de faire signer leur livre. Un regard autour de la pièce lui confirma que Cheveux Elastiques avait effectivement disparu sans la saluer. Elle en fut un peu dépitée. Mais non, elle n'était pas intéressée. Parce qu'il devait être un peu bizarre, vu la façon dont il l'avait regardée. C'était sans doute un dragueur. Et d'ailleurs, s'il avait été aimable avec elle, ce ne pouvait être que par pitié, elle ne lui avait certainement pas plu du tout. En ce moment, il est sûrement sur le chemin du retour, il va retrouver sa femme. Putain ! Quand je pense que même cette Ginger, avec son goût de chiotte, a un mec ! Même s'il avait l'air d'avoir autant de testostérone dans le corps qu'un chiffon de flanelle. Une bonne femme qui disait « concept » au lieu de « idée » et « *amore* » avec des petits airs modestes, et qui faisait tout pour qu'on la remarque ! Et le pire de tout, c'était qu'elle s'était sentie supérieure à elle qui n'avait personne, cela se voyait.

Lorsque son tour arriva, la poétesse s'enquit en préparant son stylo :

— Que dois-je mettre ? C'est pour quelqu'un de particulier ?

— Ha ha ! ricana Bella.

Le type qui la suivait dans la queue sursauta. Ouh là, elle avait peut-être manqué de discrétion. Pour se rattraper, elle fit semblant de se racler la gorge.

— C'est pour moi, expliqua-t-elle.

Ce soir-là, en rentrant, elle ne trouva aucun message du Déshumidificateur. Quel culot ! Jusqu'alors, il lui laissait régulièrement des messages sur son répondeur en fournissant des prétextes de plus en plus tirés par les cheveux pour lui expliquer qu'il ne viendrait pas ; mais, pas d'histoires, elle n'admettrait plus de faux-fuyants. Ah, c'était bien un homme ! Juste au moment où elle commençait à s'habituer à ce qu'il la laisse tomber en invoquant une nouvelle excuse à chaque fois, il adoptait une nouvelle méthode pour la maintenir en haleine. Maintenant, elle en était à guetter la petite lumière clignotante de son répondeur, dans l'espoir de suivre un nouvel épisode excitant de la vie et de l'œuvre de M. Bowman. Son préféré, tout de même, c'était lorsqu'il lui avait fait faux bond en prétextant le départ inopiné de son locataire. Difficile de comprendre pourquoi cela l'empêchait de venir gratter son plâtre, mais lui, il était catégorique là-dessus.

En revanche, il y avait un message du paysagiste, le fameux Henderson. Ils avaient joué à cache-cache pendant plusieurs jours par répondeur interposé. Bella sentait qu'il n'allait pas tarder à rejoindre M. Bowman sur la liste des gens censés l'aider à mettre de l'ordre dans sa vie et qui, inexplicablement, ne montraient jamais le bout de leur nez. Il pouvait aussi venir et retourner la moitié de son jardin, puis la laisser en tête à tête avec un énorme tas de terre agrémenté de gravats. Ce qui compléterait le décor de sa maison, au salon déjà joliment encombré de sa collection de cartons. Et si elle proposait tout bonnement à M. Bowman de coucher avec lui, peut-être lui donnerait-il enfin la priorité ? Malheureusement, il y avait de fortes chances pour qu'il lui réponde : « Eh bien, je pense que c'est une proposition honnête, madame... (il ne pouvait lui donner du "mademoiselle", car elle était manifestement trop vieille pour cela) ... Krer...er... » C'était typique, il se raclait poliment la gorge pour prononcer son nom au lieu de s'embêter à faire une tentative de prononciation. « J'ai déjà deux autres dames avant vous et elles attendent depuis plus longtemps... »

Le message de Will Henderson disait que lui et sa machette étaient dans les starting-blocks, mais qu'ils n'avaient pas beaucoup de chances de se rencontrer, vu le tourbillon de mondanités dans lequel elle semblait être emportée. Il envisageait toutefois de venir faire un tour samedi matin autour de dix heures. Il lui demandait de rappeler et de laisser un autre message au cas où cela ne lui conviendrait pas. D'ailleurs, il valait mieux qu'elle rappelle de toute façon puisqu'elle avait omis de lui laisser son adresse.

A ce rythme-là, elle ferait bien de mettre carrément son numéro en mémoire dans son téléphone. A condition de réussir à mettre la main sur le mode d'emploi.

Elle appela le matin, du bureau.

— Bonjour. C'est encore Bella Kreuzer. J'appelle pour...

— Allô ?

Quelqu'un avait décroché.

— M. Henderson ? En chair et en os ? Donc, vous existez bel et bien. Je suis complètement perturbée, maintenant, ça marchait tellement bien avec votre répondeur. Vous savez, nous sommes devenus très copains !

— Vous voulez que je raccroche et que je vous laisse seuls tous les deux ?

Elle lui donna son adresse et lui confirma que le samedi matin lui convenait parfaitement.

— Puis-je vous demander de ne rien tailler d'ici là ? C'est la meilleure façon de perdre des plantes qui sont très belles, mais qui le cachent.

— Promis. Parole de scout.

Vendredi. Le meilleur jour de la semaine. L'après-midi, l'un d'eux se faufilait dehors pour aller acheter des gâteaux ainsi que, si Seline était à l'extérieur, deux bouteilles de vin. Ils faisaient semblant de travailler tout en lisant des extraits de *Hello !* et en jouant aux « Préférences » :

— Qu'est-ce que tu préférerais ? Vivre dans une salle d'exposition du FMI pendant trois mois, avec les gens qui viennent te regarder toute la journée, ou coucher avec le mec de la sandwicherie ?

— Lequel ? Pas celui qui a les dents en avant ?

— Si, et il faudra que tu l'embrasses.

Bella couvrait son carnet à dessin de croquis grandioses pour son jardin : un pavillon d'été victorien monté sur roues, des arbustes taillés en forme de pyramides, des canaux mauresques s'entrecroisant comme un quadrillage de Mondrian, d'énormes rochers escarpés avec une chute d'eau, une balançoire installée sur un cèdre imposant et suspendue à des cordes autour desquelles s'enroulaient des rosiers et du lierre. Etait-il possible de transplanter des arbres vieux de deux cents ans ? Sans doute que non.

Soudain, Seline fit irruption à l'improviste. Il y eut un tintement de bouteilles qu'on faisait prestement disparaître sous un bureau, des jeux d'ordinateur vivement remplacés par des projets Quark.

— Quelqu'un a-t-il vu mon exemplaire de *Hello !* ? demanda-t-elle.

Samedi matin. On sonna à la porte. Etait-il vraiment si tard que ça, ou Henderson avait-il de l'avance ?

Elle dévala les escaliers en boutonnant son jean. Elle n'avait rien aux pieds ? Aucune importance.

— Cheveux Elastiques !

Vite, elle essaya de se reprendre en mimant une toux. C'était le type rigolo de la séance de lecture !

— C'est vous ! s'étonna-t-il. Qu'est-ce que vous avez dit ?

— Rien, rien, j'ai un chat dans la gorge, c'est tout.

Il sourit.

— Je suis venu pour passer votre jardin au chalumeau. Will Henderson. Bonjour. Je suis content de vous revoir.

Il lui demanda de l'excuser pour avoir disparu après la lecture sans l'avoir saluée, mais il s'était senti gêné lorsqu'il l'avait vue bavarder avec la dame au chapeau après en avoir parlé en des termes aussi cavaliers.

— Oh, des orteils psychédéliques ! s'exclama-t-il avec un hochement de tête en direction de ses ongles peints en bleu. A moins que ce ne soit une maladie rare que je ferais mieux de ne pas évoquer ?

Zut ! Du bleu aux ongles des orteils, comme une adolescente. Elle chercha des yeux une paire de chaussures.

— Alors, vous venez d'emménager ? s'enquit-il à la vue des cartons empilés sur plusieurs niveaux dans le salon.

Elle lui expliqua qu'elle attendait que l'on vienne s'occuper de l'humidité avant de défaire ses cartons.

— J'ai écrit « humidité » en lettres capitales dans ma tête parce qu'il y a un bon bout de temps que le problème devrait être réglé. Ce M. Bowman est un véritable feu follet.

— Bowman, ah bon. Hum hum.

— Qu'est-ce qu'il y a ?

— Non, non, il est très bien. Mais vous n'êtes pas pressée, j'espère ?

Elle lui précisa que, depuis plus de deux mois, elle attendait ce personnage doué d'une imagination extrêmement fertile, jamais à court de prétextes pour lui faire faux bond et qui venait d'adopter une nouvelle tactique : il faisait le mort.

— Je suppose que vous le connaissez de réputation ?

— Non. C'est mon beau-frère.

— Ah, d'accord. Très drôle.

Bella se demanda s'il en était encore aux plaisanteries de potache. Comme celle qui avait cours, lorsqu'elle était écolière : on prétendait être la nièce d'un monsieur très laid croisé dans la rue, risée de la classe en route vers la bibliothèque, et on faisait semblant d'être vexée. Cette mode avait sévi l'espace d'une saison, comme celle des osselets ou des autocollants de dessins animés dont on recouvrait l'intérieur de son bureau.

— Non, non, c'est vrai. Enfin, c'est mon double beau-frère. C'est le frère du mari de ma sœur. Ça change quelque chose ?

— Non, c'est toujours quelqu'un de très embêtant qui n'a pas encore réglé mon problème d'humidité, voilà tout.

M. Henderson fit le tour du jardin en fredonnant et en exprimant ses sentiments avec force hochements de tête, claquements de langue et commentaires marmonnés pour lui-même :

— … un vieux mur de briques … dou di da dou dou… du silex par tonnes… hum hum hum, un pavage de béton… un gazon abîmé… pas beaucoup d'arbustes en bonne santé… la clématite est bien… dou di da dou dou… la vigne… ouh là… des mûres… des mauvaises herbes en pleine forme… éclaircir cette partie… transplanter ça…

Il plongeait au milieu des buissons, se mettait à quatre pattes, grattait le sol de ses mains, émiettait la terre entre ses doigts.

Elle le vit faire des petits dessins, prendre des notes, dessiner des petits diagrammes. Il lui dit qu'il reviendrait pour prendre les mesures si elle était décidée à se lancer.

— Je peux vous poser quelques questions ?

Will posa sa tasse et sortit un carnet de l'une des poches boursouflées de sa veste.

— Oh là là ! J'ai rien fait, monsieur le commissaire. C'est pas moi, j'étais même pas là. Vous pouvez demander à tout le monde.

— Du calme, du calme ! Bon. Je vous recommande de bien réfléchir avant de vous lancer, ça vous évitera de vous retrouver avec un jardin qui ne vous convient pas, comme ça arrive souvent.

Bella se souleva sur son siège et s'assit sur ses mains afin de s'empêcher de gigoter.

— J'ai l'impression de passer un examen.

— C'est tout à fait ça, confirma Will en relevant ses manches. Si vous donnez trop de mauvaises réponses, j'augmente mes prix. Vous êtes prête ? Bon, première question : qu' envisagez-vous de faire dans ce jardin ?

— On ne pourrait pas commencer par une question plus facile ?

— Non. Vu l'état dans lequel il se trouve, je ne pense pas me tromper en disant que vous n'avez pas une grande expérience du jardinage et que vous n'êtes pas une grande amie des plantes. Donc, qu'est-ce que vous voulez ? Un endroit pour manger dehors ? Un havre de paix pour vous reposer des agressions de la vie moderne ? Un endroit pour prendre des bains de soleil à l'abri des regards ? Tout ce qui précède ?

— C'était quoi, ce qu'il y avait au milieu ? Je sais pas,

moi ! Mais l'abri des regards, ça, c'est obligatoire. Je veux avoir quelque part un coin bien retiré avec des tas de trucs qui pendent pour me cacher derrière. J'ai horreur de sentir que les gens me regardent. J'ai l'air un peu parano, non ?

— Ça doit vous rendre la vie assez impossible, commenta Will en notant quelque chose dans son carnet.

— Quoi ? D'être parano ?

Il haussa les épaules comme devant une évidence.

— Non... enfin... j'imagine simplement qu'on vous regarde beaucoup, lança-t-il avec un coup d'œil par-dessus son carnet.

— Une autre question ?

Bella piqua du nez dans sa tasse de café, puis se mit à observer les mains de son vis-à-vis pour éviter son regard pénétrant. Si seulement il arrêtait de la regarder comme ça ! Vraiment, c'était gênant. Bien sûr, il disait cela pour la faire marcher. Comment la trouver séduisante, fagotée comme elle était ce matin avec son vieux jean usé et son pull fatigué ? Ses cheveux étaient dénoués et elle ne s'était même pas mis un peu de rouge à lèvres, sans parler de tout le reste dont elle avait besoin pour se sentir à peu près présentable.

— Vous avez des enfants ?

— Non. Et d'ailleurs, qu'est-ce que ça vient faire là-dedans ?

— C'est pour l'espace de jeux. Vous auriez alors eu besoin d'un bac à sable, d'une balançoire, que sais-je. Y en a-t-il à l'horizon ?

— Si j'en ai, je serai considérée comme une miraculée par le Vatican.

— Donc vous n'avez pas une envie folle d'avoir des enfants ?

— Cela fait vraiment partie du questionnaire ?

— Pas vraiment. C'est de la pure curiosité.

Bella éclata de rire. Au moins, il était franc.

— Ce n'est pas que je ne les aime pas. C'est juste que… hésita-t-elle en haussant les épaules, je… de toute façon, je suis… Un peu plus de café ?

Embarrassée, Bella se battit avec le couvercle de la bouilloire, ouvrit et referma des placards à grand bruit pour trouver des biscuits.

— Ne vous inquiétez pas, ça ira très bien, dit Will en se levant pour partir. Je vous ai déjà pris trop de temps. Bien, réfléchissez pour savoir exactement ce que vous voulez dans votre jardin, ce qui vous paraît indispensable, etc. Faites une liste.

— D'accord. Les listes, ça me connaît. Vous allez vraiment créer un jardin qui corresponde à tous mes désirs ?

— Pas du tout. Je vais vous écouter avec attention en vous disant : « O.K. O.K. Pas de problème. » Tout ça pour n'en faire qu'à ma tête après.

Will lui tendit sa carte professionnelle.

— Appelez-moi. Tenez, je vous en donne quelques-unes au cas où vous voudriez en faire passer.

Bella sourit.

— Vous en avez fait trop imprimer, c'est ça ?

— C'est que c'est moins cher quand on en fait faire mille d'un coup.

— Mille ? Mon Dieu ! Donnez-m'en une pile, comme ça, je pourrai faire mes listes de courses au dos.

— Ça marche aussi très bien au restaurant, pour caler les tables bancales.

Elle n'avait plus de place sur le tableau de sa cuisine, aussi plaça-t-elle une carte derrière l'angle d'une photo, celle qui la représentait avec Patrick. Ses doigts restèrent posés un moment sur la punaise, et elle sentit son contact, froid et dur.

Elle était en train de faire la cuisine quand elle avait appris la nouvelle.

Bella remue sa sauce en pouffant. Viv est en train de lui faire le portrait d'un type qu'elle a dû supporter pendant toute la journée, au cours d'une réunion de travail ; un abruti tout gonflé de son importance.

— Alors elle lui a proposé un morceau de brie et il a répondu : « En fait, moi, je suis plutôt du genre coulant ! » et il a rigolé, en s'imaginant avoir fait de l'humour. Jill et moi, on n'en pouvait plus ! Et en plus, il portait un blazer à boutons dorés, tu sais, avec de petites ancres dessus…

— Un blazer ? Ah non, ces mecs-là, ils sont absolument imbuvables.

Le téléphone sonne.

— Tu décroches, s'il te plaît ? Je dois continuer à remuer, il y a encore des grumeaux. C'est sans doute Patrick. Il est en retard, je suis sûre qu'il va demander si on peut lui garder son repas au chaud… Dis-lui qu'on a des bananes cuites, ça le fera activer !

— Bonsoir, vous êtes bien à la résidence de Mlle Kreuzer et M. Hughes…

Viv a pris une voix sophistiquée d'hôtesse d'accueil.

— Oui, oui, elle est là.

Elle tend le téléphone à son amie en lui annonçant le père de Patrick.

— Allô, Joe ? Comment allez-vous ? Patrick n'est pas encore arrivé, il…

Bella ne dit plus rien.

Il n'y a plus que le tic-tac de la pendule murale.

Viv s'arrête de passer le fouet et lève la tête. Le visage de Bella n'est plus qu'un masque livide.

— Mmm… Oui, je suis toujours là. Où êtes-vous ? Ne quittez pas, dit-elle en cherchant un stylo des yeux. O.K. Où dois-je aller ?

Elle gribouille des indications au dos d'une enveloppe, au bas d'une liste de courses. Elle voit l'encre apparaître sur le papier au fur et à mesure que les lettres se forment et sait qu'elle n'oubliera jamais ce moment : là, debout dans la cuisine, elle lit le nom de l'hôpital écrit près de mots qui lui paraissent soudain incompréhensibles : beurre, pommes de terre, salade, café non déca, rasoirs jet. pour P. Pommes de terre.. quel nom curieux, en y réfléchissant... Et elle était si pressée que ça, pour avoir écrit « rasoirs jet. » et non pas « jetables » ? Le regard de Viv, qui laisse tomber le fouet dans la sauce. La pendule accrochée au mur est vraiment bruyante. Pourquoi fait-elle tant de bruit ?

Bella effleure du regard le tableau de liège et sa mosaïque de cartes, de listes et de messages : « Restau rapide Taj Mahal. Faites-vous livrer à domicile. Le vendredi soir, tandoori spécial. » Une photo qui la représente sur la plage d'Arisaig, souvenir de leurs vacances sur la côte ouest écossaise. Une photo ridicule, mais mignonne, de Lawrence, le neveu de Patrick, costumé en berger de la Nativité, avec une serviette à thé sur la tête. Une boucle d'oreille en jais, solitaire, qui attend avec optimisme le retour de sa compagne. Un mot déjà ancien : « B., n'oublie pas, je ne suis pas de retour avant 22 heures. S'il te plaît, garde-moi un petit quelque chose à manger. S'il n'y a rien, je me ferai des sandwichs (snif !). Gros bisous. P. » Une photo floue prise à Noël avec le déclencheur automatique, sur laquelle ils sont couchés tous les deux avec des bois de cerf en feutre rouge sur la tête.

Elle tremble. C'est sans doute normal. Elle a l'impression de ne pas être à l'intérieur de son corps, elle regarde sa main crispée sur le téléphone comme une bouée de sauvetage, ses pieds nus. D'ailleurs, elle ne sent pas vraiment le sol sous eux. Elle les appuie fortement par terre, pour sentir le contact des dalles. Elle hoche la tête et dit que oui, oui, elle arrive, elle vient tout de suite.

— C'est Patrick, hein ? s'inquiète Viv.

— Il a eu un accident. Sur le chantier.

Elle récite son texte comme dans un mauvais film. Elle a envie de rembobiner la cassette et de dire quelque chose de plus fort, de plus poignant, de meilleur.

— Il est… ?

Patrick est vivant mais inconscient, il a été gravement blessé à la tête et il a une hémorragie interne.

— Des chaussures ! dit Bella. Il faut que je mette des chaussures.

Ses jambes se mettent à trembler convulsivement pendant qu'elle essaie de lacer ses bottes ; ses genoux montent et descendent comme des pistons. Viv s'agenouille à ses pieds, attache ses lacets et la tient fermement par les épaules.

— Tu ne peux pas conduire comme ça, dit-elle. Je vais t'emmener là-bas.

— … ou en fin de semaine ? proposa Will.

— Mmm ?

— Excusez-moi si je vous ennuie. C'est simplement que c'est la bonne période pour s'occuper de votre jardin, donc, ne tardez pas à me faire signe. D'accord ? Vous me trouvez trop insistant ?

— Non. Oui. Vous avez raison.

— Je suis trop insistant ?

— Non, de vouloir revenir. Bientôt. Le week-end prochain ? A moins que…

— Parfait. C'est parfait. Alors à bientôt, alors. Ça ne se dit pas, ça, non ?

— Quoi ?

— Alors, à bientôt, alors.

— Vous avez déjà pensé à vous faire soigner ? On fait

des merveilles avec le laser, de nos jours. On vous brûle des lobes entiers du cerveau pour les réparer.

— Merci. J'y penserai. J'y vais, mais n'oubliez pas.

— Non, dit-elle en secouant la tête avec conviction.

Oublier quoi ? se demanda-t-elle.

10

— Des croissants ! s'exclama Will en lui agitant un sac de papier sous le nez lorsqu'elle ouvrit la porte. Puisque je vous ai obligée à vous lever de bonne heure ce matin.

— Pas du tout. Je suis levée depuis des heures. J'ai déjà couru mes vingt kilomètres, j'ai fait cent pompes, j'ai passé l'aspirateur dans toute la maison, j'ai fait les carreaux, j'ai remis des tuiles sur le toit.

Ils prirent leur thé et leurs croissants dans le jardin, et bavardèrent en s'appuyant contre la porte-fenêtre, dans la douce tiédeur printanière. Il lui demanda quelles étaient ses plantes préférées.

Elle ferma les yeux pour se les représenter, pour les voir fraîches et vivantes dans sa tête. Elle dit qu'elle voulait de la verdure, et des corolles veloutées qui se balancent au vent et qui captent la lumière... des textures différentes, des feuillages feutrés et des tiges brillantes et des plantes à feuilles plissées et duveteuses qui retiennent les gouttes de pluie comme des perles de verre... des tas de couleurs, des fleurs parfumées, des grosses roses et de la lavande et du jasmin... des herbes médicinales, de la mélisse, des herbes aromatiques... des plantes spectaculaires, piquantes, peut-être un yucca, quelque chose qu'on pourrait éclairer le soir et qui projetterait son ombre sur le mur.

Ils parlèrent formes, proportions, styles, matières. Il fit des schémas, arpenta le jardin dans tous les sens en agitant les bras comme un chef d'orchestre un peu dérangé, lui représenta le futur décor en n'hésitant pas à interpréter le rôle de la jarre qu'il lui proposait de placer à tel endroit, pour lui permettre de juger de l'effet depuis la maison. Ils discutèrent du budget :

— N'y allez pas trop fort, je ne suis pas le sultan de Brunei.

— Pas de terrasse en marbre, alors ? Pas de nymphes en or dans la fontaine ?

Il lui posa encore maintes questions :

— Combien de temps passerez-vous à vous occuper du jardin ? Répondez franchement. Etes-vous paresseuse ? Que faites-vous de votre temps, autrement ? Allez-y, arrêtez-moi si je vais trop loin. Ma mère m'appelle « l'Inquisition espagnole ».

— Ah bon ? A côté de ma mère à moi, l'Inquisition espagnole, c'est un rassemblement d'enfants de chœur.

L'heure ayant tourné, elle lui proposa de partager son repas. Etait-il d'accord pour se contenter de petites choses sorties de son réfrigérateur ? A moins qu'un bon rôti ne l'attende à la maison ?

— Ça ne risque pas !

— Servez-vous ! dit-elle en posant des assiettes sur le plan de travail de la cuisine. C'est un repas improvisé, on va picorer. Prenez ce qui vous fait envie.

— Quelle chance ! C'est comme un souper après spectacle. J'adore picorer.

— Moi aussi.

Will se lécha les babines à l'avance et affirma qu'elle

l'invitait à un banquet, comparé au contenu de son propre frigo. Elle lui proposait du poulet froid avec une sauce au basilic, de la salade de chou faite maison, du pain de mie chaud, du brie coulant.

Elle haussa les épaules.

— Ce ne sont que des restes. Vous ne faites jamais de repas corrects ?

— Mais si ! Pourquoi les femmes s'imaginent-elles que les hommes ne font jamais la cuisine ? Je fais très bien le poulet rôti… Une espèce de ragoût, aussi… Ah oui, et les côtelettes ! annonça-t-il d'un ton triomphant. Et puis, des pâtes avec de la sauce.

— Faite maison ou en conserve ?

Il se renfrogna.

— Ah ! Et je fais du sauté de bœuf ou du sauté de poulet, pas mal du tout.

— Les hommes se vantent tous de savoir faire le sauté. Vous n'avez pas vu le documentaire ? Il paraît que le chromosome Y est caractérisé par le fait qu'il ne sait faire la cuisine qu'au-dessus d'une fournaise. C'est d'ailleurs pour ça que ce sont les hommes qui s'occupent du barbecue.

Après le repas, Will l'entraîna à l'autre bout du jardin. Il se planta derrière elle pour lui montrer la maison, et elle sentit la chaleur de son souffle dans ses cheveux. Pendant quelques instants, elle imagina qu'elle l'entendait avaler sa salive, inspirer l'air dans ses poumons, qu'elle percevait le double battement de son cœur.

— Là. Vous voyez ? Ce que je vous ai proposé tout à l'heure pour la terrasse ? Avec des marches assez larges.

Elle s'écarta, passa sa main dans ses cheveux.

— Parfait. Et maintenant, qu'est-ce qu'on fait de cette affreuse pelouse ?

Will la piétina vigoureusement.

— Il faut vous en débarrasser. Elle a une maladie

chronique. On peut remettre du gazon, si vous voulez, mais moi, à votre place, je ne m'embêterais pas. Vous pouvez utiliser cet espace pour autre chose. Imaginez, dit-il en faisant un large geste circulaire, un geste de magicien. Pas de corvée de tonte, de taille. De l'espace pour y mettre des plantes intéressantes.

— Ça ne fera pas trop parc de stationnement ?

— Non, sauf si vous voulez absolument du macadam. Je pensais plutôt à une couche de gravier, ce qui permettrait de planter directement dans le sol en dessous... des herbes d'ornement, des herbes aromatiques, etc. Ou des gros galets gris, avec de l'eau...

— Comme une plage ? Oh, ce serait chouette ! Mon père m'emmenait à la plage quand j'étais petite. Je continue à aller au bord de la mer quand j'ai un coup de cafard.

— Ce sera pareil ici. Oh, regardez-moi ça !

Il disparut pour aller plonger dans la plate-bande, entre deux buissons trop hauts.

Bella regarda la terre et la transforma mentalement en une plage privée qui s'étirait en arc de cercle. L'eau venait lécher les pierres, vivifiant leurs couleurs, et les vagues venaient déferler à ses pieds.

Elle quitte la réception donnée après l'enterrement dès que la décence le lui permet, et même un peu trop tôt. Sans mot dire, elle fait le tour de la pièce pour prendre congé des piliers de la famille de Patrick.

Joseph la serre si fort qu'elle n'arrive plus à respirer.

— On ne se perd pas de vue, promis ? Viens nous voir de temps en temps.

Rose l'embrassa sur la joue.

— Tu nous as été d'un grand réconfort.

Sophie a soudain l'air d'une enfant avec ses grands yeux assombris.

— Je peux venir te voir et passer quelques jours chez toi, Bel ?

Alan se contente de la serrer fort contre lui. Il est incapable de parler.

Elle roule jusqu'à la côte, jusqu'à l'endroit où Patrick l'emmenait quelquefois, quand ils rendaient visite à ses parents. A présent, elle a besoin de remplir ses poumons, de laisser le sel pénétrer dans ses narines, de sentir le vent souffler sur sa peau et la décaper pour la renouveler.

Elle s'engage sur la route qui mène à la plage et elle est surprise comme à chaque fois du vide qui surgit soudain tout au bout, là où elle forme un virage à angle droit. Si elle continuait tout droit, elle serait projetée par-dessus les galets, elle volerait dans l'immensité du ciel, elle s'élèverait dans les airs pendant quelques instants magnifiques, comme une grande mouette de métal, puis elle retomberait dans les vagues, plongerait, s'enfoncerait pour se poser tout au fond, sur le sable du fond de la mer. Là, les poissons viendraient goûter sa chair, les vagues s'insinueraient en dansant entre ses os. Les crabes gratteraient ses côtes. Ses cheveux flotteraient comme des algues. Des bernard-l'ermite la coloniseraient, investiraient son corps pour en faire leur fief, et elle ferait partie d'un autre monde, et ses larmes salées resteraient ignorées de tous.

La voiture ralentit, puis Bella tourne à gauche dans le cul-de-sac et passe devant le panneau « Chemin non carrossable » pour aller se garer. Elle sort son vieil imperméable fripé de son logement permanent au fond du coffre. Elle descend sur les galets qui crissent sous ses pieds ; ses chaussures de daim noir s'enfoncent dedans. Elle les enlève et fait quelques pas. Zut, ils sont durs, ces cailloux ! Elle regrette de ne pas avoir apporté d'autres chaussures. Mais il est vrai que ce n'est pas la première préoccupation quand on se rend à un enterrement. « J'ai tout ? Des mouchoirs ? Un chapeau noir ? Des chaussures de plage ? »

Le vent rabat ses cheveux sur son visage, dans sa bouche, et elle se rapproche du brise-mer pour s'abriter. Le bois est tout usé par les intempéries, doux au toucher, érodé par les vagues et le sable, sans doute. Elle appuie sa tête dessus et l'examine sur toute sa longueur en plissant les yeux. Les fentes entre les planches contiennent de minuscules galets, mais il est impossible de savoir si cette présence étrangère est la conséquence du mauvais temps ou de l'obstination d'un enfant. Elle agite ses orteils qui se détachent, incongrus, sur le noir de ses cuisses, pour les enfoncer dans les galets.

— Putain, putain, putain, gronde-t-elle entre ses dents. Quel con, quel con, quel con ! Comment a-t-il pu me faire une chose pareille ? C'est du Patrick tout craché. Il est tellement tordu. Il faut toujours qu'il en fasse à sa tête. Il n'y a que lui pour se faire tuer de cette façon ridicule, et à un si mauvais moment.

Elle puise une sorte de plaisir, de réconfort dans cette colère. Mieux vaut lui en vouloir, mieux vaut pester contre ses mauvaises habitudes que de permettre au silence de s'installer dans son esprit, là où se tapit le noir de l'angoisse qui attend patiemment, qui guette le moment où elle le laissera entrer. Si elle peut tenir assez longtemps, peut-être s'en ira-t-il, fatigué d'attendre ? Mais elle sait. Elle sait qu'il est là. Il viendrait s'enrouler autour de ses chevilles, les serrerait et s'entortillerait jusqu'à ce qu'elle baisse la garde. Puis il l'envelopperait, se laisserait tomber sur elle, lourd et froid comme la pierre, et l'entraînerait dans un puits obscur d'où elle ne pourrait jamais remonter.

Non. Elle a atteint le bord et l'effroi l'a prise au ventre. Non, elle ne se laissera pas faire. Il ne faut pas.

— Salaud de Patrick !

Elle donne des coups furieux dans les galets.

— … ça va comme ça, alors ?

Will baissait sur elle des yeux impatients.

— Oui ?

— Bien, vous êtes revenue. Vous êtes d'accord pour que j'enlève ces arbustes ? Ils bouffent de la place.

— L'endroit ne sera pas trop exposé ?

— Faites-moi confiance. Il y a des tas de solutions pour l'isoler. On peut mettre une pergola dans ce coin, avec une vigne vierge et des clématites. Oh, je sais…

Il courut au bout du jardin et Bella se surprit à le suivre.

— On va dire juste ici : un banc caché, secret, avec un saule pleureur en guise de toit. Juste assez grand pour que vous puissiez vous y asseoir avec une autre personne.

— Oui, dit-elle en détournant le regard. J'adorerais ça. Mais sans l'autre personne. Un banc pour une personne suffira.

Elle retouna vers la maison et fit semblant de ne pas entendre sa question :

— Vous êtes sûre ?

— Oh, c'est votre anniversaire ? Quel âge avez-vous ?

D'un geste du menton, Will désigna la lampe offerte par les parents de Bella, toujours à moitié emballée.

— Si ça ne vous dérange pas que je vous pose la question… compléta-t-il.

— Si, ça me dérange, mais non, ce n'est pas mon anniversaire. C'est un cadeau de mes parents pour ma crémaillère. Je dois l'échanger, mais je n'ai pas encore eu le temps. Elle est moche, non ?

Il haussa les épaules.

— Pas du tout. Elle est juste un peu conventionnelle. Pas vraiment comme vous, à mon avis.

— Oh ? Vous avez déjà votre avis là-dessus ?

— Oui. J'emploie une équipe de détectives qui bossent toute la journée. Ils m'envoient leurs rapports par fax.

— Et qu'est-ce qu'ils racontent ?

— Oh, ça, ça reste dans mes dossiers. Mais pour les abat-jour, ils n'ont pas encore réussi à détecter vos goûts.

Elle secoua la tête en réprimant un sourire.

— Ça me rappelle que je dois téléphoner à mes chers parents. Devoir du week-end.

— Ah ! Donc vous êtes une famille unie ?

— Servez-vous du thé, se contenta-t-elle de répondre en lui indiquant la bouilloire. Dans la boîte bleue, avec le couvercle de sécurité. Le café est dans le placard de droite.

Bella implora en silence son père de répondre à son appel : Allez, c'est toi qui décroches, papa.

— Oh ! Bonjour, c'est moi.

— Bella chérie ! Que je suis contente !

La voix de sa mère était teintée d'un léger affolement. Bella se la représenta dans le couloir, en train de tortiller son foulard de soie et de chercher désespérément Gerald des yeux.

— Eh bien... Quoi de neuf ?

Est-ce que tu vas rester seule toute ta vie ?

— Tu te plais bien dans ta maison ?

Tu ne nous as pas encore invités à venir la voir.

— Nous avons reçu ta carte. Je suis contente que tu aimes la lampe. Je ne savais pas trop si... tu sais.. peu importe.

Tu n'es jamais satisfaite.

— Elle est très élégante.

Allez, dépêche-toi d'aller chercher papa.

— Tu sais, j'ai recommencé à dessiner.

Quelle conne ! Pourquoi je lui dis ça ? Elle va encore avoir son petit rire indulgent, style : Bella joue les artistes, comme c'est amusant !

— C'est merveilleux, ma chérie. Ça me fait grand plaisir. J'ai toujours pensé que c'était dommage d'abandonner. Tu devrais te servir de ton talent.

De toute façon, tu ne vas jamais jusqu'au bout de rien.

Ah, elle ne perdait jamais une occasion de lancer une pique.

— Comment va papa ?

— Je l'appelle.

Le soulagement traversa la ligne dans les deux sens.

— Gerald ! Bella au téléphone.

Will fit son apparition et forma un « T » en posant une main transversalement sur la pointe des doigts de l'autre. Il avait une question à lui poser.

— Oui ? fit-elle en hochant la tête.

— Oui quoi ? lui répondit son père au creux de l'oreille.

— Salut, papa. Ça va ? Je parlais à mon personnel pour lui dire de m'attendre.

— C'est normal. C'est Viv qui est là ? Tu lui donneras le bonjour.

— Non. J'ai suivi ton conseil...

— Pour une fois ! s'exclama Gerald en riant.

— Oh, ça va ! J'ai pris quelqu'un pour s'occuper du jardin.

— Bien. C'est quelqu'un qui connaît son boulot ?

— Attends, je vais lui demander. Will ? appela-t-elle à travers la cuisine. Mon papa veut savoir si vous connaissez votre boulot.

La tête de Will apparut dans l'encadrement de la porte.

— Dites-lui que je l'ai appris à l'âge de onze ans en jouant à un jeu que m'avaient offert mes parents : « Dessine ton jardin. »

— Tu as entendu, papa ?

— Il a l'air très bien. Il est célibataire ?

— Oh, papa ! Je n'en sais rien. Tu es pire que Viv.

— Alors, c'est oui ?

— Comment veux-tu que je le sache ? Sans doute que non. Qu'est-ce que ça peut bien me faire ?

Will réapparut, à quatre pattes, cette fois.

— Des biscuits ! demanda-t-il en haletant comme un chien. Il me faut des biscuits si je dois être créatif.

— J'ai bien envie d'avoir une peinture murale sur le mur du fond, annonça Bella en indiquant l'autre bout du jardin.

Will répondit qu'elle pouvait avoir ce qu'elle voulait, mais que cela pourrait revenir cher. Il était doué pour le jardinage, certes, mais pas pour la peinture. Bella lui expliqua qu'elle envisageait de s'en charger elle-même.

— La tête que vous faites ! dit-elle en riant. C'est un vrai livre ouvert. Je vois très bien ce que vous pensez : Oh, non, une cliente qui croit savoir peindre. Elle va me gâcher tout mon jardin en me foutant un paysage méditerranéen avec des bosquets d'oliviers...

— Vous n'êtes pas loin du tout. Je pensais que vous choisiriez une folie gothique recouverte de lianes. Une fantasmagorie romantique.

— Touché. Vous brûlez.

Elle lui décrivit ce qu'elle avait en tête : un trompe-l'œil représentant une arche en ruine, encadrée par un véritable rosier grimpant, laissant fugitivement entrevoir un jardin secret baigné de soleil, avec un sentier qui allait se perdre dans l'ombre.

Il répondit que, sauf le respect qu'il lui devait, cela lui semblait une prouesse difficile à réaliser.

— Je pourrai toujours la recouvrir en cas de besoin.

— Ou faire passer le rosier par-dessus.

— Vous êtes toujours aussi direct avec vos clients ?

— Seulement avec ceux qui ont un budget serré. Rajoutez un zéro et je pousserai des cris d'extase : « Une peinture murale ? Quelle idée grandiose ! Et vous allez la faire vous-même ? Oh, c'est absolument fantastique ! Cela donnera à votre jardin un cachet tout à fait unique, votre cachet ! »

— Ça ne vous va pas. Je préfère quand vous êtes direct, merci.

— Hum, hum. Vos toilettes du bas sont bourrées de cartons. Ils viennent d'où ? s'enquit Will.

— J'ai dû faire un peu de place dans mon atelier. Je suis sûre que vous réussirez à monter les escaliers.

Il lui expliqua que les clients, en général, n'aimaient pas que les jardiniers utilisent les toilettes de l'étage. Certains d'entre eux lui interdisaient même l'accès à la maison. Il lui était arrivé d'aller soulager un besoin pressant derrière un buisson, les propriétaires lui ayant clairement fait comprendre qu'ils ne souhaitaient pas le voir franchir le seuil. De plus, il emportait toujours de quoi boire parce qu'il ne pouvait même pas compter sur une tasse de thé.

Bella, indignée, lui demanda comment il prenait la chose.

Will haussa les épaules.

— Il y a des gens comme ça. Si je devais m'en faire pour la moindre petite contrariété, je ne m'en sortirais pas.

— Moi, j'adore rouspéter après les choses qui me contrarient. C'est presque mon passe-temps préféré.

— Ah oui ? Et votre passe-temps complètement préféré, c'est quoi ?

Une fois de plus, il accompagna ses paroles de son fameux regard, ce regard particulier qui semblait prendre sa mesure, comme pour tenter de pénétrer en elle.

— Discuter, répliqua-t-elle.

— D'ailleurs, poursuivit-il, je leur ai rendu la monnaie

de leur pièce, à ces cons. Je leur ai soigné leur facture. Avec ce fric, ils auraient pu se payer des toilettes de service séparées...

— La salle de bains est sur la droite, indiqua Bella. Oh, attendez ! Je crois que j'ai fini le savon.

Il la regarda farfouiller dans les cartons.

— Je suis sûre qu'il y en a là-dedans. Une seconde, une seconde... Ça vous amuse, hein, de voir que je ne m'y retrouve pas dans ma propre maison ? ajouta-t-elle, surprenant son expression.

— Oh oui ! Vous pourriez peut-être prendre le taureau par les cornes et tout déballer, ce qui vous permettrait de retrouver vos affaires.

— Mais je ne peux pas à cause de l'humidité !

— Ah, maintenant je sais pourquoi vous me permettez d'utiliser vos toilettes chic. C'est pour que j'en dise deux mots à mon double beau-frère !

Bella, à la recherche d'un autre carton, ouvrit la porte de son atelier. Le savon se trouvait bien quelque part !

— Mais c'est superbe !

Will se tenait sur le seuil, face à la fresque presque terminée qui recouvrait le mur fissuré.

— Vous savez que je me sens tout con, maintenant ? Vous auriez dû me dire que c'était votre métier.

— Non, ce n'est pas vraiment mon métier. Je ne suis que responsable de création, un terme pompeux pour dire dessinatrice. Je ne peins que pour moi. On ne gagne pas sa vie avec la peinture.

La fissure avait été intégrée dans une fresque représentant un vieux mur craquelé percé d'une fenêtre à moitié ouverte. Un petit pot de terre était placé sur le rebord de la fenêtre. Une partie du mur était brillamment éclairée, comme illuminée par la fausse fenêtre, tandis que la partie se trouvant sous le rebord était plongée dans l'ombre.

— Je parie que vous pourriez gagner votre croûte en

faisant des peintures murales. J'avais vraiment l'impression que le pot, là, sur la fenêtre, était vrai. Et le petit bout d'arbre qu'on aperçoit dehors, c'est un cerisier qui fleurit en hiver, non ? Peut-être un *prunus subhirtella automnalis...*

— Arrêtez, je ne sais pas du tout. C'est un arbre qui se trouve dans le jardin des voisins. Il était en fleurs quand j'ai emmenagé.

— C'est vraiment bien, vous savez. Je suis sûr que je pourrais vous obtenir des commandes, si vous le souhaitez.

— Vous voulez dire que je serais une vraie artiste ? s'exclama Bella en battant des mains. Oh, j'en rêve depuis si longtemps ! Je me consacrerais à mon œuvre et je vivrais retirée dans mon humble mansarde ! Et je renoncerais à m'acheter des beignets à la crème pour me payer ma peinture ! Enfin, quelqu'un a reconnu mon génie !

— Vous êtes toujours comme ça ?

— Pardon, monsieur. Je n'y peux rien, monsieur.

— Je sais que vous recommencerez, se désola Will en secouant la tête. Mais je vais quand même vous dire quelque chose...

— Attendez, je vais chercher mon bloc-notes...

— Vous pouvez vous taire une seconde ? Voilà ce que je veux vous dire : si vous plaisantez toujours comme ça pour les choses qui vous tiennent vraiment à cœur, vous vous dévalorisez.

— Qu'est-ce qui vous fait croire que la peinture me tient à cœur ?

Pour toute réponse, il se contenta de la regarder, appuyé contre le montant de la porte. Elle se sentit rougir comme s'il l'avait surprise nue.

— Et même si ça me tenait à cœur ? reprit-elle en croisant les bras. Il faut bien que je mange, non ?

— Bien sûr. Mais si vous, vous ne croyez pas à votre travail, vous pouvez parier vos couilles que personne d'autre ne le fera.

Bella éclata de rire.

— Parier mes couilles ? Elle est bonne ! Où avez-vous pris ça ? Des couilles, figurez-vous que je n'en ai pas. Je suis une personne du sexe féminin, au cas où vous ne l'auriez pas remarqué...

— Vos couilles métaphoriques ! cria Will depuis la salle de bains qu'il avait fini par gagner. Et vous en avez, j'en suis sûr !

Au bruit très intime de ruissellement qui suivit ses paroles, elle battit en retraite dans les escaliers.

— Au fait, si, j'avais noté, l'entendit-elle lui spécifier depuis l'étage.

Après un certain nombre de coups de fil, quelques fax et d'innombrables tasses de thé, le plan du jardin fut finalisé et un modeste budget voté. Les deux parties convinrent de sous-traiter quelques travaux de construction, dont la terrasse et la pergola, à un certain Douglas. Will proposa à Bella de serrer les prix si elle acceptait de mettre aussi la main à la pâte, ce qui présenterait également l'avantage de faire gagner du temps.

— Mes autres projets sont tous des contrats munici-paux, pour l'instant, dit-il. Et nous pourrons travailler en grande partie le week-end, si vous préférez. Vous êtes sûre d'avoir pris votre décision ? Vous pourrez changer tous les détails que vous voudrez plus tard, mais je dois commencer par les fondations.

— Et maintenant, répondit Bella, à moi de vous poser la question de confiance : je voudrais savoir si vous êtes sur la même longueur d'ondes que « Double beau-frère ». Autrement dit, considérez-vous le travail comme un concept très intéressant, mais seulement un concept, pas une chose concrète à réaliser pour de bon, ou pensez-vous pouvoir commencer bientôt ?

Il le pouvait. Il le ferait. Il piaffait d'impatience. Cela ne tenait qu'à elle.

11

— Alors, à quoi il ressemble ? s'enquit Viv en se calant confortablement dans sa chaise.

— Oh, pas mal, ça ! remarqua Bella en faisant tourner la bouteille de vin dans sa main pour examiner l'étiquette. De qui tu parles ?

— De ton jardinier. Est-ce une bonne brute bien ancrée dans la terre ? Avec des manières rudes, mais cachant une grande sensibilité ?

— Je ne pense pas. Je crois que « Will » et « sensible » ne sont pas deux mots que l'on peut accoler dans une phrase.

— Pourtant, tu as l'air de passer beaucoup de temps en sa compagnie. Tu me manques. Et Nick se languit de ton plat de crevettes.

— Je suis contente de voir que vous m'appréciez pour mes vraies qualités et pas seulement parce que je suis capable de faire des miracles avec une racine de gingembre.

— Quand est-ce que tu le revois ?

— Je ne le revois pas du tout ! Il commence son travail samedi matin.

— Et tu te lèveras de bonne heure pour te maquiller. Il est bien, comme mec ? Tu lui donnes combien sur vingt ?

— Tu vois comme tu es ! Complètement obsédée. Normalement, tu devrais avoir dépassé tout ça.

— Il faut bien que je m'offre quelques menus plaisirs par procuration, non ? Avoue que nous sommes bien à plaindre, nous autres, les couples établis. Nous sommes confinés dans nos habitudes, et les points culminants de la semaine, c'est le restau chinois et la soirée vidéo du vendredi soir. Mais ne mens pas, je suis sûre que tu as pensé à lui donner une note.

— Pourquoi ? Ce n'est pas moi qui suis obsédée. Je t'ai déjà dit que je n'ai pas assez d'énergie pour me lancer dans une aventure. Sortir, faire des choses, être agréable... C'est trop compliqué. On mélange sa vie avec celle de quelqu'un d'autre, on y croit, et après, on se retrouve en train d'essayer de démêler les fils et de réparer les dégâts. Ne me regarde pas comme ça.

— Comme quoi ? Il n'y a pas toujours un après, ma poule.

— Avec moi, si. L'aventure, c'est simplement la période qui précède l'après.

Viv soupira.

— Alors, il est bien ou pas ?

— Ce n'est pas vraiment le genre à faire fantasmer à mort. Il n'est pas beau, mais il a beaucoup de charme. On a envie de se blottir contre lui. Il a de beaux yeux. Il a l'air solide, comme un arbre sur lequel on peut s'appuyer. Et il a une petite cicatrice, ici.

Elle porta la main à son sourcil.

— Mais bien sûr, dit Viv, tu n'as pas passé ton temps à le regarder !...

Bella fronça le nez.

— Il a des drôles de cheveux qui se redressent bizarrement.

— Ça alors ! Des cheveux rebelles ! C'est affreux ! s'exclama Viv en ouvrant de grands yeux sur les boucles emmêlées de Bella.

— Très drôle. Je vais te dire, j'ai quatorze demandeurs d'asile qui s'abritent dedans... dans mes cheveux... tu ne vas tout de même pas me demander de me peigner et de les jeter à la rue ?

Bella descendit d'un trait le reste de son vin.

— De toute façon, poursuivit-elle, ce n'est pas l'affaire du siècle. C'est juste un mec ordinaire.

— Tu me laisseras un peu de vin ? A ta place, je ne le jetterais pas comme ça, d'un revers de manche, ton mec ordinaire. Tu sais, ma poule, l'affaire du siècle, elle peut cacher bien des pièges. Il y a des tas de choses qui parlent en faveur des mecs ordinaires.

Ses premiers week-ends après son déménagement avaient été terribles. Elle avait passé son temps entre les boutiques, l'appartement de Viv et sa maison. Chez elle, elle errait de pièce en pièce, déplaçait les objets de façon totalement inefficace, abordait les tâches inhabituelles telles que l'exécution d'une housse de coussin ou la confection d'un ourlet de rideau avec autant d'enthousiasme que s'il s'était agi d'obstacles insurmontables exigeant le déploiement de réserves d'énergie monstrueuses. Mais à présent, le week-end lui paraissait encore très lointain, aussi lointain que Noël lorsqu'elle était enfant.

Au bureau, la semaine s'étira avec lenteur, avec sa succession prévisible de rendez-vous, de projets dessinés en fixant l'écran de l'ordinateur d'un œil vitreux, de bavardages soutenus à grand renfort de cappuccinos (« Tu veux sans doute dire *cappuccini*, Bella chérie. ») Elle se surprit à dessiner plus souvent. Son bloc-notes se remplit de portraits croqués sur le vif de ses collègues surpris dans diverses postures : debout, assis, appuyés contre un meuble, s'étirant, travaillant.

Le jeudi, elle passa la journée à se rougir les yeux sur des centaines de transparents qu'elle examinait à travers une loupe. Presque toutes les heures, elle se levait pour soulager son dos douloureux et faisait une descente à la cuisine du bureau, où elle nettoyait les plans de travail, lavait la cafetière, jetait le lait douteux, n'importe quoi pour tuer le temps.

Viv lui téléphona.

— Tu vas bien ? Ça n'a pas l'air.

— C'est juste que la semaine est très, très longue. J'ai du mal à m'enthousiasmer pour le yaourt des mâles au goût pétillant.

— Tu plaisantes ?

— Non, je m'embête, c'est tout, répondit Bella tout en regrettant déjà de n'avoir pas demandé à Anthony, parti acheter du chocolat, de lui rapporter deux Crunchies.

— Non, je parle du yaourt des mâles. Tu plaisantes ou ça existe ?

Viv l'appelait pour l'inviter à une soirée qu'elle donnait le samedi suivant.

— C'est en l'honneur de Julian, le cousin de Nick. Il arrive de Rio. On va essayer de lui prouver que, nous aussi, on est des gens très intéressants, branchés, avec une vie palpitante.

— Pourtant, Dieu sait que ce n'est pas vrai.

— Toi tu le sais, nous aussi, mais lui, non. C'est le genre frimeur, il est toujours en train d'essayer de nous en fiche plein la vue. Nick ne supporte pas. Dis que tu vas venir. Tu ne fais rien d'autre, je suppose ?

— Charmant. Eh bien si, je pourrais faire autre chose ! Aller au bal masqué. A une première de film. Passer un week-end en amoureux à Trifouillis-les-Oies...

— Donc, tu es libre ?

— C'est incroyable, mais oui. Je viendrai en avance pour te donner un coup de main. Je peux apporter quelque chose ?

— Tout ce que tu veux, mais pas du yaourt de mâles.

Samedi. Enfin.

— Comment ? Pas de croissants ? s'étonna Bella, depuis le seuil de la porte.

— Je savais bien qu'il fallait que j'évite de vous gâter dès le début.

— Bon, eh bien, puisque vous êtes là, entrez.

Elle lui tendit une assiette, et un croissant, tout en se mordant les lèvres pour essayer de se retenir de sourire comme une idiote. Elle s'en voulait d'être si contente de le voir. En même temps, elle en éprouvait de la surprise.

Elle se détourna vivement et s'enfuit dans la cuisine. Ne t'emballe pas...

— Je suis sortie tôt pour aller les acheter, lui expliqua-t-elle en lui parlant sans le regarder. De toute façon, je n'ai pas bien dormi, alors je me suis dit que je ferais tout aussi bien de me lever.

— Ah bon ? Pourquoi ?

— Oh, vous savez...

Sans donner davantage d'explications, elle ouvrit le robinet et entreprit de frotter l'évier.

Des feuilles de plastique recouvertes de poussière s'étalaient de la porte d'entrée à la porte-fenêtre. La maison étant à mi-chemin, les briques, les gravats, les galets, les plantes, tout devrait passer par l'intérieur. Ils se mirent à l'œuvre, arrachant les ronces, déplaçant des plantes ici et là pour les protéger des gros travaux.

— N'en faites pas trop, lui conseilla-t-il au bout d'un moment. Vous allez vous abîmer le dos si vous n'êtes pas habituée à ce genre de travail.

— Je suppose que vous me considérez comme une faible femme ?

— Pourquoi êtes-vous toujours sur la défensive ? Ça n'a rien à voir avec votre sexe. C'est une question d'habitude. Vous ne pouvez pas passer toute la semaine assise à un bureau et, le week-end, vous jeter à corps perdu dans un travail physique très dur. De toute façon, il est l'heure de faire une pause, précisa-t-il en posant sa fourche contre le mur. Ce sera très beau, plus tard, reprit-il avec un geste du bras, comme s'il voyait se dessiner le jardin terminé sous ses yeux. Mais avant d'être beau, il sera pire, alors, soyez prévenue.

Douglas arriva à l'heure du déjeuner pour enlever le gazon et préparer le soubassement de la terrasse. C'était un homme discret qui se contenta d'un signe de tête pour saluer Bella.

— Il est très timide, chuchota Will. Il a peur des belles femmes.

Il fit des marquages sur le sol pour déterminer l'emplacement de la pergola.

— Et là, c'est l'endroit où se trouvera votre petite tonnelle. Vous voyez ? Vous serez invisible, même à quelques mètres, une fois que les plantes auront grimpé.

— Parfait, dit-elle.

Bella resta plantée devant son armoire béante pendant un temps infini. Peut-être que si elle restait ainsi suffisamment longtemps, elle aurait la chance de voir l'un des cintres lui présenter tout à coup une superbe robe en crêpe de Chine arrivée là par enchantement. Ah, vraiment, il était grand temps qu'elle achète de nouveaux vêtements. Elle avait le choix entre trois options de base : un pantalon noir et soyeux, avec un haut marron croisé ou un corsage de soie crème ; une jupe courte, rouge, avec un haut noir sexy qui aiderait à détourner l'attention de son ventre proéminent ; une robe d'un rouge profond, trop collante, qui la serrait sous les bras.

Son regard tomba sur l'ensemble rouge cerise qu'Alessandra lui avait donné. Le tissu était magnifique. Elle le décrocha et le plaqua contre elle. Il était superbe, trop beau pour elle. Elle n'était pas assez élégante pour lui faire honneur. Sans compter qu'il était certainement beaucoup trop habillé pour la soirée. Non. Elle en revint à ses trois solutions. Le pantalon était la tenue la plus confortable, mais elle avait envie d'accorder à ses jambes leur sortie annuelle. Donc, la robe rouge profond. Au moins, ça changerait du noir. Elle n'avait qu'à utiliser des tonnes de déodorant et rentrer son ventre. C'était une robe parfaite pour attirer l'attention. Elle se sentirait plus entreprenante, plus audacieuse, en la portant.

Décidément, elle passait beaucoup trop de temps à penser au sexe. Sans doute parce qu'elle en était privée... Elle avait toujours un paquet de préservatifs non entamé dans le tiroir de sa table de nuit. « Tu devrais toujours être prête, lui avait dit Viv. Tu devrais en avoir dans ton sac aussi. » Comme si elle pouvait être tout à coup prise d'un accès de désir irrépressible dans la boutique du marchand de légumes, et se jeter goulûment sur le premier vendeur venu au moment où le pauvre diable était en train d'arranger innocemment ses choux-fleurs. A l'évidence, Viv s'imaginait, à tort, que son amie était dotée d'une certaine spontanéité, alors qu'elle faisait une liste même pour acheter un litre de lait et du pain. Elle commençait à regretter d'avoir acheté une boîte de douze préservatifs au lieu d'une boîte de trois. A ce rythme-là, elle courait le risque d'atteindre la date de péremption avant de les avoir utilisés. Mon Dieu, à ce rythme-là, cette boîte pouvait lui durer jusqu'à la fin de ses jours...

— Bon, je m'en vais ! cria Will du bas des escaliers.

— O.K. Attendez une seconde, j'arrive...

Elle dévala les marches.

— Ah, serait-ce la cavalcade légère d'un troupeau de bisons affolés ? Est-ce que vous…

Il s'arrêta net.

— Qu'est-ce qu'il y a ? Qu'est-ce qui se passe ?

— Rien. Excusez-moi. Je ne vous avais pas encore vue dans toute votre splendeur. Je ne vous avais pas reconnue, vous n'avez pas de boue sur la figure.

— Hum… est-ce que… je suis bien comme ça ? Ce n'est pas trop… ?

— Trop quoi ?

— Eh bien… trop moulant. Regardez… dit-elle en se mettant de profil, on voit mon ventre.

— Mon Dieu ! Vous êtes très bien. Vous allez faire des ravages.

— Répondez-moi franchement : est-ce que ça me grossit ?

— Non. C'est à vous de me répondre : croyez-vous sérieusement que les gens vont regarder votre ventre dans cette robe ?

— Non quoi ? Est-ce que c'était : non, ça ne me grossit pas, ou non, vous ne répondez pas à la question ?

— Incroyable ! gémit Will en secouant la tête. Est-ce une sorte d'hystérie de masse qui porte toutes les femmes de la planète à s'imaginer qu'elles sont grosses ?

— C'est donc oui ?

— Stupéfiant. Amusez-vous bien, Moby Dick. Moi, je pars en expédition chez Tesco.

Bizarre. Elle était sûre d'avoir deux bouteilles de vin en réserve. Les souris avaient dû les vider. Il ne lui restait plus qu'à passer au supermarché avant de se rendre à la soirée.

A sa grande surprise, il y avait beaucoup de monde. Comment pouvait-on faire ses courses le samedi soir ? Mais peut-être que la foule était constituée uniquement de célibataires en chasse. Dans tous les magazines, on disait que les supermarchés étaient des endroits parfaits pour faire des rencontres. Etait-ce parce qu'on pouvait voir tout de suite si l'on avait des goûts compatibles ? Finalement, pourquoi exiger d'avoir des intérêts communs, les mêmes idées politiques ou des valeurs similaires ? L'important était de savoir s'il achetait de quoi épaissir le jus de viande, ou des beignets de poulet, ou des *Quorn Burgers*.

Ces réflexions l'incitèrent à loucher dans les Caddies des acheteurs. Ce qu'elle voulait, c'était un amateur de pâtes fraîches, de bon vin et de chocolat par tonnes. Il fallait aussi qu'il embrasse bien et qu'il la fasse rire. Etait-ce trop demander ?

Une voix lui parvint par les haut-parleurs : « A notre rayon poissonnerie, vous trouverez des filets de haddock fumé en promotion, profitez-en, cela ne dure qu'une journée... »

Bella leva la tête. Et si elle faisait un pilaf de poisson ?... Soudain, là, au bout de l'allée, elle crut voir Will, absorbé par sa liste de courses. Ha ha... L'envie la prit d'aller le surprendre en flagrant délit de recherche d'amour au milieu des haricots en boîte. Elle pourrait surgir derrière lui et lui pincer les fesses. Non. Elle pourrait dire quelque chose de suggestif. Non. Elle pourrait faire semblant d'être une personne normale et lui dire tout simplement bonjour avec amabilité. Oui. Voilà ce qu'il fallait faire.

Au moment où elle s'avançait vers lui, Will abandonna son chariot et disparut de l'autre côté de l'allée. Elle se demanda ce qu'il achetait. Sans doute des lasagnes surgelées, de la bière et, pourquoi pas, quelque chose d'inattendu... un gâteau peut-être. Elle jeta un regard sur le contenu du chariot : des pommes, des bananes, des lasagnes surgelées (tiens, tiens), des boîtes de conserve. Rien d'excitant. Deux grands paquets en plastique. Des couches pour bébé de moins de cinq kilos. Ultra absorbantes. Unisexe. Douces et moelleuses. Une grande bouteille de bain moussant Johnson pour bébé.

Elle recula comme si on l'avait mordue et se cogna dans un grand échalas qui réassortissait les rayons.

— Pardon, dit-elle. Excusez-moi.

Elles se détourna, agrippée à son panier avec lequel elle heurta une cliente.

— Pardon, pardon.

Elle se précipita vers le rayon des vins, les caisses, la sortie.

12

— Tiens, tiens, s'exclama Viv en ouvrant la porte. La robe rouge sexy. As-tu l'intention d'alpaguer quelqu'un en particulier, ou c'est simplement en vue d'attirer dans tes filets le premier mâle venu ?

— C'est soit un complot pour renverser le gouvernement et changer notre civilisation, soit une tentative désespérée pour amener un pauvre type myope, faible d'esprit et atteint d'un excès de testostérone à me draguer. C'est toi qui choisis. Qu'est-ce que tu en penses ? Mon ventre ne ressort pas trop ?

— Je constate que tu as toujours une aussi haute opinion de toi-même ! s'insurgea Viv en lui laissant le passage.

Bella haussa un sourcil.

— Et tu te prends pour une maîtresse de maison ? Ça fait quarante-cinq secondes que je suis arrivée et tu ne m'as encore rien proposé, pas même un *Twiglet*. Tu as quelque chose de correct à boire, ou on doit se contenter de ce que j'ai apporté ?

Viv tartinait l'intérieur des baguettes avec du beurre à l'ail et aux herbes, pendant que Bella disposait les pistaches et les olives dans les coupes.

— Ça va, tu en auras assez ? s'enquit Viv en la voyant craquer une énième pistache entre ses dents. Tu vas bien, ma poule ? Tu as l'air un peu chose.

— Ça va. Tu m'en donnes encore un peu ?

— Patience. Tu as toute une soirée à affronter. Qu'est-ce qui se passe ?

— Rien. Tout. Ça paraît idiot.

— Qu'est-ce qui est idiot ? intervint Nick, en entrant dans la cuisine. Ah, des pistaches !

Aussitôt, il plongea la main dans la coupe et attrapa une bonne poignée de fruits secs.

— Je viens de voir Will au supermarché, avec un chariot plein de couches.

— Quel salaud ! déplora Nick en secouant la tête. Je fais bien ? C'est bien ça qu'il faut dire ? Et d'abord, qui c'est, Will ?

— C'est le jardinier de Bella. Je te l'avais bien dit, il t'a tapé dans l'œil. Eh bien, visiblement, il ne te mérite pas.

— Je me suis trouvée toute bête. Parce que, depuis le moment où on s'est rencontrés, j'avais l'impression qu'il y avait quelque chose entre nous...

Nick eut une mimique expressive.

— Va-t'en ! s'exclamèrent les deux jeunes femmes en chœur.

— ... tu sais, cette impression non formulée que le courant passait. Je suis sûre qu'il fait du charme à toutes ses clientes juste pour se faire bien voir. Je parie qu'à l'heure qu'il est, il est auprès de sa femme et qu'ils cocoonent leur bébé ensemble... et il se fout de moi et de mes conneries de cartons et de ma connerie de fresque murale... et je le déteste, maintenant, mais pas autant que je me déteste moi. J'aurais voulu ne jamais l'avoir rencontré. C'est vraiment de ma faute... Je me suis laissée aller, j'ai flashé sur lui, et c'est une connerie, une connerie, une connerie. Et je ne peux même pas le renvoyer parce qu'il a commencé les travaux et qu'il y a de la terre partout et que s'il ne finit pas le jardin, ce sera la catastrophe intégrale, et d'ailleurs, toute la maison ressemble à un entrepôt. Donne-moi encore un peu de vin, s'il te plaît.

— Oh, ça me fait de la peine, ma poule. On va te trouver quelqu'un de bien, hein, Nick ?

— Moi ? Qu'est-ce que tu veux que je fasse ? Tu dis toujours que mes copains sont des cas désespérés.

Bella reprit une fournée de pistaches.

— N'en parlons plus. C'est une cause perdue. Je m'en fiche, maintenant. Je vais rester célibataire jusqu'à la fin de mes jours et je vais me consacrer à l'art.

— Oui, tel sera ton sort, confirma Viv tout en mettant la coupe de pistaches hors de sa portée. Si vous n'arrêtez pas, tous les deux, il en restera tout juste de quoi remplir un coquetier.

Nick desserra sa cravate, remonta ses manches et fit bouger ses doigts comme pour les délier avant d'attaquer un petit quelque chose de Chopin dans une salle de concert.

— Si quelqu'un veut bien s'occuper de couper les tomates pour la salade, annonça-t-il avec un mouvement de tête en direction de Bella, je vais préparer...

Il fit une pause pour jouir de son effet.

— ... la sauce.

— Oh, mon chéri, s'exclama Viv en ouvrant de grands yeux admiratifs, nous permets-tu de te regarder ?

Il se lava les mains jusqu'aux coudes et les présenta comme un chirurgien.

— Vous pouvez. Serviette !

La préparation de la sauce pour la salade, l'unique spécialité culinaire de Nick, était une épopée en cinq actes ayant pour vedette Nick, avec, pour accessoires indispensables, un pilon et un mortier, quelques gousses d'ail, deux sortes de moutarde, une huile d'olive tout à fait hors de prix extraite d'un olivier de Toscane bien particulier, et d'autres substances rares que Nick aimait à cacher aux regards pour « préserver le mystère ».

Bella lava et coupa les tomates, pendant que Nick se lançait dans l'acte 1 : le pilage de l'ail avec du sel de mer.

— C'est un vrai plaisir que tu nous offres là, Nick, et en même temps une véritable leçon, s'extasia Bella. As-tu déjà songé à donner des cours ?

— Tu peux te moquer, rétorqua Nick, mais j'ai vu que lorsque je te servais de la salade, tu la dévorais comme une véritable chenille.

— Très juste, ô Grand Maître, mais quel dommage de te contenter d'un public aussi restreint. Pourquoi n'attends-tu pas l'arrivée des invités pour qu'ils puissent juger de ta prestation et te noter à ta juste valeur ?

Bella leva la main comme si elle tenait une pancarte, façon compétition de patinage artistique.

— Technique : 5,6, annonça-t-elle. Effet artistique : 5,9.

La sonnette retentit. Nick en était encore à l'acte 3 : le mélange intime des deux moutardes avec l'ail. Quant à Viv, elle était plongée jusqu'aux coudes dans sa propre préparation. Aussi Bella se dévoua-t-elle pour ouvrir.

C'étaient Sara et Adam, un couple qu'elle avait déjà rencontré, ainsi que Julian, le cousin de Nick, qui avait été dépêché pour acheter des serviettes en papier ; il avait fait plusieurs boutiques pour en trouver, en vain.

Bella leur proposa à boire en essayant de ne pas trop regarder le fameux cousin.

D'autres personnes arrivèrent peu à peu et Bella se trouva bientôt embarquée dans une discussion entre deux couples qui argumentaient à propos des écoles maternelles. Elle risqua une opinion, mais les quatre parents se liguèrent contre elle avec un regard qu'elle connaissait bien. Puis l'une des participantes formula en leur nom la phrase inévitable :

— Attendez d'avoir des enfants, et vous changerez d'avis.

Quel argument opposer à cela ? Elle se retrouva à l'âge de six ans, à l'époque où sa mère la grondait pour n'avoir pas été sage en lui jetant son regard condescendant qui signifiait : « Quand tu seras grande... Quand tu seras plus âgée... Alors, tu pourras faire ce que tu voudras. » Ah bon ? Elle l'attendait toujours, ce jour magique.

Elle fut tentée de mettre ces gens dans l'embarras, de leur raconter qu'elle ne pourrait, hélas, jamais avoir d'enfant, parce que... parce qu'elle souffrait d'une terrible maladie... qu'elle avait donné son utérus à la science... que ses trompes avaient été mutilées par un chirurgien fou... que ses ovaires refusaient de pondre des œufs sans autorisation écrite...

A l'autre bout de la pièce, Julian croisa son regard, leva son verre et lui fit un signe de la tête. Oh, il était vraiment bien, ce mec !

Bella prit le premier prétexte venu pour se sortir de cette discussion stérile :

— Je vais juste... un vieux copain... excusez-moi.

Elle tenta ensuite de ne pas donner l'impression de se ruer vers lui.

Il était peut-être temps d'arrêter de boire, elle avait déjà dépassé la dose habituelle...

Elle entendit quelqu'un rire très fort. Intérieurement, elle pinça les lèvres avec désapprobation, jusqu'au moment où elle s'aperçut que ce quelqu'un, c'était elle.

Mais cela lui était égal. Pour une fois, elle avait envie de ne pas être raisonnable et de jouer les femmes libérées, les écervelées, de flirter outrageusement et de profiter tout simplement de l'effet visible que ce comportement avait sur les hommes. Elle se surprit à poser sa main sur le bras de Julian et à le dévorer des yeux pendant qu'il lui racontait ses voyages, sur sa demande expresse. Il lui rendit ses regards avec un intérêt non dissimulé et ne se fit pas prier pour lui parler de lui.

Il était largement plus d'une heure du matin lorsque le dernier invité s'engouffra dans un taxi. Viv conduisit Bella jusqu'à la chambre d'amis.

— Ne discute pas. Tu n'es plus en état d'aller où que ce soit, la tança-t-elle affectueusement. Julian est volontaire pour le canapé, même si je crois qu'il aurait été très content de venir te rejoindre ici, vu la façon dont il t'a zieutée toute la soirée.

Viv entreprit de faire le lit, aidée d'une Bella qui tirait maladroitement sur un côté du drap. Les efforts de cette dernière furent interrompus par un accès de rire irrépressible lorsqu'elle tenta en vain de se remémorer la façon dont on faisait les coins de lit à l'hôpital.

— Arrête, s'il te plaît, dit Viv en réprimant un fou rire. C'est toi qui es censée être la fille raisonnable.

— On pourrait mettre Julian ici, dans ce petit coin, suggéra Bella en se laissant tomber lentement sur le lit à moitié fait. Je promets de ne pas le toucher. Ou seulement un petit peu. Tu crois que je lui plais ?

— Arrête tes bêtises. Il ne pouvait pas te serrer de plus près, sauf s'il était entré dans ta robe ! Mais à ta place, je laisserais tomber... il part pour Washington dans quelques jours. De toute façon, même s'il est très beau, il n'es pas si intéressant que ça, et il a un ego qui fait la taille de la montagne de beurre de l'Union européenne.

— Sacrées épaules ! émit Bella en faisant claquer ses lèvres en signe d'appréciation.

Viv soupira et tira la couverture sur son amie.

— Fais un beau dodo, dit-elle. Et tu n'es pas obligée de te lever aux aurores, demain matin.

— Demande au garçon d'étage de me l'envoyer, s'il te plaît, murmura Bella, la tête enfouie dans les profondeurs de l'oreiller. J'en prendrai soin, il sera en sécurité avec moi.

13

— Tu m'as dit que tu me ferais visiter la ville, dit la voix de Julian au téléphone, une voix confiante et assurée. Je ne suis là que pour quelques jours, et je dois faire un saut à Coventry demain. Est-ce que vendredi soir t'irait, après ton travail ? J'aimerais beaucoup voir les endroits cachés que les touristes ne connaissent pas.

Je m'en doute, se dit Bella, tout en acceptant sa proposition avec un petit rire de coquetterie. Pourquoi se fatiguer à faire semblant, quand il était si simple de dire les choses clairement ?

C'est vrai, à la soirée, elle était complètement bourrée. Il y avait bien longtemps que cela ne lui était pas arrivé ; deux ans, peut-être ? C'était après avoir eu si peur d'être enceinte.

Elle a près de deux semaines de retard. Dans un grand magasin anonyme, elle achète un test de grossesse. Assise dans le bus, elle passe son doigt le long de la boîte prophétique enfouie dans son sac comme si elle connaissait déjà la réponse. Les femmes ont souvent du retard quand elles sont stressées, se dit-elle pour se calmer. C'est sûrement ça. En franchissant le seuil de l'appartement, elle se force à jouer la décontraction. Au lieu de foncer tout droit dans la salle de bains, elle met la bouilloire en route et feuillette le journal d'un œil distrait ; comme si le fait de jouer l'insouciance pouvait influencer le résultat.

Maladroitement, elle essaie de viser la minuscule fiole et mouille sa main tremblante. Le résultat devrait être presque instantané, mais elle laisse passer les secondes et attend avant de voir si la petite ligne bleue apparaît dans le carré blanc, ce qui signifierait « Réjouis-toi, un enfant va naître », ou, dans son cas, « Oh, merde ! ».

Le carré reste blanc et le soulagement la submerge. Elle a l'impression que quelqu'un a ouvert toutes les fenêtres et laissé entrer un énorme flux d'air frais. Mais maintenant, Patrick s'est déjà fait à l'idée qu'elle est vraiment enceinte. Elle a remarqué qu'il s'entraîne à jouer le rôle du papa fier de l'être. Elle l'a surpris en train de tenir le pied d'un tout petit pyjama bleu duveteux le jour où ils étaient allés acheter une robe de chambre pour son père chez Marks & Spencer. Il regarde les vitrines des agents immobiliers affichant des annonces pour des maisons beaucoup trop grandes pour leur budget.

Ce petit carré resté blanc atteint Patrick comme un coup. Sa peau est devenue grise, ses yeux sont assombris par la déception. Elle le serre contre elle et l'enlace comme s'il était un bébé à consoler, embrasse ses cheveux, encore et encore. Plus tard, ils sortent pour dîner et ils boivent deux bouteilles d'un vin extrêmement cher, suivies d'innombrables verres de scotch à la maison, chacun avec sa propre raison de s'enivrer. Bella savoure chaque gorgée et sent le soulagement envahir sa bouche, suinter par ses narines dans une marée de tourbe fumée et de chêne séché.

Le matin suivant, ils se réveillent malades tous les deux et Patrick plaisante faiblement en disant que, maintenant, il sait ce que c'est que d'avoir des nausées le matin, et que c'est une bonne préparation. Bella fait le café en silence et évite son regard. Ensuite, il n'y a plus jamais fait allusion.

Le vendredi matin était clair et ensoleillé, une journée à jupe. Elle s'épila sous la douche tout en se persuadant que c'était uniquement à cause de la jupe. Elle n'avait pas du tout l'intention de laisser Julian passer ses chaudes mains d'homme sur ses cuisses douces comme de la soie, ah ça non ! Tout aussi intéressée par le choix de ses sous-vêtements, Bella farfouilla dans son tiroir du haut, puis en déversa le contenu sur son lit. Sa parure en dentelle crème, ainsi que la rouge sexy étaient au lavage. Ah, si elle avait fait une lessive la veille ! Il était trop tard, maintenant, le linge n'aurait plus le temps de sécher. Et si Julian venait après pour prendre un café ou autre chose ? Impossible de le faire passer par des rangées de chaussettes et de petites culottes suspendues en guise de guirlandes de bienvenue.

Elle fouilla à travers les pièces de lingerie en les tenant délicatement entre le pouce et l'index comme s'il s'agissait d'objets sortis d'une poubelle : trois vieux slips de coton grisâtres, blancs à l'origine ; un slip spécial Saint-Valentin décoré d'un cœur rouge sur le devant, assorti de la légende « Je suis à toi ». Elle les remit dans le tiroir. Une culotte rose pâle à l'élastique trop lâche. Des slips en élasthanne qui lui montaient jusqu'à la taille et appuyaient sur sa vessie, ce qui lui donnait envie d'aller aux toilettes toutes les vingt minutes. Une petite culotte en dentelle noire, si mini que l'adjectif « petite » était encore trop grand pour elle : elle était coupée dans si peu de tissu que ses hanches et ses fesses paraissaient étrangement disproportionnées par comparaison, et elle était désagréablement collante. De plus, c'était un cadeau de Patrick. Elle la remit dans le tiroir.

Elle pouvait faire un tour dans les boutiques à l'heure du

déjeuner et acheter une culotte de coton. Mais c'était ridicule, personne ne regarderait sa petite culotte. Ils feraient un tour à travers la ville et iraient peut-être manger quelque part. Théoriquement, cela n'impliquait pas qu'elle montre ses sous-vêtements. N'empêche, elle avait besoin de nouvelles affaires, et cela ne lui prendrait pas beaucoup de temps.

Au moment où elle s'apprêtait à partir au travail, le téléphone sonna. Elle laissa le répondeur se mettre en route mais courut à la porte pour écouter. C'était Will. Elle décrocha.

— Bonjour. Je suis content que vous soyez là. Vous serez chez vous ce soir ?

— Non, pour une fois, je sors. Vous avez besoin de venir ?

Comment va votre femme ? avait-elle envie de demander. Et le bébé ?

Il voulait simplement jeter un coup d'œil sur les arbustes transplantés. Il voulait aussi lui rappeler qu'il ne serait pas libre le lendemain, mais qu'il viendrait peut-être faire un saut, et que Douglas serait chez elle à onze heures.

— Vous faites quelque chose de bien, ce soir ?

— Oh… je… je sors, c'est tout.

Sans doute s'imaginait-il qu'elle avait craqué pour lui.

— Avec un ami, bien sûr, ajouta-t-elle.

— Oh ! dit-il, toussotant. Amusez-vous bien.

Julian n'était pas là lorsqu'elle arriva à la porte est de la cathédrale, un peu essoufflée car légèrement en retard. Elle s'adossa contre un pilier et offrit son visage à la caresse du soleil, tout en observant les passants. La soie vert d'eau de sa jupe flottait au vent. Elle repoussa une mèche de cheveux qui était venue se coller contre son rouge à lèvres rosée de mûre.

Deux adolescents au corps trop grand pour eux passèrent en échangeant des propos d'une voix aiguë qui déraillait. Soucieux de bien montrer leur virilité, ils avançaient en se bousculant mutuellement, tout en riant aux éclats. Un homme au chef surmonté d'un panama de paille et vêtu d'un blazer usé marchait en marmonnant, tiré par son compagnon, un petit terrier au museau inquisiteur qui ressemblait à un tapis de bain devenu gris au lavage. Si seulement elle avait apporté son carnet à dessin ! L'endroit était parfait pour croquer les gens. Elle ferma les yeux pour essayer d'imprimer les scènes dans sa mémoire.

Une ombre lui cacha le soleil.

— Sais-tu que tu es encore plus mignonne comme ça que dans ta robe sexy ? demanda Julian. Alors, j'ai droit à un baiser ?

Ça n'en finissait plus. Julian semblait très fier de lui montrer qu'il pouvait tenir le coup très longtemps, comme si un marathon était intrinsèquement meilleur qu'un sprint, même si on s'ennuyait. S'ennuyer en faisant l'amour, c'était déjà suffisant en soi, comme épreuve, mais si en plus votre partenaire avait de l'endurance...

Bella sentait qu'elle commençait à s'engourdir. Autant faire des mots croisés toute seule dans son coin. Elle pourrait peut-être attraper le journal et les faire par-dessus son épaule. Absorbé comme il l'était par sa prouesse physique, il y avait peu de risques qu'il s'en rende compte. Elle pouvait toujours l'encourager en lui demandant de l'aider à trouver les réponses : « Mmm, mmm, allez, vas-y, chevauche-moi, mon champion. A ton avis, "illusion", en sept lettres, et ça se termine par un R ? T'as trouvé, c'est "plaisir". » Peut-être que si elle s'écrasait un peu plus contre lui, ça accélérerait le mouvement. Ah, elle ne faisait pas assez travailler son plancher pelvien, les rares fois où elle faisait sa gym.

Son regard erra autour de la pièce. Cette lampe, elle n'aurait pas dû la mettre à cet endroit. L'abat-jour était un peu dépareillé et on voyait l'ampoule, particulièrement sous cet angle. Et si elle le remplaçait par un genre de parchemin en dessinant un motif dessus ? Demain, j'irai faire quelques courses... je n'ai plus de papier toilette. Ni de lessive. Et il me faut aussi de l'huile d'olive. Elle passa mentalement en revue le contenu des placards de la cuisine. Des pâtes... des *rigatoni* ou des *tagliatelle* ? Et si j'achetais des coquillages ? Je pourrais essayer les *conchiglie alla genovese*. Et je ferais bien de vérifier le détergent aussi.

Il continuait toujours à s'activer.

— Mmm, c'est bon, fit-elle pour l'encourager à aller plus vite.

Qu'est-ce qu'il cherchait ? Une médaille ?

Elle ferma les yeux et laissa divaguer son esprit, vagabonder ses pensées, en s'observant du dehors. Lorsqu'elle était seule et qu'elle se caressait, elle fantasmait. Mais en ce moment, c'était de Patrick qu'elle avait envie, Patrick, chaud et vivant, rassurant et familier, qui l'aimerait, qui la libérerait.

Son visage est devant le sien, il sourit, de son sourire à lui. Il l'embrasse, une fois, durement, puis il met les mains sous sa jupe. Lorsqu'il la soulève, elle frémit au contact du dessus-de-lit de brocart à la texture rugueuse sous ses cuisses nues. Surprise par sa hâte soudaine, elle se recule pour lire dans ses yeux. Mais au moment même où il la touche, ses yeux bruns prennent la couleur grise de la mer, sa mâchoire s'élargit, ses cheveux deviennent plus clairs, plus courts, souples comme de la mousse sous ses doigts... et c'est le visage de Will qui s'offre à ses yeux. Son tendre visage. Elle sent les larmes lui monter aux yeux et elle se tourne vers lui, pose ses lèvres sur les siennes, leurs bouches sont gourmandes, avides, reconnaissantes.

Il met ses mains sous elle, maintenant, et l'attire contre lui avec force. Elle gémit devant sa fougue, devant la sienne, et elle s'offre à lui, accélère son rythme, accrochée à son dos. Et il l'enserre, et il plonge en elle comme si sa vie en dépendait. Puis seules subsistent sa chaleur et son odeur, et les battements de son cœur font comme les notes lentes d'une basse, qui vibrent et vrombissent, qui, peu à peu, augmentent en volume, puis recouvrent tout. Elle se détache de lui en s'arc-boutant, puis elle revient contre son corps ; elle se sent chaude et douce à l'intérieur, elle se sent fondre.

Enfin, son souffle ralentit et elle reste étendue, la peau brûlante et sensible, les cuisses irritées par le frottement du dessus-de-lit de brocart, ce dessus-de-lit dont, pourtant, elle s'est débarrassée depuis longtemps.

— Eh bien, eh bien, dit Julian, tu t'es réchauffée d'un seul coup. Tu es un peu longue à la détente, non ?

Il lui tapota les fesses avec espièglerie.

— Peut-être, oui.

Elle était sur le dos, rouge de désir, de plaisir et de culpabilité. Elle roula sur le drap froissé, et fut surprise par sa douceur étrangère et pleine de reproche, alors que son corps était encore plein du contact rugueux du brocart.

— Alors, le type m'a dit : « Il faut que vous l'enleviez, monsieur. » Il était complètement non conciliant. Incroyable.

Tu l'as dit ! pensa-t-elle. Je n'arrive effectivement pas à croire que j'ai couché avec un mec qui dit « non conciliant ». Je me demande ce qui m'a prise.

— Ah bon ? dit-elle tout haut, injectant de l'intérêt à sa voix, autant pour son interlocuteur que pour se convaincre que, oui, il valait le coup qu'on lui porte de l'intérêt.

— Tu veux du thé ou autre chose ? proposa-t-elle en se glissant hors du lit.

— Un brandy si tu en as.

Julian la suivit du regard pendant qu'elle attrapait son peignoir accroché à la porte.

— Joli cul, apprécia-t-il.

Pendant que l'eau chauffait, Bella regarda ses pieds, blancs et doux contre le carrelage froid. Les ongles de ses orteils avaient besoin d'être coupés, et son vernis était écaillé. Mais qu'est-ce qui lui prenait ? Elle s'était fourrée au lit avec un mec qui lui était pratiquement étranger et, comme si cela ne suffisait pas, elle avait fantasmé sur un autre ; ça faisait donc deux mecs, ce qui voulait dire qu'elle commençait à être sérieusement perturbée... et elle ne trouvait pas d'autre sujet de préoccupation que les ongles de ses doigts de pied. D'accord, mieux valait s'occuper de ses ongles que réfléchir à son comportement ahurissant. Tâche inutile, au demeurant.

Néanmoins, cette sage résolution ne l'empêcha pas de se sentir affreusement mal à l'aise au souvenir de l'effet produit sur elle par la simple évocation de Will. A cela vint s'ajouter la culpabilité à l'égard de Julian, et de Patrick. Trois pour le prix de deux. Merveilleux. Un assortiment complet. Cela signifiait-il que, désormais, elle serait incapable de faire l'amour sans s'imaginer qu'elle couchait avec Patrick ou avec quelqu'un d'autre ? Quelle honte !

Pour cacher son embarras, elle servit à Julian une triple dose de brandy, qu'elle lui tendit en remuant les hanches de façon provocante.

— Tu as été extra, la félicita-t-il. Tu t'es vraiment défoncée.

Elle sourit, puis enfouit son visage dans son cou afin qu'il ne puisse pas la regarder dans les yeux.

La sonnette retentit. Elle se retourna, abrutie par le manque de sommeil. La vue d'un autre visage sur l'oreiller voisin du sien lui causa un choc.

— Tu attends de la visite ? demanda Julian. Pas le vicaire, j'espère.

Bella rit et secoua la tête. Pourquoi donc était-elle si sympa avec lui ? Elle consulta sa montre. Presque dix heures. Peut-être Douglas était-il un peu en avance. Une affreuse pensée : Et si c'était Will ? Mieux valait ne pas répondre.

Un nouveau coup de sonnette. Pas le temps de s'habiller. De toute façon, qu'avait-il à voir là-dedans ? Elle avait le droit de coucher avec qui elle voulait, cela ne le regardait pas. Absolument pas. Elle s'emmitoufla dans sa robe de chambre, croisa les bras sur sa poitrine et dévala les escaliers pour aller ouvrir. Elle passa alors un visage méfiant par la porte.

— Bonjour, dit Will. Désolé de vous sortir du lit, mais de toute façon, vous devriez être levée. Il fait un temps superbe. Accompagnez-moi dans le jardin. Je promets de ne pas regarder vos jambes pleines de poils.

— Elles ne sont pas pleines de poils, répondit Bella en les frottant l'une contre l'autre. Je les ai épilées hier. Vous voyez ?

— Oh, mais moi je les trouve très jolies, de toute façon.

Comment s'était-il débrouillé pour donner l'impression que c'était elle qui essayait de lui faire remarquer ses jambes ? Il avait une façon particulière de renverser les rôles.

Il avait mis le cap vers la cuisine.

— Vous m'offrez une tasse de thé ?

— Vous pouvez aller vous en faire vous-même. Vous n'avez pas perdu l'usage de vos mains ?

— Je n'avais pas envie d'arriver sans crier gare et de faire comme chez moi.

— Ah bon ? Pourquoi ? C'est pourtant dans vos habitudes.

Will se retourna pour la regarder.

— Vous piquez comme un hérisson, ce matin. Qu'est-ce qui se passe ?

— Rien.

Pourquoi ne partait-il pas ? Elle croisa les bras et baissa la tête.

— C'est simplement que j'étais occupée, ajouta-t-elle.

— En robe de chambre ? s'esclaffa Will, qui rougit tout à coup. Oh ! Bien. Excusez-moi.

Il reposa la bouilloire sur le plan de travail.

— Pourquoi ne me l'avez-vous pas dit ? Après tout, je ne suis que le jardinier. Vous n'avez pas à ménager mes sentiments.

— Non, je… ce n'est pas… je…

— Oh, ne soyez pas gênée, poursuivit-il en la regardant droit dans les yeux. Vous n'avez pas à vous justifier auprès des gens que vous payez.

Quel salaud ! De quel droit s'amusait-il à la mettre ainsi dans l'embarras ?

— Non, sûrement pas. Vous êtes un peu gonflé de vouloir me culpabiliser alors que vous avez passé votre temps à me draguer, vous qui avez une femme et des bébés et tout le reste.

— Quoi ? s'étonna Will en tournant la tête, comme cherchant quelqu'un des yeux. C'est à moi que vous parlez ?

— Oui, ne jouez pas la comédie, ça ne vous va pas. Vous vous êtes bien gardé de me le dire. C'est bizarre comme ce détail mineur vous était sorti de l'esprit pendant nos conversations. Mais je vous ai vu ! A Tesco, avec des millions de couches !

Il soupira bruyamment et secoua la tête.

— Mais c'est pas vrai, je rêve ! Est-ce que vous n'avez

jamais eu l'idée de parler…d'essayer de communiquer avec votre prochain ? Allez, faites un effort, demandez-moi : « Will, c'est quoi toutes ces couches que vous avez achetées ? » Alors, je vous répondrai : « Bella, je suis content que vous me posiez la question. » Enfin, voilà l'explication : je suis un tonton très fier de l'être, et qui a un grand sens du dévouement. En fait, je croyais vous l'avoir dit. Je rends service à ma sœur ; elle est dépassée par les événements, avec sa fille de cinq ans, son petit garçon qu'elle vient d'avoir et son mari qui se tue au boulot. O.K. ?

Clouée au sol par le choc, Bella ne sut que répondre.

— Je… Je croyais… croassa-t-elle finalement.

— Pourquoi ne m'avez-vous pas posé la question, si ça vous travaillait tant que ça ? demanda-t-il en avançant d'un pas vers elle.

Elle recula et répliqua vertement :

— Et pourquoi est-ce que ça devrait me travailler ? Je me fiche bien de savoir combien de bébés vous avez. Vous pourriez remplir une crèche, ça m'est bien égal !

— Merci. Je m'en souviendrai la prochaine fois que j'aurai mes chaleurs. Bon, je sais bien que vous ne vous intéressez ni à moi, ni à ma vie, ni à mon statut, mais je vous prie de noter tout de même : a) que je n'ai pas d'enfants, b) que je suis célibataire, et c) que je suis ouvert à toute proposition. Merci. Maintenant, je vais aller voir les arbustes, et après, je débarrasse le plancher.

— Oh, vous n'êtes pas obligé. Vous pouvez rester tant que vous voulez.

Elle se mordit les lèvres. Non, elle n'allait pas se mettre à pleurer. Elle enfouit ses ongles profondément dans sa chair. Je m'en fiche, se dit-elle, je m'en fiche, je m'en fiche, je m'en fiche !

— Sortez quand même du lit demain pour les arroser

s'il ne pleut pas. Je reviens lundi matin avant votre départ, à huit heures tapantes. Essayez d'être debout.

— A vos ordres, chef ! Oui, chef !

Elle fit le salut militaire, mais il lui avait déjà tourné le dos et il ne put profiter de sa petite plaisanterie.

14

— Un petit cadeau pour m'excuser, dit Will en lui mettant un petit sac en plastique entre les mains. Il est encore un peu trop tôt pour les roses.

Le sac était rempli de brins de romarin cueillis dans son jardin. Elle le frotta entre ses doigts et y enfouit son nez : un vrai délice, un parfum riche et fort, mais un parfum de propre, presque d'antiseptique.

Elle savait que c'était à elle de s'excuser. Tout était entièrement de sa faute. Elle avait passé son temps à faire des suppositions et, après, elle s'était pratiquement jetée à la tête de Julian uniquement pour chasser sa déprime. Encore une de ses bonnes idées, à ranger dans la même catégorie que son installation dans une ville où elle ne connaissait que deux personnes, assortie de l'achat d'une nouvelle maison et de ses débuts dans un nouveau job ; sans parler de son vieux dada, le rêve de devenir peintre. A quoi bon coucher avec le premier venu, si c'était pour déprimer encore plus après ?

Après le départ de Will, le samedi matin, elle avait mis prestement Julian à la porte en prétextant un travail urgent à terminer : elle devait passer au bureau, alors qu'elle

aurait tant aimé passer la journée au lit, mais malheureusement, il n'y avait rien à faire... D'une main douce, mais
ferme, elle l'avait guidé vers la cuisine, lui avait servi du
café dans une petite tasse de façon à ce qu'il boive plus vite,
l'avait embrassé dans l'entrée, la main sur la poignée de
porte, avait renchéri : « Oui, oui, c'était super, je serai très
contente de te voir à ton prochain passage... Oui, bien
sûr... bon voyage... bisou, bisou... au revoir. »

— Je sais que vous aimez faire la cuisine. Désolé pour
l'emballage cadeau, il n'est pas très joli.
— C'est un euphémisme, mais merci beaucoup.
J'adore. Dites-moi, pourquoi serait-ce à vous de vous
excuser ?
Il toussota.
— Parce que j'y ai été un peu fort, samedi.
— Mais non, répondit-elle, pas de problème.
A son tour de lui présenter ses excuses, maintenant.
C'était indispensable. Mais l'idée de reconnaître ses torts
la rendait nerveuse. Enfant, elle passait ses journées
honteuse, tête baissée, comme une fleur manquant d'eau.
« Pardon, maman, je ne l'ai pas fait exprès ; pardon,
maman, j'ai oublié ; pardon, maman, je ne savais pas ; je ne
me rendais pas compte ; je pensais que ça irait ; pardon ;
pardon ; pardon d'embêter les autres ; pardon d'être
vilaine ; pardon d'être moi. » La bouche pincée de sa mère
qui triomphe intérieurement se détend soudain en signe de
victoire : « C'est bon, Bella chérie. Tu feras mieux la
prochaine fois, n'est-ce pas ? »
— Si, si, insista Will. J'ai été... eh bien. Excusez-moi.
— Moi aussi, vraiment.
— Moi encore plus, insista-t-il en souriant. Vraiment.
— Vous pouvez faire le thé... si ça peut vous aider à
vous en remettre.
Will répondit qu'il ne pouvait rester, qu'il était venu

seulement pour vérifier une ou deux choses et lui apporter le romarin. Mais c'était toujours d'accord, pour samedi ?

— A moins que maintenant les week-ends ne posent problème ? ajouta-t-il. Pour une raison ou une autre ?

— Si c'est votre façon de demander si ce qui s'est passé samedi dernier se renouvellera, eh bien, je vous répondrai que ça a autant de chance de se passer que j'en ai de recevoir une commande de fresque pour le dôme de l'Albert Hall.

Il haussa les épaules.

— Donc, ça veut dire que c'est possible.

— Et c'est vous qui me traitez de rêveuse ? répliqua-t-elle en le bousculant par jeu.

— Si, si, vous êtes une rêveuse. Alors, avez-vous commencé la fresque sur le mur du fond ?

— Elle est encore à l'état de projet.

— Donc, c'est non, dit-il en se détournant pour partir. Qu'est-ce que vous attendez pour vous y mettre ?

— Oh là là ! Quelle autorité !

— Je vous connais, vous allez rêvasser là-dessus pendant toute la semaine, et moi, j'ai besoin que vous soyez utile le week-end.

— Mais je n'ai pas été programmée pour être utile !

— Vous allez adorer ça. Ce sera une nouvelle expérience. Faites-moi confiance.

Bella résolut d'ignorer le fait que, désormais, elle dessinait tous les jours, chez elle, au bureau, aux cours du soir, et que, de surcroît, elle s'était mise à peindre. Elle préféra décréter qu'il s'agissait d'un engouement passager, d'un accroc dans le tissu de l'univers qui serait bientôt réparé. Elle s'y mettait comme par jeu, en attrapant négligemment un crayon, en tenant son carnet à dessin en équilibre, de façon inconfortable, comme pour jeter brièvement une note sur un papier. Elle considéra qu'il fallait éviter de prendre la chose au sérieux, de s'offrir le luxe du papier épais, d'acheter des pinceaux neufs, de faire de l'ordre dans son atelier, sous peine de ne jamais rien voir se concrétiser. C'était comme marcher sur un fil tendu au-dessus d'un précipice : à aucun prix il ne faut s'arrêter ni regarder en bas, le risque est trop grand de toucher soudain du doigt la folie de l'entreprise.

Lorsqu'elle commença la fresque sur le mur du jardin, elle renoua avec cette excitation, ce vertige familier qui lui tournait la tête. Des années plus tôt, le jour où elle avait été acceptée aux Arts décoratifs, elle avait eu du mal à y croire : on lui permettait ou, plutôt, on l'encourageait à dessiner et à peindre toute la journée ! On lui accordait le permis de jouer. Elle se souvenait du sourire perplexe d'Alessandra expliquant la toquade de sa fille aux voisins : « Bien sûr, Bella aurait pu entrer à l'université, à Oxford ou à Cambridge, mais elle s'est mis dans la tête de devenir artiste ! » L'idée n'en paraissait pas moins ridicule à ses propres oreilles. C'était comme si elle avait eu la prétention de devenir danseuse classique ou astronaute. C'était un rêve puéril et stupide. Elle s'était reprise. Elle avait opté pour les arts graphiques. Pratique. Commercial. Elle avait décidé de veiller à sa carrière.

Le samedi matin, en arrivant, Will recula pour admirer le bouquet de romarin placé dans la cruche bleue sur le rebord de la fenêtre de la cuisine.

— Alors, le romarin tient bien, hein ? Vous n'êtes pas contente d'avoir eu du romarin au lieu d'un vieux bouquet de roses passe-partout ?

— Contente, vous n'avez pas idée ! Je me réveille tous les matins en me disant : « Dieu merci, Will ne m'a pas offert de roses ! » Mettez la bouilloire en route, s'il vous plaît. Je suis couverte de peinture.

— C'est bien vrai, ça, admit-il en tendant la main et en

lui touchant le bout du nez. Vous avez une trace grise juste… là. Mais peut-être avez-vous dérapé en vous mettant votre fard à paupières ?

— Ça me fait plaisir de voir que vous avez obéi à mes ordres.

Après un regard sur l'ébauche d'arche peinte en trompe-l'œil, il ajouta :

— Vous avez envie de continuer, ou vous préférez apprendre quelques rudiments de jardinage ?

— La main verte, formation accélérée, méthode Henderson ? Est-ce que je deviendrai une vraie jardinière ?

— Oh non, mon petit, pour ça, il faut des années. Regardez ces mains-là, dit-il en les ouvrant et en les tenant face à Bella. Ces sillons ne s'en iront plus jamais.

Elle tendit le doigt pour suivre les lignes de sa main. Elle se demanda si le contact de sa peau lui plairait. D'où venait cette cicatrice sous le pouce ? Leurs yeux se rencontrèrent.

— C'est idiot, dit-elle en retirant sa main et en repoussant une mèche de cheveux qui lui tombait dans les yeux. En frottant bien, ça part. Bon, d'accord pour les rudiments de jardinage ; de toute façon, je ne peux pas peindre quand on me regarde.

— Ah bon ? Pourquoi ?

— Vous savez que vous êtes vraiment très curieux ?

— Oui. Eh bien, pourquoi ne pouvez-vous pas peindre quand on vous regarde ?

Elle hésita. Elle n'avait jamais réfléchi au problème.

— C'est comme quand il y a quelqu'un dans la pièce quand on prend son bain ou qu'on est aux toilettes. C'est assez…

— Intime ?

— Mmm… marmonna-t-elle en hochant la tête. Ça vous semble peut-être idiot…

Will eut un rire nasal.

— Oh oui, très idiot, petite orgueilleuse. Non, non, pas du tout. Je vous comprends. Mais quand vous avez terminé un tableau, que se passe-t-il ? Les gens le regardent, et il est toujours aussi révélateur.

— Oui, oui. Mais il est séparé de moi. Comme un ex-mari ou quelque chose comme ça. On a été avec quelqu'un à un moment donné, mais il n'a plus le même pouvoir de vous mettre dans l'embarras en public.

Il planta une première plante en lui donnant toutes les indications nécessaires, puis il lui laissa un deuxième pot.

— Tenez, c'est à vous maintenant. Mettez-le par là, pour qu'il ait suffisamment d'espace.

— Ce métier vous plaît vraiment, hein ? lui demanda-t-elle en le scrutant du regard.

Les pointes de ses oreilles rosirent légèrement. Il opina du chef :

— J'ai toujours aimé. Même quand j'étais petit. Je semais des tournesols, des radis, tout ce qui était à ma portée. Ma mère m'a attribué mon petit bout de jardin quand j'ai eu huit ans. Et Hugh, mon beau-père… Je vous en ai parlé, il est mort, maintenant ; peu importe, eh bien, il m'a aidé à monter quelques briques tout autour, de sorte que j'avais mon petit royaume à moi.

— Ils étaient gentils avec vous. Il doit vous manquer, votre beau-père. Mon père était un jardinier passionné, dit Bella en se relevant. Il vous plairait.

Elle prononça ces paroles sans y penser, mais l'image de Will et de son père penchés tous deux sur des pousses, bavardant, parfaitement à l'aise, s'imposa à elle. Elle balança les bras pour chasser cette pensée. Will s'en aperçut et s'inquiéta :

— Vos bras vous font mal ? Dites-le-moi si je suis un maître trop exigeant. Et votre maman ? Elle jardine aussi ?

— Oh non !

Cette simple idée était amusante, absurde.

— Il lui arrive peut-être de semer quelques fleurs, mais autrement... c'est un travail trop sale. Il lui abîmerait les mains.

Bella, mimant sa mère, leva ses propres mains et les caressa délicatement l'une contre l'autre, comme pour les admirer à la lumière du soleil :

— Oh non ! Catastrophe nationale ! Appelle les urgences ! Bella chérie, je me suis cassé un ongle !

Will éclata de rire.

— Je suis sûr qu'elle ne peut pas être tout à fait mauvaise, puisqu'elle vous a faite !

— Ah, mais c'est que les fées m'ont substituée à un autre enfant. Je ne vous l'avais pas dit ?

Pendant les mois qui suivirent, ils travaillèrent selon un rythme immuable, tous les week-ends, en s'arrêtant trop souvent pour bavarder ou surveiller leurs progrès, en réaménageant légèrement leurs plans ici ou là. Pendant qu'elle travaillait de son côté, enfouissant son plantoir dans la terre, il s'activait en sifflotant, taillant, fixant une plante grimpante, et elle entendait le cliquetis familier de son sécateur, méthodique et réconfortant.

Elle termina la fresque. L'arche livrait le passage à un second jardin peint en trompe-l'œil, avec, au premier plan, le sol mousseux d'un bois s'ouvrant sur une clairière baignée de soleil à la fois tentatrice et hors d'atteinte.

— Ici, ce sera l'endroit le plus parfumé, annonça Will en mélangeant aux lavandes des daphnés, des arbres aux papillons, des sarcoccocas. Juste à côté de votre boudoir secret.

Bella respira comme si elle pouvait déjà sentir l'air chargé de senteurs. Elle ne releva qu'une odeur de coton sorti de la machine à laver, un soupçon de savon, une pointe de sueur fraîche, un peu chaude, une légère touche de parfum citronné. Pas trop de lotion après-rasage.

Sans mot dire, il passa devant elle pour aller prendre deux tasses dans le placard. Ils se contournaient dans l'étroite cuisine en une danse muette, s'effaçant l'un devant l'autre, anticipant, attentifs à ne pas se toucher. L'air entre eux tremblait, chargé d'électricité. Sa peau picotait, son corps était léger et en alerte. Elle se demanda comment il réagirait si elle touchait son dos pendant qu'il se lavait les mains à l'évier ; elle imagina la chaleur sous ses paumes, sous ses doigts. Elle avala sa salive. Evita de regarder son visage. Farfouilla à grand bruit dans un tiroir, à la recherche d'une cuillère à thé spéciale. Son ventre lui faisait mal. Elle ressentait une légère nausée. C'est l'hypoglycémie, se dit-elle, c'est tout. Elle avait envie qu'il parte, qu'il disparaisse et ne revienne plus… jamais.

Elle avait envie qu'il reste auprès d'elle… toujours. Elle avait envie qu'il la tienne contre lui, qu'il caresse ses cheveux, qu'il la garde en sécurité. Elle referma le tiroir d'un coup sec.

— Ça va, vous vous amusez bien ? demanda-t-il.

— Je ne retrouve jamais rien dans cette saloperie de baraque.

Will renversa la tête en arrière et éclata de rire.

— Je suis contente que vous trouviez ça drôle, répliqua-t-elle. Je me demande comment vous trouvez du travail si vous traitez tous vos clients de cette façon.

Il piqua du nez dans le fond de sa tasse avec un petit rire, en la regardant discrètement par-dessus le bord.

Inévitablement, les travaux prirent plus de temps qu'il ne l'avait prévu à l'origine.

— C'est de votre faute, naturellement, déclara-t-il. On parle trop facilement avec vous.

Mais ils finirent quand même par être achevés.

— Bien, fit Will en s'attardant sur le seuil. Eh bien, je m'en vais.

Elle le remercia encore de toute la peine qu'il avait prise. Le résultat était étonnant, elle essaierait de s'en occuper correctement.

— Vous avez intérêt, sinon je rapplique et j'efface votre fresque. Oh, et... j'ai failli oublier.

Il se retourna vers elle.

Les battements de son cœur s'accélérèrent.

— Est-ce que je peux revenir dans quelque temps pour prendre des photos ? Pour mon dossier ?

Il la salua une dernière fois du bout de la rue, puis il disparut.

15

Bella resta sur le pas de la porte pendant un petit moment, puis rentra à la cuisine pour remplir la bouilloire. Elle essuya le plan de travail, ouvrit un placard, puis un autre, comme si elle cherchait quelque chose. Elle vaqua ensuite dans le salon, fit gonfler les coussins. C'était très bien, se dit-elle tout en les tapotant, en tirant sur les coins pour les faire pointer, c'est très bien qu'il ne m'ait pas embrassée pour me dire au revoir, parce que maintenant il serait déjà parti, et je déprimerais encore plus. Oui, tout bien considéré, j'ai beaucoup de chance qu'il ne m'ait pas embrassée. Elle attrapa le téléphone et appela Viv pour lui demander si elle avait envie de venir admirer le jardin avant qu'il ne soit laissé à l'abandon.

— Waouh ! Il est superbe, maintenant qu'il est terminé. Laisse-moi sortir ! s'écria Viv en s'échinant sur la porte-fenêtre. Et tout ça, c'est l'œuvre de Will, l'enfant prodige ?

Bella ouvrit les battants.

— Oui, madame ! Et la mienne. Je peux te montrer mes cicatrices pour te le prouver.

Elle retroussa ses manches pour dévoiler les traces qui avaient un jour orné ses avant-bras.

— Euh… elles étaient là.

— Alors, raconte.

— Quoi ?

— Depuis que tu as découvert qu'il était seul, a-t-il…

— Déclaré ses intentions ? Non. Je pense que j'ai perdu l'affaire. De toute façon, il est trop tard pour l'impressionner. Il me connaît trop bien.

— Mais ? insista Viv en imprimant à ses sourcils un arc exagérément haut.

— Mais quoi ?

— Oh, arrête. Mais tu penses que c'est un mec intéressant, je me trompe ?

— Mon Dieu ! Je te l'ai déjà dit, ce n'est pas un adonis…

— Il a un postiche orange ? Des dents jaunies par la nicotine ?

— Je reconnais que je lui trouve un beau visage… le genre de visage qui vous donne la sensation qu'on le connaît depuis toujours. Il a un air confortable, comme un vieux canapé. Et il a une petite cicatrice, ici…

— Je sais, je sais… tu me l'as dit, ça lui donne un air vulnérable…

— Je n'arrête pas d'avoir envie de le toucher.

— Tu es drôlement mordue, ma cocotte !

— Mais non !

— Oh si ! Regarde-toi, tu fonds ! Tu es a-m-u-hu-r-e-u-s-e !

— Pas du tout. Tu sais que je suis immunisée contre ce genre de chose. Et, s'il te plaît, ne me parle jamais d'a-m-u-hu-ur à cette heure de grande écoute, sinon je vais être obligée de te dénoncer.

165

— Allô ?

C'était Will.

— C'est moi, dit-il.

— Tout juste. Comment avez-vous su ?

— Arrêtez de m'embêter. Vous êtes sûrement en train de vous demander quelle est la raison qui me pousse à vous appeler alors que je vous ai quittée il y a quelques heures à peine et que le jardin est terminé...

— Vous m'appelez pour me dire de jeter un œil sur les pivoines toutes les demi-heures et d'attacher la clématite à certains endroits. Vous me l'avez dit.

— Ah oui ? Bien. Et n'oubliez pas les arbustes qu'on vient de planter. Ne les laissez pas mourir de soif.

Une pause, puis :

— Et j'ai une commande potentielle pour une certaine Mlle Kreuzer : une peinture murale.

Il avait été contacté par les services de la mairie pour un projet urgent. Il s'agissait d'aménager l'espace situé derrière l'hôtel de ville. C'était un travail extrêmement intéressant, qui pouvait amener des tas de nouveaux clients. Etait-elle d'accord pour soumettre quelques idées ? A tout hasard, mais on ne savait jamais, ça pouvait valoir le coup.

— Mais il va falloir qu'on se voie pour mettre la chose au point. Je pourrais passer, chez vous, ou alors on pourrait aller casser une graine à l'extérieur, ça vous éviterait de me voir engloutir toutes vos provisions, une fois de plus. Demain, ça vous irait ? Demain soir ?

C'était une occasion de première classe, et pourtant, elle ressentit une sorte de déception. Une commande intéressante, que rêver de mieux ? Tu as la trouille, c'est tout, se dit-elle. Tu as la trouille de te lancer.

Mais je rêve ! Un nouveau bouton ! Au milieu du menton, très exactement.

Il n'aurait pas pu être plus délicatement centré si elle avait utilisé un double centimètre pour le dessiner elle-même à cet endroit. Elle avait réussi à traverser entièrement le champ de mines de la puberté et les années suivantes avec une peau pratiquement indemne. Elle avait l'outrecuidance de croire, naïvement, et visiblement à tort, qu'elle n'avait pas une peau à boutons, tout simplement. Bien sûr, elle avait déployé des trésors de compassion pour ses copines moins gâtées par la chance, en leur fournissant des explications aussi oiseuses qu'hypocrites : « Tu sais, c'est parce que j'ai la peau très, très sèche. Je serai en revanche très ridée plus tard ! »

Sans doute Dieu n'appréciait-il pas les prétentieux, car elle payait maintenant pour sa trop bonne opinion d'elle-même. Peut-être avait-il pris un malin plaisir à l'observer pendant qu'elle se reposait sur ses lauriers de non-boutonneuse, tout en se préparant à la surprendre lorsque, toute méfiance endormie, elle aurait atteint l'âge où n'importe quelle personne sensée s'inquiéterait plutôt de ses rides que de ses boutons.

Elle fit une grimace à son reflet dans la glace : Pourquoi es-tu si nerveuse, espèce d'idiote ? Ce n'est pas un rendez-vous galant. Ce n'est que Will. Il lui est déjà arrivé de te voir avec un bouton. Il t'a vue avec du poil aux pattes, avec les cheveux en bataille, avec des yeux de panda tout barbouillés de noir parce que tu avais eu la flemme de te démaquiller.

Le bouton brillait de tous ses feux dans le miroir. C'était un vrai phare, tout à fait capable de servir de repère à un bateau. Will garderait les yeux rivés dessus, c'était sûr. Il passerait la soirée à se répéter mentalement : « Ne dis rien sur son bouton, ne dis rien sur son bouton. » Il serait paralysé à l'idée de parler, de peur de lâcher, dans un moment d'inattention, une phrase du genre : « Vous prendrez bien un autre bouton ? »

Et si elle essayait de le recouvrir ? Non, c'était la meilleure solution pour le mettre en évidence ; ce serait tout simplement un bouton avec une croûte posée dessus, qui trancherait sur la peau. Sans compter que, de toute façon, son stick destiné à cacher les outrages de la nature gisait quelque part dans un tiroir de la salle de bains, celui qui était bourré jusqu'à la gueule de reliques racontant son histoire personnelle depuis des temps immémoriaux : de l'ombre à paupières violette, du fard à joues trop rose, des produits capillaires variés et sans espoir pour son cas, du fil dentaire toujours hermétiquement enfermé dans sa boîte, acheté après une prise de bonnes résolutions d'hygiène quotidienne, du gel bronzant, abandonné après la première utilisation, dont elle était ressortie de la même couleur que si elle avait été trempée dans du sirop d'orange.

Si elle mettait son haut noir très moulant, peut-être ne remarquerait-il pas le bouton. Ça créerait une diversion. Mais zut, c'est un rendez-vous d'affaires, pas un rendez-vous d'amoureux ! Vas-tu finir par être raisonnable ? Ses doigts caressèrent son ensemble anthracite : trop chic, trop formel. Revenons donc au haut noir, tempéré par une jupe sobre pour prouver que je suis capable d'être une femme sérieuse, professionnelle. Elle s'examina dans son vieux miroir au cadre torsadé. D'abord, la partie supérieure. Le haut noir était vraiment très collant. Mieux valait qu'elle porte une veste par-dessus. Elle inclina le miroir pour inspecter la partie inférieure. Peut-être pourrait-elle commettre la folie de s'offrir un miroir en pied, un de ces jours. Et peut-être que non, après tout. Elle gagnait à être vue par petits bouts.

La sonnette retentit.

— Waouh ! Vous vous êtes habillée rien que pour moi ? remarqua-t-il en souriant.

— C'est ma tenue officielle pour impressionner les clients potentiels. Ne cherchez pas midi à quatorze heures. Et c'est aussi pour détourner l'attention de mon affreux bouton au menton. Pas de panique, ce n'est pas contagieux.

Tais-toi, tais-toi ! Il va avoir l'impression que tu lui fais du rentre-dedans. Change de sujet et essaie d'être normale.

Après l'apéritif, ils passèrent au dîner. Après le dîner, ils passèrent au café. Puis encore du café. Il commençait à se faire tard.

Il proposa de la raccompagner chez elle. Ils déambulèrent dans les rues en causant, en flânant, en zigzaguant le long de la rue principale, en jouant à se montrer mutuellement les objets qu'ils trouvaient les plus affreux dans les vitrines et à rechercher le cadeau qu'ils n'aimeraient surtout pas avoir à exposer chez eux.

— Eh bien, voilà, dit-elle lorsqu'ils furent arrivés à sa porte. Est-ce que vous supporterez un autre café ? A moins que ça ne vous empêche de dormir ?

Qu'est-ce qu'elle racontait là ? Il allait sûrement penser qu'elle cherchait à le séduire, alors qu'elle essayait seulement d'être aimable.

— Il est tard, répondit-il en souriant. Il faut que je rentre.

Elle se détourna pour mettre sa clé dans la serrure.

— Mais... si vous insistez, j'entre une minute, poursuivit-il.

En redescendant du premier, Bella trouva Will en train d'examiner le tableau de la cuisine tout en buvant son café.

— Il est mignon, cet enfant, dit-il en désignant la photo

du neveu de Patrick, rescapée du déménagement. J'ai toujours eu envie de vous demander qui c'était.

— Oui, il est mignon. C'est Lawrence en costume de berger, à la fête de Noël de l'école. Le neveu de Patrick, précisa-t-elle, mon ancien copain.

Elle eut un geste en direction d'une photo de Patrick sur fond de loch écossais. Ses cheveux trempés de pluie étaient collés sur son crâne.

— Là, c'est Patrick. Il n'est pas vraiment à son avantage. C'était pendant des vacances en Ecosse, il n'arrêtait pas de pleuvoir. Nuit et jour. On était trempés en permanence. La pluie, la pluie, et encore la pluie.

Il fallait qu'elle arrête de parler de Patrick. Les mots s'écoulaient de ses lèvres comme une pluie écossaise. Arrête, ma vieille !

— Ah bon...

Elle le vit diriger son regard sur la photo qui les représentait tous les deux, Patrick et elle, au lit, à Noël, avec des bois de cerf rouges sur la tête.

— On est bien, tous les deux, non ? commenta-t-elle avec une grimace. Il va falloir que je l'enlève, un de ces jours.

Elle se retourna et alla fourrager dans le placard, à la recherche de chocolat.

— J'ai quelque chose à vous avouer, dit Will.

— Je le savais. Avant, vous étiez une femme. Vous êtes un trafiquant de drogue international. Libéré sur parole. Pire... vous êtes vraiment un journaliste ?

— Vos propositions pour le projet... J'ai un tout petit peu exagéré l'urgence de la chose.

— Pour quand faut-il les soumettre ?

— Pas avant six semaines. Je suis rentré chez moi, et je me suis aperçu tout à coup que je n'avais pas d'excuse pour vous revoir. Et je me suis senti perdu.

Son estomac se contracta. Elle ne pouvait pas... elle ne pouvait pas avoir ce genre de conversation... il fallait qu'elle l'arrête... elle pensait que ça y était, maintenant, qu'elle était prête, mais elle ne l'était pas.

Elle se tourna vers l'évier et, appuyée contre le métal froid, remplit un verre d'eau.

— Vous pourriez vous retourner, Bella ? J'essaie de vous parler.

— O.K., O.K., J'avais soif, c'est tout. Il paraît qu'il faut boire huit verres d'eau par jour, j'ai lu ça quelque part. C'est bon pour la peau.

— Merci de m'en informer. Le moment est judicieusement choisi. Maintenant que j'ai commencé, je ne sais plus comment... eh bien... c'est la première fois que j'aime bien une cliente. C'est sûrement contre l'éthique profession-nelle, peut-être que je serai radié et qu'on ne me laissera pas m'approcher à moins de trois mètres d'un buisson de véronique, mais il y a toujours eu... quelque chose... entre nous, non ? Hum... je ne suis pas très doué pour ça...

Bella croisa les bras et haussa les épaules.

— Doué pour quoi ?

Derrière le bras gauche de Will, elle apercevait un bout de la photo de Patrick. Une moitié de Patrick : une botte marron, une jambe recouverte de velours côtelé, la manche d'un ciré, le coin d'une bouche fermée, un œil sombre.

— Oh, merde ! Bravo, Will, bon départ, s'exclama-t-il en reposant sa tasse à grand bruit. Je me sens complète-ment con. Donc, vous ne trouvez pas qu'il se passe quelque chose entre nous ?

— Qu'est-ce qui vous fait penser ça ?

— Alors, toutes les heures que nous avons passées à parler ensemble, vous vous en fichez comme de l'an quarante ?

— J'ai pris plaisir à nos conversations, naturellement.

— Vous en parlez comme si nous faisions partie d'un club de discussion.

Elle haussa les épaules.

— Et tous les regards que nous avons échangés, ça ne voulait rien dire pour vous ?

Il s'avança vers elle.

Elle refusait de le regarder. Elle ne pouvait pas. Elle ouvrit la bouche pour parler.

Il se tenait près d'elle, tout près. Elle sentait sa chaleur, l'odeur de sa peau, cette odeur de Will qu'elle avait reniflée des centaines de fois dans le jardin, quand il était à côté d'elle, en train de lui apprendre à tailler un arbuste, quand il passait tout près dans la cuisine pour aller à l'évier. Elle s'appuya contre l'égouttoir, agrippée au bord du plan de travail. Ses genoux tremblaient. Je suis au bord de l'évanouissement. Si seulement il reculait...

— Oh, Bella... dit-il d'une voix douce.

Soudain, il l'attrapa par les bras, mais elle tourna la tête comme s'il l'avait giflée. Elle se sentit nue dans son haut à manches courtes, consciente de sa chair sous ses doigts.

— Regarde-moi !

Ses mains étaient fortes, elles la maintenaient, l'ancraient dans le sol. Ses mains sur ses bras. Sa peau qui touchait la sienne.

— Regarde-moi dans les yeux et dis : « Will, tout ça, c'est de l'imagination. Je ne suis pas intéressée, je ne l'ai jamais été. » Allez, dis-le. Je te croirai.

Enfin, elle leva la tête pour le regarder, incapable de proférer un son. Ses lèvres s'entrouvrirent, mais les mots ne sortirent pas. Sa gorge était nouée comme à l'approche d'une crise de larmes. Sa bouche s'ouvrit encore pour former un seul mot silencieux :

Will.

Soudain, elle fut dans ses bras. Il l'enveloppa, la serra contre lui, enfouit son visage dans ses cheveux, son cou, répéta son nom à l'infini, comme pour se libérer d'un secret trop longtemps gardé au fond de lui. Elle leva la tête et vit son visage tout près du sien. La bouche de Will trouva la sienne, mais une boucle de ses cheveux leur barrait la route. Bella la repoussa et ils rirent tous deux, soulagés. Il l'embrassa, sa bouche était chaude et réelle, enivrante. Ils s'embrassèrent, reprirent leur souffle, rirent. Il enfouit ses lèvres dans sa nuque, l'embrassa doucement, goûta sa peau, avide d'en sentir le moindre centimètre carré. Serrée contre lui, elle eut la confirmation qu'il était vraiment comme un grand arbre, ferme, solide, fort et vrai.

16

Non, il ne l'appellerait pas le lendemain. Elle n'aurait sûrement pas à attendre une semaine complète, mais il ne l'appellerait sûrement pas dès le lendemain. Tu l'appelles si tu as envie de l'appeler. Tu as trente-trois ans, bon sang ! Oui, peut-être qu'elle allait l'appeler. Mais pas maintenant. S'il ne l'appelait pas au bureau, elle lui donnerait jusqu'à, disons, vingt et une heures, O.K., vingt heures trente. Après ça, elle pouvait légitimement l'appeler pour lui poser des questions vitales sur la fresque de la mairie, parce qu'ils n'avaient pas discuté vraiment des détails. Elle n'était pas sûre d'avoir bien noté les dimensions. Elle n'allait pas tarder à s'y mettre. Oui, décida-t-elle, il fallait appeler Will de toute façon, qu'elle ait envie de lui parler ou non. Elle s'était accordé des bons points pour ne pas l'avoir mis tout droit dans son lit. Elle l'avait reconduit à la porte, lui avait dit qu'elle ne voulait pas précipiter les choses, lui avait expliqué qu'elle était mature et raisonnable, et que ce n'était pas un simple prétexte pour éviter d'avoir à avouer que, malencontreusement, c'était le premier jour de ses règles. Elle se dit que sa mère l'aurait approuvée. « Tu peux dire ce que tu veux, Bella chérie, mais les hommes n'ont aucun respect pour les femmes qui couchent dès le premier jour. Ne dévoile pas tous tes attraits en une seule fois. »

Dès son entrée dans la pièce, elle vit qu'elle avait un message, signalé par un sticker jaune aussi visible qu'un fanion de sémaphore. Elle essaya de ne pas traverser le bureau en courant. Ce n'était sans doute qu'un client. Les clients adoraient appeler tôt le matin pour prendre les gens en flagrant délit de retard, tandis que les collègues les couvraient avec des paroles du genre : « Elle n'est pas au bureau pour l'instant. Je crois qu'elle est en rendez-vous... » A moins que ce ne fût Viv qui voulait savoir si, au moins, elle avait desserré d'un cran sa ceinture de chasteté. Bella avait réussi à réprimer son besoin de lui raconter en détail les péripéties de son affligeante histoire, avec Julian, mais son amie lui avait jeté un regard narquois, assorti d'une moue signifiant : « Tu me caches des choses. »

« Appel de Will. Rappeler dès que possible. »

— Salut ! lança-t-elle, debout, sans avoir pris la peine d'enlever son sac toujours pendu à son épaule. C'est moi. Qu'est-ce qui se passe ?

— Bonjour. Rien. C'est tout simplement que je suis triste de ne pas être avec toi. Je te vois quand ? Ce n'est pas possible tout de suite ? J'ai besoin de t'embrasser. Ils pourront passer une journée sans toi, ils n'en mourront pas ?

— Un instant, monsieur Henderson. Je vous mets en attente pendant que je consulte l'agenda de Mlle Kreuzer... Elle est très prise, monsieur Henderson, particulièrement avec de nouveaux clients très ennuyeux. Oh, mais j'ai peut-être un petit créneau ce soir.

— Je ne sais pas si je pourrai passer par un petit créneau. Je ne suis plus le svelte jouvenceau que j'étais. Maintenant, je suis un vrai beau mec bien en chair.

L'après-midi, il serait à l'extérieur de la ville. Il devait aller visiter le terrain entourant la piscine d'un club de mise en forme branché. Il serait de retour peu après dix-neuf heures. Ils convinrent de se rencontrer dans le petit jardin derrière la cathédrale.

Bella avait une heure à tuer avant leur rendez-vous. Elle décida de la consacrer au dessin. Elle entra dans la cathédrale et s'appuya contre l'un des imposants piliers. Elle se demanda si le fait de dessiner à l'intérieur d'un édifice religieux était blasphématoire. Elle n'avait jamais vu personne se livrer à cette activité, et pourtant, représenter les gens sur un carnet à dessin était moins dérangeant que de prendre des photos, chose communément admise. On ne pouvait pas dire que le recueillement fût favorisé par la lumière intempestive et aveuglante des flashs qui venaient trouer la pénombre, ni par les voix discordantes s'exclamant avec à-propos : « Oh là là, c'est grand ! Et c'est vieux aussi ! »

Peut-être le fait de dessiner était-il sa manière à elle de prier. Cette complète absorption en elle-même, à l'ombre et à la lumière, cet assujettissement volontaire... c'était sûrement une forme de culte. Mais un culte qui demandait tout de même un peu plus de lumière. Elle avait besoin d'y voir clair, elle, pour prier !

Dehors, dans le cloître, elle croqua à traits vifs un couple s'extasiant sur les bas-reliefs. Un bambin traversa le carré d'herbe central. Elle se dépêcha d'esquisser sa silhouette. Lorsqu'elle releva les yeux, elle découvrit une femme installée contre un rebord de pierre. Elle tenait les bras croisés sur sa poitrine comme une momie égyptienne. Ses mains reposaient sur ses épaules. Elle resta dans cette position un bon moment, à surveiller l'enfant. Bella la supplia intérieurement de ne pas bouger. L'urgence donna à son coup de crayon un plus grand élan, une plus grande assurance pour reproduire l'angle des bras de la jeune femme et la ligne qu'ils formaient autour de son cou, pour saisir l'inclinaison de son menton volontaire. L'encadrement de l'arche formait un cadre idéal qui suivait la ligne de ses bras.

Elle regretta vivement de ne pas avoir emporté ses tubes de peinture. Le soleil couchant qui tombait transversalement semblait mettre en relief le moindre élément : la mèche de cheveux isolée qui tombait sur les yeux de la femme, l'ombre de son bras, le drapé du tissu qui habillait ses épaules, la ligne de son coude reposant sur la pierre plate. Comme obéissant à un ordre de la dessinatrice, la femme leva soudain les yeux et la regarda sans bouger la tête. Ses boucles lâches plongeaient une partie de son visage dans l'ombre, ce qui rendait difficile l'interprétation de son regard, et sa tête un peu penchée exprimait une certaine nostalgie, comme si elle tentait de capter le son d'une mélodie lointaine.

Bella continua de crayonner sur son carnet en prenant la ferme résolution de donner des couleurs à son dessin. Elle ferma les yeux, absorba la scène, la lumière, les ombres, et sentit les images pénétrer dans sa peau comme un tatouage formé de mille petits points de couleur.

— Tu n'as pas l'impression d'avoir oublié quelque chose ? dit la voix de Will, dont le menton apparut par-dessus son épaule. J'ai beau être d'une ignorance crasse en matière d'art, mais je trouve que ça, c'est drôlement bien. Pourquoi n'es-tu pas dans le petit jardin où tu devrais être ?

Elle jeta un coup d'œil à sa montre.

— Je n'ai que cinq minutes de retard. Excuse-moi. J'étais plongée là-dedans.

— Heureusement que je t'ai vue en passant ! Je reconnaîtrais ta chevelure frisée à des kilomètres.

— Que font les gens quand ils ont rendez-vous ? On devrait sans doute aller au cinéma ou quelque chose de ce genre, émit Will en se frottant le menton d'un air dubitatif.

— On ne peut pas dire que tu fourmilles d'idées pour faire la fête ! Qu'est-ce que tu fais, normalement ? Tu ne vas pas me dire que même un garçon comme toi n'est jamais tombé sur une femme qui a eu pitié de lui ?

Elle sentait sa main reposer doucement sur son dos.

— Donc, tu fais ça uniquement par pitié ? Excellent. Si je me montre vraiment pitoyable, est-ce que tu me séduiras ?

— Pas du tout. C'est tout simplement que je veux éviter de te voir errer par les rues et décapiter les pétunias de désespoir.

Ils passèrent devant un marchand de journaux.

— On achète un journal ? proposa Bella. Pour voir ce qui se joue ?

— Mais dans ce cas, nous ne pourrons pas bavarder, protesta Will tout en la suivant à l'intérieur. J'aimerais qu'on puisse tout faire en même temps.

— On pourrait chuchoter pendant tout le film. J'adore les gens qui font des commentaires au cinéma : « Là, attends, tu vas voir ! Là, c'est génial ! »

Ils marchèrent en flânant jusqu'au jardin public et étalèrent le journal sur l'herbe. Will passa son doigt sur les colonnes.

— Une connerie policière ? Une connerie qui se déroule entièrement dans un tribunal ? Ou une connerie pour enfants avec des animaux qui parlent ? Vaste choix. Il y en a un que tu n'as pas encore vu ?

Bella se rapprocha pour regarder.

— Tu sens bon, dit-il.

— Merci, répondit-elle, embarrassée.

Elle se retourna et vit qu'il la regardait fixement. Elle piqua du nez dans le journal.

— Will, qu'est-ce que tu fais ?

— Quoi ? Ça ?

— Tu me rends nerveuse.

— Est-ce qu'on a l'air trop décrépits pour pouvoir s'embrasser dans le parc ?

Il se rapprocha encore.

— Nous ? Pas moi, mais je te permets de participer, si tu veux.

Ils étaient bouche contre bouche. Sa langue trouva la sienne, et elle eut l'impression de fondre à l'intérieur. Will la maintint avec sa main et l'attira encore plus près. Ils s'arrêtèrent quelques secondes, mais ce fut uniquement pour se regarder au fond des yeux et recommencer, parfaire cette première approche.

Combien de baisers ? se demanda-t-elle. Combien de baisers entre maintenant... et après ? Tu ne fais qu'empirer les choses. Ne dis pas que je ne t'ai pas prévenue.

Elle ferma les yeux pour refouler la voix de la raison.

— En fait, nous n'avons pas vraiment envie d'aller au cinéma, je me trompe ? murmura Will en frottant doucement sa joue contre la sienne. Je suis sûr que tu meurs d'envie de m'inviter chez toi, mais tu as peur que je ne te respecte plus. Donc, je te dis simplement... que de toute façon, je ne t'ai jamais respectée.

Elle se leva et lui tendit la main.

— Merci de me rassurer sur ce point. Allez, viens. On va chez toi. J'ai envie de voir ton jardin.

Elle était dans le couloir, où il l'avait suppliée d'attendre pendant qu'il mettait un peu d'ordre.

— Deux minutes ! Donne-moi deux minutes !

On entendit un tintamarre de couverts entrechoqués, un bruit de cataracte s'abattant au fond d'un évier.

179

— J'arrive, que tu sois prêt ou pas. Je ne vais pas t'attendre dehors pendant que tu fais la vaisselle d'un an...

— C'est juste ma vaisselle de petit déjeuner. Ce n'est pas parce que je suis un mec que je suis complètement nul, tu sais.

— Bien sûr que non.

Elle se baissa pour ramasser quelque chose par terre.

— Oh, quel joli petit tapis miniature ! C'est très original !

Il lui prit la chaussette des mains et la fourra dans la poche de son pantalon.

— Oh Will !...

Bella en rit de plaisir.

— Je savais que tu aimerais.

Jamais elle ne lui avait vu un air aussi réjoui.

C'était un grand jardin de ville, et Will déclara qu'il avait tort de le lui montrer, et qu'il lui ferait signer un accord de confidentialité, parce qu'il contrevenait à toutes les règles en vigueur pour les jardins de ville. En effet, ceux-ci devaient correspondre à leur environnement architectural, et il ne l'aurait recommandé à aucun de ses clients parce qu'il pouvait facilement sombrer dans le chaos si on ne le manipulait pas avec précaution.

C'était une incursion dans une campagne absolument superbe. Il y avait une pièce d'eau bordée de joncs, d'iris et d'un massif de gunneras géants qui formaient une forêt tropicale dont chaque feuille ressemblait à un parasol à l'envers ; mêlé à cela, un jardin aquatique rempli de plantes à feuilles luxuriantes et de primevères candelabra aussi nettes et droites que des pensionnaires de couvent.

Une petite table et deux bancs simples étaient installés sous une pergola croulant sous une clématite bleu et blanc, mêlée aux feuilles vert acide d'un houblon doré.

— Comme il fait bon, je peux sortir mes lanternes, et on pourra s'asseoir ici quand la nuit sera tombée.

Elle se précipita d'un côté et de l'autre, allant de découverte en découverte comme un papillon enivré par trop de nectar : un cerisier dont l'écorce brillait comme un acajou astiqué, des bacs débordants de clochettes blanches aux feuilles en filigrane d'argent, de minuscules fougères nichées au creux d'un mur, semblables à celles qu'il avait plantées dans son jardin à elle.

— Je peux ?

Ses yeux étaient écarquillés de joie anticipée.

— Bien sûr. Tu la zieutes depuis que tu es arrivée.

Bella courut à l'autre bout du jardin.

Toute sa vie, elle avait voulu en avoir une. Rêvé d'en avoir une. Personne, parmi ses copains d'enfance, n'avait la chance d'en avoir une. Et maintenant qu'elle était juste en dessous, elle la voyait à sa juste taille, version adulte. Vite, elle grimpa au sommet de l'échelle.

La cabane avait été construite dans les branches d'un grand chêne. Elle avait un vrai toit en pente et une fenêtre vitrée. A l'intérieur se trouvaient une chaise, une petite table et une minuscule commode de bois. Ah, la vie devait être merveilleuse, ici, loin de toutes les contrariétés et de toutes les bêtises, loin de tout le monde. Ici, on se sentait en sécurité, libre de rêver tout le jour, avec pour seule compagnie celle des oiseaux et du vent.

Penchée à la fenêtre, elle fit signe à Will qui était resté en bas.

— La belle, la belle, défais tes cheveux, que je puisse monter !

— Ils sont trop courts ! répliqua-t-elle en tirant sur une mèche.

— Tu ferais donc bien de redescendre sur terre !

181

— Tu n'es pas un vaillant chevalier !

— Non, descends. J'ai besoin que tu m'embrasses.

— Tu l'utilises souvent ? demanda-t-elle en faisant allusion à la cabane.

— Non. J'avais pensé travailler ici, mais il n'y a pas assez de lumière et c'est presque trop calme. Au bout d'une heure là-haut, on se sent déphasé. Je préfère le chambard de mon atelier.

Après le dîner, Will l'attira sur ses genoux.

— Est-ce qu'il est trop tôt pour te fourrer au lit ? murmura-t-il entre deux baisers.

— Oh, arrête de tourner autour du pot, Will. J'ai comme l'impression que tu as envie d'abuser de moi.

— Ah oui ? Oh, pourtant, on ne peut pas dire que j'y pense nuit et jour depuis deux mois...

— On n'est pas pressés, non ? Tu as un avion à prendre, peut-être ?

— Je me demande pourquoi je me sens redevenir un adolescent quand je suis près de toi. A l'école, les mecs courageux avaient la technique pour soulever une fille, mais moi, comme la majorité, d'ailleurs, je ne savais pas du tout comment m'y prendre.

— Ah, mais nous, les filles, nous avions des stages de préparation aux « rencontres rapprochées ».

— Et nous deux, nous en sommes à quel stade ?

— Nous n'en sommes qu'à la rencontre rapprochée du deuxième type : baisers profonds.

— Mmm... comme c'est appétissant. Et les autres ? Raconte-moi.

— O.K. Le premier type, c'est pour les bébés : le baiser anglais ; les lèvres, pas la langue. Le deuxième type : le baiser français ; avec la langue. Le troisième type : on touche la partie supérieure, mais à travers les vêtements. Le quatrième type : on touche la partie inférieure, à travers les vêtements, ou la partie supérieure, sous les vêtements. Le cinquième type : le tripotage des parties intimes ; à l'intérieur de la culotte. Là, on se sentait vraiment adulte. Le sixième type : c'est quand on couche.

— Nous devrions en être au moins au quatrième type, maintenant.

— Non. Et je n'ai pas fini : rencontres rapprochées du septième type...

— Un fantasme typique des écolières, je présume : forniquer sur le bureau du prof, ou quelque chose de ce genre...

— Non. Ce sont les pratiques sexuelles orales. A l'époque, ça paraissait très, très osé, c'était même scandaleux. Mais nous, nous n'en sommes qu'à notre deuxième rencontre, donc...

— Mais j'ai trente-sept ans. Ça ne me donne pas le droit de gravir les échelons un peu plus vite ? Tu devrais en tenir compte. Et n'oublie pas : j'ai fait ton jardin et nous avons eu de vraies conversations d'adultes. Donc, nous devrions en être au cinquième type, maintenant. Nous prenons un retard dangereux.

Ses bras se glissèrent sous sa taille.

— Le troisième type. C'est ma dernière offre. N'essaie pas d'aller farfouiller sous mon tee-shirt.

Ils s'embrassèrent et Bella caressa son dos comme si elle pouvait l'absorber par la pointe de ses doigts. Les mains de Will restaient posées sagement de part et d'autre de son torse. Sa bouche s'humidifia. Elle prit doucement sa lèvre inférieure entre ses dents et s'emplit de son goût, puis ouvrit sa bouche pour lui. Will s'enhardit à toucher ses seins et leurs mains aventureuses s'enfiévrèrent, partirent en exploration caressante, tout en évitant les zones érogènes, ce qui n'eut d'autre effet que d'en créer de nouvelles et d'augmenter leur désir. Comme c'est bon, se dit-elle, à quoi bon se presser ?

— Mais il va falloir que tu attendes.

— Pourquoi ? Tu as promis à ta mère de ne pas folâtrer avec des travailleurs manuels ?

— Oui. Et de plus, je viens de me rappeler que ma culotte n'est pas très sexy.

— Pas de problème. Tu peux l'enlever. D'ailleurs, je trouve que ça facilite beaucoup les choses.

Il la serra étroitement contre lui, puis la lâcha et recula.

— Tu ferais mieux de t'en aller pendant qu'il est encore temps. Tu m'excites trop.

— Si j'osais, je dirais que tu peux prendre le problème en main.

Il rit, puis la reprit dans ses bras pour l'embrasser encore.

— Arrête de me provoquer ! dit-il en retirant ses lèvres avec un bruit de succion, comme pour les décoller. Et appelle-moi, ma belle.

— Ma belle !

— Mais non, il y avait une virgule !

— Je sais, ma belle.

— Merci et bonne nuit.

Elle avait atteint le seuil de la porte.

— Attends, dit-il. Je prends ma veste. Je te raccompagne. Comme ça, on pourra s'embrasser pendant une bonne heure pour se dire bonne nuit.

— Allez, va-t'en, que je puisse appeler Viv et l'embêter en lui parlant de toi.

— Tu es comme les touristes qui sont pressés que les vacances se terminent pour rentrer regarder leurs photos.

Bella lui déposa un baiser sur le nez.

— Fiche le camp.

— Dors bien, mon petit pois de senteur.

— Toi aussi.

— Dernière chance : tu es sûre que tu ne veux pas me montrer ton slip tout miteux ?

— Il n'est pas miteux, il est juste un peu…

— Je sais. Il est tout déformé et tout gris, et il n'a plus d'élastique. C'est mon préféré.

— Très bien ! s'exclama-t-elle en le poussant dehors. C'est lui que je mettrai la prochaine fois.

— Mais si tu mets de la dentelle noire, ça ira ! cria-t-il à travers la boîte à lettres. Ou une culotte en soie.

Elle se baissa pour lui envoyer un baiser par la fente.

— Va-t'en. On ne parle pas lingerie féminine dans une boîte à lettres. Tu vas te faire pincer par les gardiens de la vertu.

17

— Je pourrais rester des heures à te caresser. Des jours.

Les doigts de Will restèrent niches dans le petit creux formé par sa salière.

— Mais, d'un autre côté...

— Mmm...Oui ? demanda-t-elle d'une voix rêveuse.

— ... j'ai envie de te faire l'amour comme un fou, alors, enlève ta culotte.

— Je savais que tu étais un romantique irrécupérable.

Bella tendit la main vers le premier bouton de sa chemise. Comme si, par ce geste, elle avait donné le coup d'envoi d'une course de vitesse, leurs doigts se livrèrent à une compétition acharnée d'ouverture de boutons.

— Arrête de m'embrasser, murmura-t-elle, je n'arrive pas à me concentrer. Il y a trop de boutons.

— C'est une stratégie pour être le premier à te voir nue.

— Pas du tout, c'est moi qui gagne, c'est moi qui gagne ! s'écria-t-elle en lui ôtant sa chemise.

Mais elle avait crié victoire trop tôt, car, déjà, Will lui arrachait son corsage et suivait la courbe de ses seins à travers la soie du caraco qui recouvrait la dentelle de son soutien-gorge. Il lui leva les bras et le caraco glissa comme une onde.

— Ralentis une seconde, s'il te plaît.

— Excuse-moi. Je vais trop vite ?

— Non, mais … regarde, j'ai mis de la lingerie neuve. Admire !

— Tu as acheté de la lingerie neuve ? Juste pour moi ?

Dans une tentative de reculade, elle nia, prétexta un besoin impératif de lingerie neuve.

— C'est ça, c'est ça, persifla-t-il. Je te crois. Donc, en fait, tu prévoyais de me mettre dans ton lit depuis le début ? Messieurs les jurés, veuillez noter.

Il se pencha pour embrasser ses seins à travers leur grillage de dentelle, puis entreprit de les libérer. Sa voix était basse, profonde, murmurante. Ils s'étreignirent plus étroitement. La poitrine de Will était chaude, dure, solide contre les douces rondeurs de ses seins.

— Tu sais que tu me rends nerveux ? Regarde mes mains.

— Regarde les miennes.

Ses doigts caressèrent sa jambe, puis remontèrent. Rencontrant l'obstacle du tissu, il s'en débarrassa lentement. Bella prit une profonde inspiration et se tendit vers lui, avide du contact de sa peau nue.

— Attends, attends !

Il recula et sauta à bas du lit pour enlever ses derniers vêtements.

— Qu'est-ce que c'est que ça ? demanda Bella.

Will baissa le nez vers son caleçon rayé de blanc et de noir.

— C'est mon plus beau caleçon. Je le trouve plutôt chic, moi.

— Tu ressembles à une sucette à la menthe. Viens ici.

Il s'avança vers elle en levant les sourcils de façon suggestive.

Elle secoua la tête.

— Je m'en doutais. Non, je n'ai pas dit ça pour te donner des idées. C'était juste pour t'enlever ça. Oh, salut, tu as une longueur d'avance.

— Tu as remarqué que dans les films ils n'utilisent jamais de préservatifs ? s'étonna Will.

— Ni dans les livres. Je me demande pourquoi, répondit Bella en louchant par-dessus l'épaule de Will assis sur le bord du lit. Peut-être qu'ils pensent que ça coupe le rythme de l'action. C'est vrai qu'on peut difficilement interrompre les halètements, les soupirs et les gros plans sur les gouttes de transpiration, en faisant dire aux partenaires : « Oh, attends une seconde ! » Ça n'aurait pas le même effet dramatique, murmura-t-elle en lui mordant le cou. Alors, tu t'amuses bien ?

— Oh, merde ! Il est à l'envers. Mon image de séducteur va en prendre un coup.

Bella s'acharna sur un nouveau sachet.

— Quelle chance, l'emballage est en aluminium très résistant ! Je comprends pourquoi on appelle ça « l'amour sans risques ». Tiens, voilà.

Will parcourut la pièce en se battant avec le sachet comme s'il combattait une bête sauvage.

— Bravo ! Ces trucs-là ont été inventés par les militants antisexe. Je suis trop mou maintenant.

— Pas du tout, c'est prévu pour le sexe, justement. J'y ai droit, c'est ce qu'ils disent dans la notice.

Il revint se glisser dans le lit.

— Donc, c'est à toi de jouer. Prends-moi, prends-moi...

— Je suis désolé, dit-il. C'était catastrophique. Le désastre complet.

— Mais non, le consola Bella en se blottissant contre sa

poitrine. Un désastre, ce serait si une tornade avait soulevé la maison pour nous déposer sur la voie rapide de la M25. Ce n'est pas grave.

— Si, pour moi, si. Ça ne m'est pas arrivé depuis des lustres.

— Donc, c'est de ma faute ? Merci.

— Mais non, idiote. C'est sûrement parce que j'étais trop nerveux. J'avais envie… j'avais tellement envie de toi. Je ne veux pas que tu me jettes uniquement parce que tu crois que je suis nul au lit.

— Non mais ça va pas ? C'était quoi, le genre de bonne femme que tu fréquentais, avant ? Tu crois vraiment que je vais te jeter pour une chose pareille ?

Devant son expression, elle ajouta :

— Tu n'es absolument pas nul au lit. J'aime quand tu me touches. On a un prétexte supplémentaire pour s'entraîner, c'est tout.

— Tu es gentille.

— Chut, c'est un secret très jalousement gardé.

— Non, vraiment, dit-il en l'attirant encore plus près et en lui caressant doucement le nez. Tu sais ce que j'ai pensé quand je t'ai vue pour la première fois ?

— Elle est mignonne, soupira-t-elle. Non, tu as pensé quoi ?

— Que tu étais une fille superbe…

— Je ne te crois pas ! se récria-t-elle en le repoussant.

— Si, c'est vrai. Et tu me faisais un peu peur. Tu m'impressionnais.

— Moi ? Mais plus maintenant que tu me connais mieux, hein ?

— Oh si, j'ai encore plus peur maintenant. Je crois qu'on peut te connaître depuis très, très longtemps sans te connaître vraiment. Parfois, j'ai l'impression de regarder à travers une couche de givre : je vois une silhouette, mais elle est très floue et comme effacée, et je me dis que si j'essayais de te toucher, tu te dissiperais et tu me glisserais des doigts. J'ai envie de te connaître vraiment, d'entrer dans ta tête.

— Oh non, il vaut mieux que tu ne viennes pas farfouiller là-dedans. Il y a trop de fouillis. C'est plein de vieilles recettes, de névroses moroses et de plaisanteries légèrement usées.

Recouverts d'un simple drap, ils se soufflaient mutuellement dessus pour se donner un peu d'air frais.

— Viens par ici, dit Will.

— Tu es sûr ? Je suis toute collante, l'avertit-elle en s'éventant avec le drap.

— Parfait. Allez, viens te coller sur moi, lui ordonna-t-il en l'attirant contre lui. Dis-moi que c'était mieux que tout à l'heure, s'il te plaît.

Elle retint son souffle et secoua la tête, comme un ouvrier qui examinerait un mauvais travail.

— En fait, je ne sais pas. Je pense qu'on devrait... eh bien, simplement vérifier qu'on est sur la bonne voie.

Will n'en demandait pas davantage. La bouche enfouie dans son épaule, il l'embrassa, lui murmura qu'il adorait son odeur, son goût. Qu'il voulait la respirer, l'absorber. Sa bouche avide partit à la recherche de son corps et s'attarda sur son ventre, sur ses cuisses.

— Tu sais que je vais être contraint de te faire jouir encore ? Tu es magique !

— Pas possible. Plus assez d'énergie, avoua-t-elle en soulevant la tête. Enfin, je te permets d'essayer, si tu insistes.

— J'insiste.

Sa bouche effleura ses lèvres et leurs respirations s'accélérèrent.

Un rai de lumière filtrait à travers l'interstice des rideaux et balayait le lit. Bella était couchée sur le ventre, à demi endormie. Will se pencha sur elle et souffla légèrement sur ses cils. Elle fronça les sourcils, un peu perdue, puis elle l'aperçut à travers ses paupières mi-closes. Elle sourit avec béatitude.

— Bonjour ! prononça-t-elle d'une voix gorgée d'amour et de sommeil.

— Bonjour, répondit Will avant d'effleurer ses lèvres. Qui t'a donné la permission d'être si sexy dès le matin ? Tu veux que je fasse du café, ou tu préfères profiter de moi avant ? proposa-t-il en s'abattant sur son oreiller. Je suis complètement sans défense.

— Mmmm. Du café.

— Je vois que ce n'est pas la peine de m'attendre à une discussion intellectuelle avec toi à cette heure. Encore moins à des transports de passion débridée. Donc, du café.

Il se leva et remonta soigneusement la couette sur ses épaules.

Elle se faufila jusqu'à la salle de bains et se brossa les dents en se regardant dans la glace. Affreux : ses yeux étaient barbouillés de mascara. Elle rejoignit son lit d'un bond en voyant apparaître Will chargé d'un plateau : du café, des toasts, de la confiture d'abricot. Il était affublé de son kimono rouge, trop court pour lui, qui dévoilait ses jambes à partir du genou, et dont le décolleté en V s'ouvrait sur sa poitrine velue.

— Surtout, fais comme chez toi, dit Bella en désignant son kimono du menton.

— Ces manches sont impossibles. Je crois que je les ai trempées dans le café. Je me demande vraiment comment tu arrives à t'en sortir avec ça !

— Moi ? J'ai des esclaves qui sont là pour obéir à mes moindres caprices.

— Ah bon. C'est donc ça, le secret. Tu veux un esclave de plus ?

— Oui, mais toi, tu devras me gratifier de quelques petites faveurs personnelles.

— Ah, s'il le faut, il le faut, je me dévoue ! s'exclama-t-il en tendant la main vers elle.

— Comme de me servir mon café. Merci.

Will disparut dans la salle de bains pour se raser et prendre une douche, non sans lui avoir recommandé auparavant :

— Surtout, ne te gêne pas, tu peux venir me savonner, si tu en as envie !

Bella s'adossa contre ses oreillers et ferma les yeux pour mieux revivre la nuit passée et en savourer les meilleurs moments : Will qui s'avançait vers elle, le contact de ses mains, leur tendresse surprenante ; ses yeux brillants de mots retenus ; la petite cicatrice de ses sourcils, cette minuscule différence de texture sous la pointe de ses doigts. Un monde situé à des années-lumière du fiasco avec Julian. Qu'est-ce que ça peut bien signifier ? se demanda-t-elle. Qu'est-ce qui m'a empêchée d'être un peu plus patiente ? Attendre... attendre. Les mots qu'elle tentait en vain de bannir de sa tête refusèrent avec obstination de s'évanouir : L'homme qui t'est destiné. Le bon... Ne sois pas bête.. Ne te conduis pas comme une adolescente attardée. Tu sais bien que tout ça n'est que du rêve. Mais par bonheur, cette fois-ci, il n'y avait pas eu d'entrée en scène intempestive de Patrick dans le déroulement des opérations.

Aussitôt, elle regretta cette pensée, car elle sut tout de suite qu'elle ne parviendrait pas à s'en débarrasser, maintenant qu'il était là. Et il était bien là, surgi comme un génie de sa bouteille, et il l'attendait.

Elle l'appela en secret, et sa voix semblait lui répondre en écho.

— Patrick ! le héla-t-elle doucement, puis plus fort. Patrick !

Elle entre, et elle le voit en train de lire, les jambes passées par-dessus le bras du fauteuil. Il ne lève pas les yeux, mais elle sait qu'il l'a entendue. Le feu brûle dans la cheminée, mais aucune chaleur réconfortante ne réchauffe la pièce.

— Tu as eu beaucoup à faire ? lui demande-t-il.

— Oui.

Elle regarde l'âtre et tourne le dos à Patrick.

— Oui, reprend-elle, mais je pense à toi. Beaucoup.

— Ouais.

Elle sent que, maintenant, il lève les yeux.

— C'est vrai, ajoute-t-il.

— Je suis désolée.

Elle se tourne vers lui.

Il hausse les épaules et retourne à son livre.

— Ça ne fait rien. Tu ne peux pas passer ton temps à t'occuper de moi.

— Ne dis pas ça. Je suis avec toi, maintenant. Je vais rester un peu.

— Si tu veux, répond-il sans lever les yeux. C'est toi qui vois.

— Alors, qui est-ce qui est venu me faire une surprise dans la douche ? demanda Will en la rejoignant dans la chambre, la tête recouverte d'une serviette.

— Je ne suis pas venue te surprendre. C'est ça la surprise.

— Hé dis donc, ça va ? Tu m'as l'air un peu pâlotte.

— Très bien. Arrête de dire des bêtises.

Will fit la grimace et lui demanda quels étaient ses projets pour le reste du week-end. Peindre, lui annonça-t-elle, travailler à l'un de ses dessins pour le cours du soir, ou à celui qu'elle avait fait dans le cloître de la cathédrale.

— Bien. On pourrait se donner rendez-vous plus tard, dans ce cas. Ce soir ? proposa-t-il tout en boutonnant sa chemise.

— Euh… J'ai un tas de choses à faire. Peut-être un autre jour.

Elle vit ses yeux scruter son visage, essayant de lire ses pensées.

— Tu veux que j'appelle ton secrétariat ? Excuse-moi. Tu trouves que je m'impose ? Je m'étais imaginé que…

Bella eut un petit rire et lui tapota légèrement la tête.

— Du calme, du calme. Il n'y a pas urgence. A ce rythme-là, on sera mariés la semaine prochaine et divorcés dans quinze jours. Et, d'ailleurs, je me fiche de ce que dit ton avocat, jamais tu n'auras la moitié du service de table bleu.

Le téléphone sonna. C'était Viv.

— J'allais t'appeler, annonça Bella. C'est officiel. J'ai fini par perdre ma virginité. De nouveau.

Julian n'était pas comptabilisé. Elle avait préféré balayer mentalement l'épisode sous le tapis, l'oublier. La direction ne pouvait pas être tenue responsable pour les embarrassantes aventures d'une seule nuit.

— Oh, Nick ! cria Viv. Devine quoi ? Bella a fini par coucher avec quelqu'un !

— Ne te gêne pas, tu peux le clamer sur tous les toits. Tu peux même passer une annonce dans les journaux, si tu veux.

— Mais Nick n'est pas n'importe qui. On peut même le considérer comme un membre honoraire du club des filles. C'est ton jardinier, non ? Tu n'avais personne d'autre sous le coude ?

194

— Et puis quoi encore ? Non. Pas de dispersion. C'est le jardinier.

— Tu l'aimes vraiment beaucoup, je peux te le dire.

— Non, ce n'est pas vrai. Enfin, si. Un petit peu. Mais ne le dis à personne.

— D'accord, d'accord. Mais... dis-moi ?

— Quoi ? Oui, c'était bien. Non, je ne vais pas te faire un compte rendu minute par minute pour que tu puisses le répercuter à Nick.

— Bel, surtout, n'oublie pas de lui faire comprendre, à lui, que tu l'aimes bien. D'accord ?

— Je suis sûre qu'il le comprend.

— Non, ce n'est pas sûr du tout. Les hommes sont parfois tellement bouchés dès qu'il s'agit de ces choses-là ! Il faut que tu sois très claire.

— Peut-être que tu pourrais me guider par le truchement d'une oreillette ?

— Bonne idée, je vais y penser. Vas-tu le présenter à tes parents ?

— Bien sûr ! Naturellement ! Tu m'excuses, mais je ne suis pas complètement tombée sur la tête. Je lui permettrai de les rencontrer à nos noces d'or, pas avant.

— Allez ! Ils sont adorables, tes parents. Ta mère va être sous le charme, j'en suis sûre.

— Nous ne le saurons jamais. Je la vois d'ici regarder ses cheveux élastiques et lui susurrer avec son petit sourire en coin : « Oh, William, il y a un peigne propre dans la salle de bains, si vous avez envie de vous arranger les cheveux. Je suppose qu'avec votre travail manuel, il n'est pas facile de rester toujours impeccable. »

— Elle n'est pas si méchante que ça ! Elle a toujours été très gentille avec moi.

— Chouchoute ! C'est uniquement parce que tu n'as pas la malchance d'être sa fille !

— Arrête un peu. Ce n'est qu'un être humain.

— Non, ce n'est pas un être humain. Elle a été envoyée par des extraterrestres pour faire en sorte que les humains se sentent si faibles et si inférieurs qu'ils n'aient plus qu'à se suicider.

— Mais qu'est-ce qui te prend d'être si négative ? Après une nuit d'amour, tu devrais péter la forme !

— Oui, oui, je suis en forme. C'est simplement que je me sens un peu...

— Comment ?

— Bizarre. Comme si j'avais été inf... je ne peux pas te l'expliquer. Il faut que j'y aille. J'entends Will qui descend l'escalier.

18

Trois heures du matin. La lumière jaune de la lampe de chevet éclairait un enchevêtrement de membres lourds de sommeil. Bella remua et, entre ses paupières entrouvertes, distingua la lumière, l'oreiller sous sa joue, le visage de Will vu d'en dessous. La barbe naissante sur son menton, petites têtes d'épingles noires piquetées sur sa peau. Ses cheveux étalés sur l'oreiller. Elle aimait tout, même ses narines. Elle s'avança doucement pour taquiner sa nuque.

— Bonjour, toi ! dit-il en ouvrant les yeux pour chercher les siens.

— Bonjour, toi.

— Tu sais… commença-t-il en bâillant comme un chat. Tu sais quand j'ai compris pour la première fois que j'étais amoureux de toi ? Tu avais mis une robe extraordinaire, très sexy, et tu as descendu les escaliers en trombe, et.. tu étais… si belle que ça m'a cloué le bec.

— Pour une fois !

— Oh, ça va ! Et après, tu t'es mise à délirer à propos de ton ventre et tu m'a paru tout à coup toute jeune, toute vulnérable. On avait l'impression que tu sortais parmi les adultes pour la première fois.

Il referma les yeux et lui déposa un baiser sur le sourcil gauche avant de sombrer à nouveau dans le sommeil.

Elle se blottit contre sa poitrine, l'absorba par tous les pores de sa peau. Elle ferma les yeux en crispant les paupières pour mieux retenir ce moment. Mais, déjà, les larmes perlaient. Accorde-moi ça, au moins, pria-t-elle silencieusement, comme un enfant qui craint d'exprimer son souhait à haute voix. Si je suis très sage à partir de maintenant, est-ce que je pourrai le garder ? Je t'en prie, accorde-moi ça. Je t'en prie.

Bella ouvrit les yeux la première et sortit du lit en soulevant les couvertures avec précaution, de peur de réveiller Will. Elle prépara une théière et la monta dans la chambre. Il était couché sur le dos, tout droit, au lieu d'être étalé en diagonale comme d'habitude et de prendre toute la place. Son corps était absolument inerte, son visage inexpressif. Elle posa le plateau et s'approcha, se pencha au-dessus de lui.

— Will ?

Pas de réponse. Elle fronça les sourcils. La bouche sèche, les mains moites et froides, le cœur battant à grand bruit dans ses oreilles.

Le père de Patrick se lève lentement à l'entrée de Bella dans la salle d'attente. Il la prend par les bras.

— J'arrive trop tard, hein ?

Joseph hoche la tête.

— Il ne s'est pas réveillé. Ils disent qu'il n'a pas souffert.

Elle entend les mots et elle pense : on dit la même chose dans les films. « Il n'a pas souffert. » Est-ce pour nous rassurer ?

Joseph la serre dans ses bras au point qu'elle ne peut pas respirer. Rose, la mère de Patrick, livide, semble hébétée.

Bella s'avance vers elle et elles échangent une étreinte en s'accrochant l'une à l'autre comme des rescapées d'une tempête. Joe lui annonce que Sophie est en route, elle a été prévenue à Newcastle. Mais ils n'ont pas encore pu mettre la main sur Alan.

Bella voit bien que les parents de Patrick ont besoin de sa présence ; ils ont besoin de jeunesse auprès d'eux, d'un reste de vie.

— Tu veux le voir ?

Un cri silencieux s'élève dans sa tête, se répercute en écho dans son cerveau. Non ! Elle a peur, puis honte. Que voudrait Patrick ? se demande-t-elle. Que ferait Patrick à ma place ?

Elle hoche la tête et une infirmière la conduit dehors en lui disant qu'elle peut prendre son temps, qu'elle peut rester tant qu'elle veut.

Elle regarde à travers la mince paroi de verre de la porte à doubles battants. Patrick est couché dans une petite pièce, sur un lit étroit, genre chariot. Elle respire lentement, réprime une vague de nausée et d'effroi, puis pousse la porte. Sur une petite table recouverte d'un linge blanc immaculé, on a posé un vase de fleurs fraîches : des œillets jaune pâle, des fougères duveteuses, des alstroemères orange tachetées de brun.

Elle regarde Patrick. Sa bouche est ouverte, et elle voit briller son vieux plombage ; elle voit aussi le petit bout de dent cassé de son incisive, qu'il n'a jamais pris la peine de faire réparer. Il y a une éternité qu'il aurait dû s'en occuper. C'est tout à fait Patrick. De façon absurde, cette pensée déclenche ses pleurs, des petits sanglots brefs et hachés. Elle essuie ses larmes avec impatience. Il est trop tard pour faire réparer sa dent maintenant.

Pourquoi n'ont-ils pas fermé sa bouche ? C'est pourtant leur boulot. Ses yeux sont bien fermés ! Elle a envie de la refermer elle-même, mais elle n'ose pas. Et si elle s'ouvrait de nouveau ?

Il est un peu plus pâle que d'habitude, ce qui est normal comte tenu des circonstances. Et un bandage recouvre la moitié de sa tête. Bella se dit que c'est uniquement destiné à préserver la famille en deuil de la vue de son crâne écrabouillé. En deuil. C'est exactement ce qu'elle est ; elle est une personne en deuil. Les gens vont la regarder avec des yeux chargés de pitié, vont lui parler d'un ton feutré. Ils seront gênés et ne sauront quoi dire. En dehors de son bandage et de deux égratignures sur le front, Patrick a l'air étonnamment normal, comme s'il avait piqué l'un de ces petits sommes dont il est coutumier. Peut-être que si elle lui donnait un petit coup, il se redresserait en sursaut et protesterait : « Non, je ne ronflais pas. Je respirais fort, c'est tout. » C'est toujours ce qu'il dit. Enfin, ce qu'il disait, rectifie-t-elle.

Elle regarde les fleurs, suit du bout du doigt les contours gaufrés d'un œillet. Quelqu'un a pris la peine d'arranger ce bouquet, de disposer joliment les fleurs et les feuilles, de recouvrir la table d'une nappe, de lisser les plis du repassage du plat de la main. Ils savent sans doute que rien n'échappe à la famille en deuil, qu'aucun détail n'est insignifiant.

L'un des bras repose sur le drap blanc, d'une blancheur éclatante. Elle a envie de toucher sa main, de se pencher sur lui et de la serrer de façon rassurante, mais sans savoir exactement qui il s'agit de rassurer. Elle a tellement envie de sentir sa chaleur, de sentir qu'il lui rend la pression de sa main. Et si elle le touchait vraiment ? Elle ressentirait le choc du froid qui l'habite, de sa douceur de cire ; cela lui permettrait de comprendre que c'est vrai, de savoir qu'il est vraiment mort.

Mais elle ne peut pas. Au lieu de cela, elle se contente de

tapoter l'autre bras, celui qui est caché sous le drap, à l'abri.

Elle finit par parler, mais sa voix n'est qu'un chuchotement rauque qui semble venir de quelqu'un d'autre.

— Je suis désolée, dit-elle.

Ensuite, Joseph entre et se plante derrière elle, solide et réconfortant. Il étreint ses épaules.

— Tu veux rester encore ?

— Je ne sais pas, répond-elle en secouant doucement la tête.

— Viens, dit-il en posant son bras autour d'elle, à la fois pour la soutenir et pour conserver son équilibre. Viens prendre une tasse de thé. L'infirmière nous en a fait. Cela te fera du bien.

— Mais je ne peux pas le laisser tout seul ici.

— Viens, ça ira.

D'une main caressante, Joseph enlève la mèche de cheveux qui lui bouche la vue et, de son mouchoir de coton, essuie ses joues avec une tendresse maladroite.

— Il est parti, maintenant. Ce n'est plus lui qui est là.

Il la guide vers la porte, mais elle ne peut s'empêcher de se retourner une dernière fois pour un dernier regard.

— Au revoir, murmure-t-elle.

— Will ?

Silence.

Elle lui tordit le nez.

— Will !

Il ouvrit un œil.

— Bouh ! fit-il.

— Oh, espèce d'imbécile ! s'écria-t-elle en le pinçant. Tu m'as flanqué une de ces trouilles !

— Oh, excuse-moi. Aïe ! Tu m'as fait mal.

— Très bien. Ne recommence pas. Sinon je te confisque ton thé.

— Du thé au lit ? s'exclama-t-il en clignant des yeux. Oh, du thé, du thé, s'il te plaît.

Elle le servit, puis emporta sa propre tasse dans la salle de bains.

Will lui apporta son courrier. En le lui remettant, il laissa tomber son regard sur une carte postale bien en vue au sommet de la pile. Ses yeux rencontrèrent les siens, puis il baissa la tête.

Elle regarda la carte. « Salut, la belle sexy ! » lut-elle, écrit en grandes lettres capitales. Bella se sentit rougir légèrement et Will se détourna très vite. La carte était tamponnée de Washington. Julian... « Dommage qu'on n'ait pas pu recommencer avant mon départ. Que veux-tu, c'est le prix à payer quand on est un pigeon voyageur. J'ai été ravi de passer un moment avec toi. Je te vois à mon prochain passage ! ? ! Salut à Nick et Viv. Bises. J. »

Elle posa la carte sur le manteau de la cheminée, à côté d'une autre qu'elle avait reçue des parents de Patrick : « Très heureux d'apprendre que tu t'es enfuie devant les vapeurs nocives de la grande ville. Nous nous inquiétions de te savoir seule à Londres... Continue à nous donner de tes nouvelles... Viens nous voir quand tu veux... »

Hormis les cartes et lettres occasionnelles, ils échangeaient des coups de fil. Rose l'appelait de temps à autre, s'inquiétant d'elle avec une sollicitude toute maternelle, comme si elle était une enfant se battant avec un budget trop important pour elle. Bella, de son côté, appelait et tombait parfois sur Joseph. « On fait aller, avait-il coutume de dire. Ce n'est pas toujours... enfin... » Ses pauses se terminaient par une petite toux, exactement comme Patrick. « Sophie va bien », disait-il. Alan et sa femme avaient eu un autre bébé. Rose s'occupait de collecter des fonds pour un village du Bangladesh. Lui-même s'était mis au jeu de boules sur gazon pour s'occuper. La vie suivait son cours.

Elle avait le sentiment diffus qu'elle ne pourrait être heureuse sans leur permission. Bien sûr, elle connaissait leur réponse à l'avance : « Tu as ta propre vie à mener, maintenant, Bella. Ne la gâche pas. Il ne l'aurait pas voulu, pas Patrick. » Et c'était vrai ; elle savait que Patrick n'aurait pas aimé la voir gâcher sa vie. Qu'aurait-elle ressenti si la situation avait été inversée ? Tu ne ressentirais rien du tout, espèce d'idiote, tu serais morte ! Mais, tout de même… et si c'était elle qui était morte en laissant Patrick tout seul ? Ou… La peau de son crâne se mit à picoter. Et si c'était Will ? Attendrait-elle de lui qu'il la pleure pour le restant de ses jours ? Elle fut bien obligée de reconnaître que, d'une certaine façon, oui ! Au moins dans un tout petit recoin de lui-même. Comme elle était basse, mesquine ! Comment pouvait-elle souhaiter que Will soit malheureux ? Non, ce n'était pas cela. Elle voulait qu'il se souvienne, rien de plus, de façon à ne pas disparaître sans laisser de trace. Non, elle ne voulait pas qu'il moisisse dans son chagrin, qu'il le choie et le thésaurise comme un avare qui refuserait à quiconque de s'en approcher… une seconde mort.

— Je peux te poser une question ? demanda Will après le petit déjeuner.

Puis, sans attende sa réponse, il enchaîna :

— Est-ce que tu vois quelqu'un d'autre ?

— Non. Qu'est-ce qui te fait croire une chose pareille ? J'ai déjà du mal à m'en sortir avec toi.

— Rien.

La carte postale de Julian. « Salut, la belle sexy ! » Il l'avait sûrement lue.

— Hum… Tu vois toujours ton ex ? Patrick ? Tu fais

sûrement partie de ces gens civilisés qui réussissent à rester en bons termes avec leurs ex.

Bella fit mine de farfouiller dans le frigo, à la recherche d'eau minérale.

— Quoi… ? demanda-t-elle d'une voix lointaine, le nez dans le réfrigérateur. Non, je ne le vois plus. Est-ce que tu veux de l'eau ?

— Non merci. Excuse-moi. Je ne voulais pas être curieux.

Bella haussa les épaules.

— C'est pas grave, laissa-t-elle tomber tout en ouvrant le journal pour trouver la liste des films. As-tu toujours envie d'aller au cinéma, ce soir ? Je pourrais appeler Viv et lui demander si ça lui dit de nous rejoindre avec Nick. On n'est pas obligés de rester confinés ensemble comme deux vieux, ça manque de variété.

— C'est comme ça que tu nous vois ?

— Comment ?

— Comme deux vieux qui manquent de variété.

— Non, bien sûr, répondit-elle. Mais on n'a pas envie de rester trop en couple, non ?

— Pourquoi ? Moi, j'aime qu'on soit en couple.

— Oh, Will, je plaisante ! Où as-tu mis ton sens de l'humour ?

— Il a fallu que je le rende. Je l'avais simplement loué.

Comme Bella l'avait prévu, Viv appela le lendemain pour commenter leur sortie au cinéma.

— Moche, comme film, lâcha-t-elle. On se demande pourquoi les gens la trouvent tellement sexy !

— Parce qu'elle est blonde et qu'elle joue comme un pied.

— Mais Will… C'est un amour ! Et il t'a percée à jour, hein ?

— Ce qui veut dire ?…

— Eh bien, il sait comment te prendre.

— On dirait que tu parles d'un léopard qui a des problèmes psychologiques.

— Oh, c'est que tu n'es pas toujours facile. Il te faut quelqu'un comme lui pour te tenir tête. Mais il a une façon de te regarder ! C'est pour quand, le mariage ?

— Oh, arrête. Je ne fais aucun projet d'avenir ni aucune connerie de ce genre.

— Pourquoi fais-tu ça ?

— Quoi ?

— Pourquoi fais-tu semblant de ne pas l'aimer ? Un enfant de trois ans verrait que vous êtes fous l'un de l'autre.

— Trouve-moi un enfant de trois ans, alors. Tu interprètes trop les choses.

— Qu'est-ce que tu racontes ? Tu es accro à mort !

— Ouais, ouais. Toi, tout ce qui t'intéresse, c'est que tu entrevois une chance de porter une robe à manches bouffantes en satin abricot.

— Avec des volants ?

— Tu peux avoir des volants, un décolleté plongeant, un panier avec des pétales de roses, tout le saint-frusquin, au cas, bien improbable, où je convolerais en justes noces. Les paris sont à quatre mille contre un. Il faut que tu le saches avant de commencer les préparatifs.

— Bel, tu sais que tu as le droit d'être heureuse, oui ?

— C'est une question à cent francs ?

— Non, c'est simplement que… écoute, le bonheur, ça n'est pas interdit.

19

— C'est lequel, mon meilleur profil ? s'enquit Will en tournant la tête d'un côté, puis de l'autre.

— Visiblement, c'est un secret bien gardé, répondit Bella en posant son carton à dessin en équilibre sur son genou.

— Hi hi hi !

— Tourne-toi sur ta gauche. Plus. Encore un peu plus... voilà, ça, c'est joli ! approuva-t-elle en contemplant l'arrière de sa tête.

— Très drôle.

Il se leva et alla se planter devant la fenêtre pour jeter un coup d'œil sur le jardin.

— Ce chèvrefeuille a besoin d'être sérieusement taillé, fit-il remarquer en se tournant à demi vers elle.

— Stop ! Là, comme ça. Non, non, ne bouge pas.

Debout près de la fenêtre, avec son visage mi-éclairé, mi-plongé dans l'ombre, son corps tourné vers elle, il avait l'air aux aguets, dans l'expectative, comme s'il avait entendu un son inconnu, ou noté soudain le côté extraordinaire d'une chose ordinaire.

— Je peux voir quelques-unes de tes œuvres ? Je sais que tu travailles d'arrache-pied en secret.

— Pas en secret. Et, non, tu ne peux pas.

— Si, en secret. Et pourquoi je ne peux pas ? Tu dois en avoir suffisamment pour organiser une exposition, maintenant.

— Arrête de dire des bêtises. Et d'ailleurs, chut ! Concentre-toi.

Elle baissa la tête sur son dessin, mais cela ne l'empêcha pas de le sentir lui faire des grimaces. Patrick faisait la même chose lorsqu'elle le croquait. Peut-être la testostérone les empêchait-elle de rester tranquilles ? Son regard effleura le front de Will, la forme bien découpée de sa chevelure à l'endroit où les cheveux jaillissaient de la peau, avec l'air de vouloir pousser avec élan. Le sourire aux lèvres, en tirant la langue comme une enfant appliquée, elle essaya d'imprimer cet enthousiasme à son crayon. Les cheveux de Patrick, doux et fins, retombaient du côté gauche de son front. La sensation qu'elle éprouvait en les dessinant lui revint en mémoire, le mouvement d'aller-retour de sa main… Et la façon qu'il avait de repousser ses cheveux, sa manière de gigoter avec embarras pendant qu'elle le dessinait, même dans son sommeil, jamais complètement au repos, jusqu'à ce que… Elle avala sa salive.

— Chut ! répéta-t-elle.

— Quoi ? s'étonna Will en fronçant les sourcils. Je n'ai pas émis un son !

Au cours d'une pause, Will lui déclara qu'elle avait une expression étrange pendant qu'elle faisait son portrait :

— Tu as l'air de me regarder avec beaucoup d'intensité, mais en même temps j'ai l'impression d'être transparent. Je vois tes yeux passer sur moi, m'étudier, mais tu n'as pas l'air de m'enregistrer comme étant moi.

— Ne te sens pas visé. Le dessin, c'est ça. Tu ne deviens qu'un corps, un visage, tu n'es pas Will, l'homme que je connais et... etc.

— Pardon ? L'homme que je connais et... etc. ? C'est en quelle langue que tu causes ?

— Tu es prêt pour une nouvelle séance ?

— Qu'est-ce que tu allais dire ? Tu n'arrives pas à le dire, hein ? Même pas comme ça, sans avoir l'air d'y toucher.

— De quoi parles-tu ? Du mot qui commence par « A » ? Mais si, j'arrive à le dire. Ne sois pas stupide.

— Le mot qui commence par « A ». C'est exactement ce que je veux dire. Le mot « Amour », c'est vraiment un mot en cinq lettres pour toi.

— Merci, elle est pas mal, ta petite plaisanterie.

— Elle n'est pas drôle du tout. Allez, vas-y, entraîne-toi, peut-être que ça te plaira. Je t'ai... D'accord, tu as raison. C'est pas facile.

Il croisa les bras.

— Qu'est-ce que tu peux être énervant, par moments ! Tu n'es qu'un grand gamin. Incroyable.

Elle fouilla dans sa boîte pour trouver sa gomme.

— L'homme que je connais et que j'aime. Ça te va comme ça ? C'est bon ?

Il fit un bond en arrière.

— Je suis submergé par la force de ta passion. Ecoute, arrête. Tu es trop sentimentale pour moi.

— Oui, mon cher, répondit-elle en taillant son crayon. Allez, tu vas poser. Ton bras gauche, légèrement arrondi. O.K. Tourne-toi un peu plus comme ça. Non, pas trop ! C'est ça.

Ses yeux volèrent de Will à son carnet, de son carnet à Will. Elle reproduisit sa silhouette, sa chair, sa forme, mais elle ne voyait pas l'expression qu'il avait dans les yeux.

Will lui demanda si elle serait libre en fin de semaine.

— Je déteste les gens qui s'y prennent comme ça.

— Tu détestes que les gens t'invitent à faire des choses ? Pardonne-moi. Je suis désolé. Je suis impardonnable. Je ne recommencerai jamais.

— Oh, ça va ! Ces gens-là attendent qu'on leur réponde qu'on est libre pour proposer une sortie sans intérêt ; il est alors trop tard pour refuser avec grâce.

— Donc, tu es libre, ou quoi ?

— Oui. Non. Oui. Il faudrait que je peigne quelques trucs. J'ai envie de travailler sur ton portrait. Qu'est-ce que tu me proposes ?

— J'ai pensé que tu pourrais faire la connaissance de ma mère.

— J'ai le choix ?

— Oh, charmant ! Elle est très mignonne. Tout à fait comme moi.

— Elle se croit supérieure, et elle a des cheveux élastiques ?

— Non. Elle est facile à vivre. Elle aime les plantes.

— C'est vraiment un peu difficile ce week-end. J'ai des tas de choses à faire.

— C'est-à-dire ?

— Will, je ne suis pas devant le juge. Je n'ai pas à rendre compte de mes moindres faits et gestes. J'ai des trucs à faire… de la lessive, des choses et d'autres.

— Ah bon, de la lessive ! Effectivement, ça passe en premier. Surtout, ne change rien à tes petites habitudes, ce n'est pas la peine de te déranger pour rencontrer ma famille.

— Oh là là ! J'imagine que ta mère ne passe pas son temps assise dans son rocking-chair, à se languir de faire ma connaissance. Je suis tout à fait d'accord pour la rencontrer, mais à un autre moment. Cela n'empêche pas que j'aie envie de la connaître. Elle doit être d'une patience et d'une force de caractère peu communes, pour te supporter depuis si longtemps ! Et maintenant, pourrais-tu reprendre la pose ?

Will s'avança vers la fenêtre.

— Je voudrais juste te demander... Y a-t-il une raison particulière pour que tu veuilles éviter de voir ma mère ?

— Mais non ! J'ai des choses à faire. S'il te plaît, on s'y met ? J'ai vraiment envie de terminer.

Ce soir-là, après le dîner, Will sortit son agenda et aborda de nouveau le sujet :

— Si c'est vraiment trop juste pour ce week-end, voyons voir une autre date...

— On est vraiment obligés de se soumettre au rituel de la rencontre des parents ? Je ne suis pas pressée de te faire rencontrer les miens.

— Mais je ne te l'ai jamais demandé. On le fera quand tu te sentiras prête. En revanche, ma mère meurt d'envie de te voir.

— Mais pourquoi ? s'étonna Bella en levant une fourchette menaçante qu'elle pointa vers lui. Que lui as-tu raconté sur moi ? Allez, avoue !

— Rien, rien, je t'assure ! Enlève-moi ça, tortionnaire ! Je lui ai peut-être un peu parlé de toi... bon, d'accord, beaucoup parlé de toi. C'était plus fort que moi. Mais tu ne souffriras pas, je te le promets.

— Bon, O.K. N'en parlons plus. Le week-end prochain, ça ira ? Je préfère m'en débarrasser tout de suite, sinon tu vas me rendre la vie impossible.

Elle sent qu'ils ont besoin de sa présence, comme s'il émanait de sa peau l'essence de Patrick, comme si, en étant dans la pièce, elle rendait la mémoire de Patrick plus nette. C'est un réconfort pour elle aussi. Sans lui, l'appartement est froid et résonne comme une scène de théâtre vide, après le départ des spectateurs ; et elle a peur de dormir seule. Elle laisse la lumière du couloir allumée toute la nuit, mais cela ne l'empêche pas d'avoir peur de se mettre au lit. Lorsqu'elle se réveille, aux petites heures du matin, elle oublie pendant une ou deux secondes. L'espace d'un souffle, dans ce demi-sommeil, il est toujours en vie. Puis la réalité la frappe aussi sûrement qu'un coup. Elle en a la respiration coupée, les poumons creux et l'estomac endolori. Elle ferme les yeux pour enfermer les larmes qui se forment. C'est dans sa tête qu'elle trouve son refuge, sa consolation. Là, sa voix est nette et forte, son visage clair et vivant, et elle peut à nouveau respirer.

Chez ses parents, les albums de famille sont posés en permanence sur la table basse, remplaçant les exemplaires de *Maisons et Jardins*. Les numéros proprement pliés du *Daily Telegraph* et du *Daily Mail* ont été relégués sans avoir été lus sur la table du couloir, là où leur normalité inhumaine passe inaperçue.

Regarde, disent-ils, là, il est prêt pour son premier jour de classe. Cette casquette grise n'arrêtait pas de lui tomber sur les yeux. Tu te souviens du jour où il est parti à l'université ? Il était grand et maigre, mais il avait l'air d'être redevenu un petit garçon.

Tu te souviens ? disent-ils. Tu te souviens ?

Bella cherche refuge à la cuisine et s'active. Elle est heureuse de se perdre dans la quotidienneté des tâches ordinaires ; leur côté prévisible la rassure : on met le hachis Parmentier au four, il en sort doré ; on remue une sauce, elle devient onctueuse.

Rose vient s'agiter à côté d'elle.

— Tu t'occupes de tout, Bella, comme d'habitude. Tu es un amour.

Elle enlève la passoire que Bella s'apprête à utiliser et la met sur l'égouttoir.

— Je ne sais pas où j'en suis, aujourd'hui. Tu n'as pas vu mes lunettes de lecture ? Hier, j'ai retrouvé mon stylo à encre dans le frigo. Je me demande...

Rose entre et sort des pièces, abandonnant derrière elle une cohorte de tasses de café intactes, d'ouvrages de couture hérissés d'épingles, ses lunettes, sa montre, ses phrases laissées en suspens.

Lorsque Bella passe à sa portée, Joseph, le père de Patrick, lui tapote l'épaule d'un geste silencieux n'en exprimant que plus fort son affection et sa gratitude.

— Nous avions toujours espéré... commence-t-il un soir, tard.

Puis il s'arrête, car il vaut mieux ne pas le dire, car il n'y a rien à dire.

Sophie fait coïncider ses visites avec celles de Bella et l'entraîne au pub à la moindre occasion.

— Ils me rendent folle, Bel. Maman perd complètement la mémoire et papa me téléphone deux fois par jour, uniquement pour s'assurer que je respire toujours.

— Je comprends, répond Bella. Sois patiente. C'est dur pour eux. C'est trop dur.

Le vendredi soir, Bella réussit à dissuader Will de l'emmener chez sa mère en prétextant une grosse fatigue consécutive à un travail monstrueux au bureau. Elle lui promit néanmoins de se lever à l'aube le samedi. Elle lui apporterait son thé au lit. Elle ne mettrait pas plus d'une minute pour préparer son sac.

Ils démarrèrent à onze heures du matin, avec la voiture de Will.

Lorsqu'elle ouvrit la boîte à gants surchargée, plusieurs cassettes s'en échappèrent.

— Qu'est-ce qui se passe, ma petite citrouille ?

— Rien. J'essaie simplement de trouver Ray Charles.

Avait-elle cherché dans la poche latérale ? Oui. Elle n'avait trouvé que la boîte vide.

— Pourquoi ne remets-tu pas les cassettes dans leurs boîtes ? Tu n'aurais pas ce genre de problèmes.

Je parle exactement comme ma mère.

— Je n'ai pas ce genre de problèmes, parce que je m'en fiche. Je me contente de plonger la main et je mets ce qui arrive. Au hasard.

— Les mecs sont vraiment pas drôles.

— Ça, c'est une réponse bien pratique... jeter la moitié de l'humanité en bloc à la poubelle. Ranger les cassettes dans leur boîte, ce n'est pas ça qui va nous aider à guérir le cancer ou annoncera l'avènement de la paix dans le monde.

— Quel est le rapport avec la musique, comme on dit ?

— Je dis ça parce que c'est une tempête dans un verre d'eau. Mais ça n'a rien à voir avec les boîtes de cassettes, je me trompe ? Pourquoi es-tu si nerveuse ? Ma mère n'est pas une ogresse, ni rien de ce genre.

— Je ne suis pas nerveuse. Ah bon, ta mère n'est pas une ogresse ?

— N'essaie pas de changer de sujet. Elle est très sympa et tu vas beaucoup lui plaire.

Bella plongea la main dans les profondeurs de son sac, à la recherche d'un miroir.

Will poussa un grognement de contentement.

— Pas nerveuse. Non, tu n'es pas nerveuse du tout.

Il passa la main sous son siège, ramassa une cassette du bout des doigts et l'introduisit dans le lecteur.

— ... da-da di-dou da-di-dou... chantonna Will. Ray Charles.

Elle lui tira la langue en catimini.

— Je t'ai vue !

Il lui pinça la jambe et laissa sa main posée sur sa cuisse.

— Dis-moi, je vais l'appeler comment ? Mme Henderson, Frances ou Fran ? demanda Bella en se léchant le doigt pour lisser ses sourcils.

— Tu es très mignonne. Du calme. Pas Mme Henderson, surtout qu'elle ne s'appelle pas comme ça. Tu as cinq points de moins pour n'avoir pas écouté pendant que je te faisais la fascinante description de mon arbre généalogique. Elle s'appelle Mme Bradley, à cause de Hugh, mon beau-père. Elle préfère Fran, mais, honnêtement, je ne pense pas qu'elle le prenne au tragique si tu l'appelles Fifi ou Riri. Elle est un peu excentrique.

— C'est vrai ? Elle est excentrique ?

— Oh, pas tellement. A peine. Je me demande pourquoi je t'ai dit ça. Mais, par bonheur, elle vit en Angleterre. Dans ce pays, on cultive la singularité comme un sport national.

On accédait au cottage de Fran en empruntant un étroit sentier bordé de trois autres maisons. C'était une vieille bâtisse qui pouvait dater du dix-septième siècle, avec une porte basse et un toit en pente qui descendait à hauteur d'yeux. Les tuiles du toit étaient envahies de petites plantes grasses collées en masses compactes. Le chemin de briques inégales qui menait à la porte d'entrée était flanqué de plates-bandes débordantes d'œillets mignardises, d'énormes pavots aux délicats pétales rose saumon, de nigelles bleu pâle. Will se pencha pour sentir les œillets en passant.

— Tiens, respire-moi ça, lui conseilla-t-il par-dessus son épaule.

Quelques branches de lierre affreusement mal peintes

traversaient le bleu de la porte, passant le relais au lierre véritable qui poussait alentour. Il n'y eut pas de réponse aux coups qu'ils frappèrent à la porte. Ils firent donc le tour de la maison.

— Coucou, y a quelqu'un ? héla Will.

Une silhouette penchée sur un fouillis de fenouil se releva.

— Coucou !

Will ouvrit la marche sur un sentier qui serpentait à travers des buissons de lavande rivalisant de bleu avec les delphiniums.

— Bonjour, maman, dit-il en étreignant sa mère comme un gros nounours.

— Willum ! répondit-elle avec tendresse, en lui rendant son étreinte.

Elle portait un volumineux bleu de travail aux poches déformées par divers objets proéminents, et, aux pieds, des chaussures qui ressemblaient furieusement à des pantoufles d'homme. Ses cheveux gris étaient remontés sur le sommet de son crâne en un chignon grossier. Elle y avait piqué un stylo, sans qu'on sût réellement si c'était pour maintenir plus ou moins ses cheveux en place, ou si cet accessoire avait été simplement fiché là provisoirement, à défaut d'autre lieu. Will se pencha et ôta une brindille de ses cheveux.

— Alors, comme ça, vous êtes la bien-aimée de mon fils ?

Will leva les yeux au ciel.

— Maman, s'il te plaît, fais un petit effort pour ne pas me mettre vraiment dans l'embarras.

Fran prit les deux mains de Bella dans les siennes et la regarda.

— Oh, quel teint de pêche ! Will m'avait dit que vous étiez mignonne, mais vous savez ce que c'est, l'amour... Quels yeux magnifiques ! Dites-moi, vous aimez le romarin ? s'écria-t-elle en agitant dangereusement son sécateur.

Bella fut ravie de la voir passer du coq à l'âne.

— Tenez, voilà. Celui-là, il est d'un bleu ! Tu sais lequel c'est, Willum ? Je ne me souviens jamais des noms. Je suis sûre que je le désespère, ajouta-t-elle sur le ton de la confidence, en se penchant vers Bella.

— Mais non, pas du tout ! rectifia Will. Les plantes non plus ne connaissent pas leurs noms. Moi, je suis bien obligé de les connaître pour impressionner mes clients. Ce doit être le *Rosmarinus officinalis*. Il est vraiment très bleu.

— En tout cas, ça a marché avec moi, dit Bella. Il m'a ensorcelée avec ses *Meconopsis* et ses *Salix* et ses *Lavandula*...

— Surtout les *Angustifolia*, précisa-t-il.

Il avait l'air très sérieux et très jeune, tout à coup.

— Celui-là, poursuivit-il en tapotant avec tendresse un buisson chargé de fleurs violettes aux extrémités ailées, c'est la lavande française, la *Lavandula stoechas*. C'est celle que nous avons mise dans ton jardin. Et moi qui croyais que je t'avais séduite grâce à mon intellect, à mon esprit, à mon charisme et à ma beauté stupéfiante.

— Et à ta modestie, apparemment.

— Apparemment.

Fran rit et passa son bras sous celui de Bella.

— Comme je suis contente qu'il ait rencontré quelqu'un qui lui convienne. Le repas n'est pas tout à fait prêt, mais vous allez entrer prendre une tasse de thé. Vous devez mourir de soif.

Elle enfouit son sécateur dans sa poche. Une longueur de ficelle de jardin sortait de son autre poche et traînait derrière elle jusqu'au sol comme une queue. Will ramassa le bout et suivit sa mère en le portant comme une traîne de mariée.

— J'ai mis un ragoût en route, mais la viande est un peu

dure ; il vaut mieux la laisser cuire le plus longtemps possible, je pense.

Fran alluma le gaz sous une énorme bouilloire émaillée.

— Il y a des scones quelque part si vous avez une petite faim. Jetez un coup d'œil dans la panière, ici… Ils sont frais d'aujourd'hui. Ou d'hier. Enfin, ils sont très bons.

Bella plongea la main tout au fond du pot en grès.

— J'ai l'impression de jouer à faire une bonne pioche.

— Malheureusement, on fait plutôt de mauvaises pioches, dans cette cuisine.

Will enleva une pile de papiers étalés sur la table pour les poser sur le buffet et les remplaça par un assortiment de tasses et de soucoupes dépareillées.

— Ils ne sont pas faits maison, maman ?

— Non, ne t'inquiète pas, espèce de mal élevé ! cria Fran depuis les profondeurs du garde-manger. Je savais bien que j'aurais dû faire un peu plus attention à tes manières quand tu étais petit. Mes scones sont légendaires, Bella… plats comme des galets et deux fois plus durs. Un jour, Hughie s'est cassé une dent dessus. Mais les chiens adorent. Non, ceux-là, je les ai achetés spécialement pour vous, puisque vous êtes une vraie invitée.

— Considère-toi comme honorée, dit Will. Tu as de la confiture, petite maman ?

— Fraise et fleur de sureau. Et faite maison, celle-là.

Saisissant le regard de Will, elle s'empressa d'ajouter :

— Je viens de la faire, alors, ne me regarde pas comme ça. Elle est peut-être un peu coulante, elle ne voulait pas prendre. Mais ce n'est pas grave, vous n'avez qu'à la manger à la cuillère en alternant avec des morceaux de scones.

Cette nuit-là, Bella dormit blottie contre Will dans l'étroit lit double de la chambre rose. Fran leur avait

217

proposé la chambre d'amis, mais il eût fallu rapprocher deux lits séparés.

— Prenez plutôt celle-ci, vous serez bien serrés. Mais faites attention, les murs ne sont pas épais et je suis juste à côté.

— Maman !

Fran ne se troubla pas pour si peu.

— Je fais ça pour vous embêter. Je sais, c'est affreux un parent qui fait allusion au sexe. Beurk. Les enfants s'imaginent que leurs parents sont vierges *ad vitam aeternam* ou asexués, comme les amibes.

Will battit en retraite et attira Bella à l'intérieur de la chambre.

— Très bien, très bien. On prend celle-ci. Merci. Viens vite, sinon elle va encore nous raconter ses escapades passées. On va devoir subir l'histoire du directeur de banque fou amoureux d'elle qui l'appelait sous des prétextes fallacieux pour essayer de la violer sur une pile de relevés bancaires...

— Tu peux dire ce que tu veux, je n'écoute pas ! lança Fran en dévalant les escaliers. La bouilloire est en route.

Bella reprocha à Will son manque d'égards pour sa mère.

— Oh, pas du tout. Nous nous adorons et nous le savons tous les deux. Nous pouvons donc être aussi impolis que nous en avons envie. Je suppose que dans ta famille les gens ne sont pas toujours polis les uns envers les autres ?

— Papa et moi, nous nous lançons des vannes. Depuis toujours.

— Et ta mère ? Tu sais que tu en parles rarement ?

— Jamais je ne lui parle comme tu viens de le faire avec la tienne. C'est impossible. Ce serait mettre en péril l'orbite de la planète. Nous essayons autant que possible d'observer la plus parfaite politesse entre nous. Comme pendant une trêve armée.

Il leva des sourcils interrogateurs.

— Eh oui, c'est indispensable, précisa-t-elle. On ne peut pas baisser la garde, sous peine de se ramasser un coup de couteau entre les deux épaules.

— Oh, comme c'est attendrissant ! Les joies de la relation mère-fille. Ça y est, je comprends tout : en fait, la madone et l'enfant au sourire angélique cachent une petite dague qui brille discrètement dans les plis de leur robe.

— Très drôle ! s'exclama Bella en sortant de la pièce. Tu descends prendre le thé ?

20

— Tu veux bien ? Oh, je serai ta meilleure copine !
s'exclama Bella en déposant un baiser sonore sur la joue de
Will.

— Tu l'es déjà.

Après quelques petites pressions directes et la promesse
d'innombrables faveurs spéciales, Will avait accepté
d'intercéder auprès de son double beau-frère au sujet de
l'humidité. Il l'appela et, miraculeusement, son appel
déclencha un processus mystérieux. M. Bowman la fit
passer de son carnet noir à son carnet rouge, celui où les
véritables commandes étaient inscrites avec les dates et
tout le reste. Le travail prendrait quatre ou cinq jours. Une
fois le traitement effectué, les murs seraient replâtrés et
séchés avant d'être repeints.

La vie devint encore plus impossible. Les cartons furent
coincés dans la chambre, les tableaux entassés comme des
dominos sur le palier, les plantes vertes rassemblées
comme pour une réunion de feuillus dans la salle de bains.

— Tu ne devrais pas rester dans cette maison pendant

les travaux, lui conseilla Will. La poussière, ce n'est pas sain du tout.

— Je sais. Viv m'a proposé de me recueillir.

— Bien. Ou alors, tu pourrais... euh... rester avec moi.

D'ordinaire, ils finissaient toujours par se retrouver chez Bella ; elle avait cependant passé la nuit chez lui à plusieurs reprises. Il lui avait acheté une brosse à dents pour lui éviter de transporter la sienne. Il avait vidé un tiroir pour elle, dans lequel elle laissait un grand tee-shirt et une culotte. Mais passer la nuit chez lui de temps en temps, c'était une chose... Après le dîner, ils faisaient l'amour et, ensuite, ils dormaient. C'était planifié, officiel. Vivre ensemble pendant cinq jours, eh bien... cela donnait un petit côté établi. Cela supposerait des conversations de couple, des rituels de cohabitation : qui achèterait quoi pour le repas du soir ; c'est toi qui fais la cuisine, c'est moi qui fais la vaisselle. Elle se familiariserait avec ses habitudes domestiques, connaîtrait l'endroit où il rangeait ses rouleaux de papier toilette, apprendrait à maîtriser l'ouverture du portail, saurait à quel moment il faut sortir la poubelle.

— C'est très gentil à toi, mais tu n'as pas à te dévouer. Tu as déjà gagné ta médaille de scout en appelant ton double beau-frère.

— Je ne suis pas gentil. On dirait une enfant sage à qui on a appris à dire merci. Je sais que je n'ai pas à me dévouer. En revanche, moi, ça me ferait un plaisir fou que tu viennes chez moi. Avec moi.

La sonnette d'alarme retentit : et si jamais elle y prenait goût ? Si elle s'habituait à voir son visage et ses adorables sourcils si drôles sur l'oreiller, à côté d'elle, au moment où elle fermait les yeux le soir ? Chaque matin, son visage serait là, son premier aperçu du monde, déjà familier. Elle noterait sa présence ou son absence dans la maison, le soir, dès qu'elle rentrerait, elle sentirait son odeur dans l'air. Combien de temps lui faudrait-il pour s'adapter à son pas dans l'escalier, à sa voix qui lui dirait bonjour, au change-ment dans son regard lorsque ses yeux rencontreraient les siens ? Et après ? Après, l'humidité aurait disparu, les murs seraient repeints et elle n'aurait plus aucune raison de ne pas rentrer chez elle. Le premier soir, elle se retrouverait toute seule. L'odeur de la peinture fraîche, le tintement de ses clés jetées sur la table, le frigo avec son unique boîte de lait. Ce serait comme la première fois qu'elle était retournée à l'appartement après Patrick. Après Patrick. C'était ainsi qu'elle voyait sa vie, parfois : avant Patrick, avec Patrick, après Patrick. Divisée en sections nettes, comme une tarte, avec aucun espace prévu pour quiconque.

Elle tourne sa clé dans la serrure et s'attend confusé-ment à être accueillie par sa phrase habituelle : « Salut ! Tu as passé une bonne journée ? »

Le silence est aussi dense qu'une eau qui remplirait les pièces jusque dans les moindres recoins. Elle se déplace dedans avec des mouvements lents, elle la sent se séparer, puis se refermer derrière elle. Dans la cuisine règnent un calme étrange, une froide propreté ; rien n'a été changé de place. Nul pot de marmelade ne traîne sur le plan de travail, ouvert. Nulle moitié de journal étalée sur la table. Machinalement, elle regarde par terre. Patrick a l'irritante habitude de laisser ses grosses chaussures à lacets au beau milieu de la pièce, et elle se prend immanquablement les pieds dedans. Il avait l'irritante habitude, se reprend-elle.

Tout à coup, elle ressent une impression de perte anti-cipée, elle devine une souffrance future. Elle est tentée d'aller chercher ses chaussures et de les placer par terre. Puis elle refoule cette pensée idiote, complètement folle.

Dans la salle de bains, c'est pire. Quatre rasoirs jetables semblent tous prêts à servir sur-le-champ. Ce déodorant conditionné dans un emballage phallique noir, absurde, qui semble proclamer : « Ce n'est pas parce que je sens bon que je ne suis pas macho. » Elle passe les doigts sur la tête de la brosse à dents verte de Patrick et joue avec les poils. Cette brosse à dents était censée être deux fois plus efficace que les autres. « Tu vois, avec ça, je peux brosser mes dents en trente secondes », disait-il.

Elle prend la sienne, la violette, et tient les deux brosses chacune dans une main, face à face, en leur faisant faire un mouvement de va-et-vient à la manière de Patrick, et elle les dote de la parole :

— C'est à moi que tu parles ? dit-il sous la forme d'une brosse à dents verte en empruntant une voix de basse qui se répercute le long du lavabo.

Il tord la brosse à dents violette en tous sens et secoue sa tête, jusqu'à ce que Bella éclate de rire.

La brosse à dents violette donne un coup de tête à la brosse à dents verte.

— Pourquoi as-tu éprouvé le besoin de partir et de mourir ? C'est pas malin.

— Ouais, répond la voix profonde de la brosse verte. En fait, ça m'a pris par surprise.

Elle mêle les deux têtes de brosses à dents.

— On fait la paix et on s'embrasse ? dit Patrick en mêlant ses poils aux siens.

De la main, elle essuie ses larmes ridicules. Sa poitrine est serrée et raide, comme bourrée d'explosifs.

— Respire à fond, dit-elle à haute voix.

Elle sent d'affreux sanglots s'amonceler en elle et menacer de jaillir de façon incontrôlée en brisant le silence. Elle frotte sa cage thoracique, si serrée, si douloureuse, qui ne demande qu'à être soulagée. Elle serre les dents et mord l'intérieur de sa lèvre, cherchant désespérément une douleur tangible à laquelle s'accrocher.

Dans la chambre, les doubles rideaux sont à demi tirés,

et la lumière diffuse lui fait du bien. Elle se déshabille lentement, pièce par pièce. Elle repousse la couette, prête à se coucher, puis soudain s'arrête dans son geste pour aller vers la commode. Elle fouille dans un tiroir et émet un petit « Tss, tss » de désapprobation. Elle plonge dans le panier à linge et jette les chaussettes, les serviettes et le reste par terre. La chemise bleue de Patrick ; chiffonnée, douce, usée. Elle enfouit son visage dedans et la respire.

Elle se glisse sous la couette et roule la chemise en boule à côté d'elle. Elle prend l'un des boutons et suit son contour du doigt, inlassablement, jusqu'à ce que le sommeil la surprenne. Elle ne se réveille que douze heures plus tard.

Will la prend dans ses bras, la serre contre lui.

— Qu'est-ce qui se passe, mon chou ? Tu t'es encore évadée dans tes rêves ?

Elle sourit avec effort et l'embrasse. Secoue la tête. Il faut que j'essaie. Il le faut.

— Je ne veux pas te déranger.

— Tu as raison. N'en parlons plus. J'admets que l'effort serait trop important : coucher à côté d'une magnifique femme nue toutes les nuits, devoir me réveiller chaque matin en voyant la tête de la femme que j'aime sur l'oreiller d'à côté. Quelle corvée !

— Oh, tu attends aussi quelqu'un d'autre ?

— Ça suffit ! Tu restes avec moi, un point c'est tout. Pas de discussion. Je te promets de tout faire pour que tu ne t'amuses pas. Tu pourras passer tout ton séjour à rêver au moment de ta libération ; comme ça, tu pourras triompher après : « Je te l'avais bien dit ! » Je sais que tu adores avoir raison.

— Non, tu te trompes. Tu es sûr de pouvoir supporter mes habitudes répugnantes ?

— Oh, ce dont je suis sûr, c'est que tu ne m'arrives pas à la cheville en matière d'habitudes répugnantes. J'ai représenté le Sud-Est au concours, alors tu vois ! Qu'est-ce que tu peux bien avoir à proposer : te curer le nez sur l'oreiller ? te couper les ongles dans la théière ? avoir des pratiques sexuelles spéciales avec des courgettes ? Hein ?

— Beurk ! Tu es dégoûtant.

— Allez, confesse-moi tes secrets les plus noirs.

— Je laisse traîner mes bouts de coton sur le bord du lavabo...

— Répugnant ! Nauséabond !

— Je laisse la vaisselle sale dans l'évier...

— Attends, je vais vomir !

— Je décolore ma moustache en écoutant *Woman's Hour*.

— *Woman's Hour*[1] ! C'est grotesque ! Mais à propos, quelle moustache ?

— Ah, les hommes ! On dirait cette publicité pour le shampoing, celle où on voit une femme qui dit à son mec en minaudant : « Mais tu n'as pas de pellicules ! » Tu vois, regarde, là, ajouta-t-elle en désignant à Will sa lèvre supérieure, qu'il caressa du bout de son petit doigt.

— Un joli petit duvet. Très mignon.

— Non, ce n'est pas un petit duvet ! Il est très foncé ! Tu n'as jamais entendu la pub : « Jolen est le meilleur ami des filles ? »

— Quoi ?

— La crème décolorante. Ne t'inquiète pas, je ne me balade pas avec dans toute la maison. Mais il faut que je garde la lèvre raide pendant tout le temps de pose, sinon la crème s'en va.

— Oh, j'aimerais bien voir ça.

— Jamais de la vie, il n'en est pas question. Ma mère

_____

1. « L'heure de la femme. » *(N.d.T.)*

m'a toujours dit : « Ne laisse jamais un homme te regarder pendant que tu t'épiles les jambes ou que tu blondis ta moustache. Il doit d'abord graver son nom au bas du parchemin. »

— Tu crois vraiment que je suis sensible à ce genre de détails ? Tu ne te débarrasseras pas de moi aussi facilement !

Elle haussa les épaules :

— Si ce n'est pas ça, ce sera autre chose.

— Tu parles sérieusement ? demanda-t-il en la tenant par les bras et en la forçant à le regarder en face. Tu ne comprends rien. Je ne te laisserai pas tomber. Je te garde avec moi, tu es coincée.

— Ah, monsieur Henderson, tout ça est si soudain ! minauda-t-elle en s'éventant de la main.

Il lui prit les poignets.

— Non, ce n'est pas soudain du tout, j'y pensais avant même de t'avoir embrassée.

Au vu de son expression, il ajouta :

— Tu as l'air de quelqu'un qui part chez son dentiste. Pas de panique. Je ne te presse pas, je te dis simplement les choses. J'ai envie de passer le restant de mes jours avec toi.

Le restant de mes jours. C'est-à-dire combien de temps ? Peut-être quarante ou cinquante ans. Ou dix ans, ou cinq. Ou un an. Trois semaines. Si seulement il existait une sorte de garantie !

— Quand j'aurai passé cinq jours avec toi, tu seras guéri de cette obsession.

— Vous avez une chambre libre à l'auberge ?

Bella se tenait sur le seuil avec son sac.

— Les écuries sont toutes occupées, jeune damoiselle. Vous serez obligée de loger avec le maître de céans.

226

— Je vois que tu as perfectionné ton regard libidineux. Tu as au moins ce don-là, c'est très important d'avoir au moins un don.

— Oh, tu reviens quand tu veux ! s'écria Will en la soulageant de la bouteille de vin qu'elle avait apportée, ainsi que de la boîte de truffes enrubannée.

La grande table de la cuisine avait été recouverte d'une nappe de madras aux couleurs vives. Dessus trônait une cruche de grès remplie de roses blanches mêlées à du feuillage coupé dans le jardin. Bella se pencha pour humer le parfum des fleurs et poussa un soupir d'appréciation.

Will ouvrit un tiroir et lui montra une boîte : du thé au cassis, son préféré.

— Et... et... surprise !

Les cageots qui encombraient le couloir et déchiraient ses collants avaient disparu dans un placard miraculeusement libéré sous l'escalier ; d'autres fleurs embaumaient la chambre ; des cintres libres l'attendaient, ainsi qu'une serviette soigneusement pliée, avec un savon d'invité pose dessus ; un chocolat attendait sur son oreiller.

— Ne me gâte pas trop. Je pourrais y prendre goût.

— C'est fait pour.

Il l'observa pendant qu'elle déballait ses affaires, lui proposa des cintres, libéra un autre tiroir pour lui faire de la place, et fourra ses propres vêtements n'importe où.

— Je n'emménage pas, tu sais. Je ne reste que cinq jours.

— Oui, mon chou. Tu as apporté ta nuisette pour la mettre sous l'oreiller ?

— J'en ai pas. J'ai failli apporter mon irrésistible tee-shirt géant avec l'inscription « Je pense donc je bois », et une bouteille de bière dessinée au-dessus.

— Je savais que tu étais trop sophistiquée pour moi.

— Non, j'ai activement participé au concours des

vêtements de nuit les plus chouettes. C'est un tee-shirt promotionnel qui date de l'époque où je travaillais à l'agence de pub... L'effet est particulièrement classe quand je le mets avec mes pantoufles-chaussettes péruviennes violettes.

— Et tu ne les as pas apportées non plus ? Tu ne savais pas que j'étais dingue des pantoufles-chaussettes péruviennes ? Moi, les bas, les porte-jarretelles, tout ça, ça ne me fait aucun effet.

— Oh, quel dommage ! s'exclama Bella en remettant une paire de bas dans son sac.

Aussitôt, Will plongea la tête dedans, pareil à un chien de chasse dans un terrier de renard.

Après le dîner, vautrée sur le canapé à côté de Will, Bella lui dit :

— C'est bizarre.

— Quoi ?

— Ça. D'être avec toi et de me sentir si normale Presque comme si nous étions un vrai couple. On ne pourrait pas s'engueuler un peu ?

— Pourquoi ?

— Comme ça, je pourrai me détendre. Je me sens tellement gentille avec toi, j'ai l'impression d'être une personne normale. Vraiment mignonne. C'est très déconcertant.

— Tu es mignonne, espèce de nouille, rétorqua-t-il en lui soufflant dans le cou. Et de plus, nous sommes un vrai couple.

— Oui, mon chéri.

— Tu vois ! Tu as déjà vécu en couple avant. Tu te souviens comment c'est, non ?

Elle hocha la tête. Mais ça, se dit-elle, ça, c'est différent.

— Dis-moi, l'homme parfait, pourquoi n'es-tu pas marié ?

— Je l'ai presque été. Tu as du pot de m'avoir.

— Ah ouais ? A mon avis, tu as été retourné comme denrée non conforme, persifla Bella en caressant la cicatrice de son sourcil. Et d'abord, « presque », ça veut dire quoi ? Tu as été plaqué devant l'autel ?

— Non. C'était Carolyn, tu te souviens ? Je t'en ai déjà parlé un peu.

— Hum... oui. La blonde mince.

— J'adore tes rondeurs. Ne sois pas bête ! protesta-t-il en posant sa main sur son ventre. Bon, enfin. Nous sommes restés ensemble pendant des années : Will et Carolyn, Carolyn et Will, comme Castor et Pollux.

— Ou Rox et Rouky.

— Oh, ça va, toi ! Mais tu sais bien, quand les années passent tranquillement sans que rien ne bouge, on ne remet pas les choses en question. C'est comme la confiture de ma mère qui ne prend jamais vraiment. Ce n'est pas qu'elle soit bonne, mais j'y suis habitué. C'est la confiture de maman. Donc, Caro et moi...

— Caro ! Beurk !

— Chut, tu veux que je t'en parle, oui ou non ?

Ils s'entendaient bien tous les deux, ne se disputaient jamais, mais ils ne se parlaient pas vraiment. Leurs conversations se limitaient à l'échange convenu d'informations sur leur travail ou aux bavardages à propos de leurs amis et connaissances. Ils sortaient souvent, ensemble et séparément. Ils fréquentaient beaucoup de monde, restaient rarement seuls, s'entouraient de gens, s'étourdissaient d'activités. Peu à peu, ils se dirigeaient vers le mariage, comme s'ils étaient sur des rails et que seul quelque événement dramatique ou violent pouvait les dévier de leur cours. Ils commencèrent à discuter des dispositions pratiques. Puis on proposa à Carolyn un contrat de trois mois à New York.

— Elle a accepté ?

— Oui. Et je l'ai encouragée. J'étais le prototype du fiancé compréhensif : « Il faut que tu acceptes, Caro. C'est une occasion qui ne se présentera pas deux fois. Trois mois, ce n'est rien du tout. » Jamais je n'aurais imaginé un instant que je me racontais des histoires. Je crois que j'ai été soulagé quand elle est partie.

Bella se blottit contre lui.

— Ah bon ! Et que s'est-il passé ?

— Elle est partie à New York et un mois après elle avait rencontré quelqu'un d'autre.

— Tu plaisantes ? C'est affreux !

— Non, pas vraiment. Je crois tout simplement qu'on ne voyait pas d'issue raisonnable, ni l'un ni l'autre. Nous avions besoin... d'aide extérieure, expliqua-t-il avec un petit sourire.

Il rapprocha de lui la tête de Bella et caressa ses cheveux.

— Quinze jours après son départ, un week-end, je me suis retrouvé en train d'errer dans la maison comme une âme en peine, sans énergie, sans volonté. Je me rappelle parfaitement avoir pensé : « Je suis mou comme ça parce que Caro me manque. » Et, tout à coup, j'ai été frappé par la vérité. C'était comme si quelqu'un m'avait ôté mes œillères. Je me suis dit : « Non. Tu joues le rôle d'un homme qui se languit de sa petite amie parce que tu ne veux pas regarder la réalité en face. »

Bella, soudain prise d'un frisson, se frotta le bras.

— Et c'était quoi, la réalité ?

— La réalité, c'était qu'elle ne me manquait pas, et ça, c'était beaucoup plus dur. Je me suis alors mis à étudier notre mode de relation et je ne me suis pas souvenu de la dernière fois où l'un de nous avait pris un réel intérêt à l'autre. Ni du moment où j'avais cessé de l'aimer. Là, j'ai été très mal. J'ai eu la trouille. J'ai eu honte. Et quand elle m'a écrit qu'elle avait rencontré quelqu'un d'autre, j'ai vraiment été soulagé ! J'étais délivré de mes chaînes sans avoir rien fait. Seulement, après, je me suis dit que j'avais manqué de courage ; je n'avais pas résolu mon problème de façon saine et adulte. J'avais l'impression d'avoir triché. Bella hocha lentement la tête. Elle avait la bouche sèche et la nuque raide. Elle leva les yeux vers lui et se racla la gorge.

— Ce n'était pas ta faute, c'est la vie, tout simplement.

— Confucius, répondit-il. C'est la vie, tout simplement. Merci de tes sages paroles.

Elle lui donna un tendre petit coup de poing.

— Aïe ! se plaignit-il en arrêtant sa main. Maintenant, je me demande comment j'ai pu un seul instant envisager de me marier avec elle. Je ne me l'explique pas. Nous deux, c'est tellement différent ! C'est comme si, pendant toute ta vie, on t'avait donné du chewing-gum parfumé à la fraise en te répétant : « Ça, c'est une fraise, ça, c'est une fraise. » Et puis, un beau jour, au moment où tu t'y attends le moins, on te met un fruit rouge délicieux dans la bouche et ce fruit merveilleux ne ressemble à rien de ce que tu connais déjà. Et c'est là que tu réagis : « Oh mon Dieu, voilà, ça c'est une fraise ! »

La pression de ses lèvres sur son front ; sa main sur ses cheveux. Elle prit l'arrière de sa tête au creux de sa main et l'attira contre elle. Ses doigts sur sa nuque. Sa bouche fermement posée sur la sienne. La rudesse des joues du soir, son menton, réel et vivant contre sa peau.

— Aïe, ça pique !

Elle frotta la pointe de ses doigts sur sa joue et fit semblant de se limer les ongles dessus.

— Tu veux que j'aille me raser ?

Déjà, il se levait.

— Non, non.

Elle l'embrassa en protégeant son menton de sa main.

— Les protège-menton, ça n'existe pas ?

Bella fit rebondir doucement le plat de sa main sur la tête de Will.

— J'adore tes cheveux. C'est la première chose que j'ai remarquée chez toi. Je t'appelais même Cheveux Elastiques quand je pensais à toi, après cette lecture de poésie.

Il la regarda fixement.

— Jamais tu ne m'as dit que tu as pensé à moi après cette première fois.

— Pourquoi fais-tu cette tête ?

— Pour rien ; je suis simplement content que tu m'aies remarqué, répondit-il en se glissant plus bas pour poser la tête sur sa poitrine. Tu fais un oreiller parfait. Dis-moi quelque chose de gentil. Qu'as-tu pensé d'autre ?

— Eh bien, je t'ai trouvé drôle, et puis tu avais les yeux brillants. Et quoi encore ? Tes sourcils. Oui, c'est ça, tes sourcils. Ils sont très sexy. Et tu avais une lueur d'amusement dans les yeux.

— Ah, pourtant, quelqu'un m'a dit que j'avais l'air supérieur, prétentieux.

— Non, rectifia-t-elle en repensant à la scène. Pas prétentieux. Une espèce de petit sourire bizarre, scrutateur, comme si tu trouvais que le monde était un endroit fascinant et très amusant.

— C'est vrai.

— Je sais. C'est ce que j'aime chez toi.

— Tiens, tu viens d'utiliser le mot en « A ».

— Il m'a échappé. Je ne suis pas responsable.

Ils échangèrent un baiser, et elle posa la main sur sa poitrine, où elle sentit son cœur battre régulièrement.

— Boum, boum, boum, boum, dit-elle.

A son tour, Will posa la main sur son sein gauche.

— Boum, boum.

— Boum, boum, répétèrent-ils en chœur.

Et leurs deux cœurs battirent au même rythme.

21

— Combien de temps es-tu restée avec Patrick ? lui demanda Will le soir suivant, après le dîner.

Les yeux baissés sur son assiette, il jouait à poursuivre la dernière miette de *tortellini* avec sa fourchette.

— Cinq ans, trois mois et douze jours, puisque tu me le demandes, répondit Bella en commençant à débarrasser.

— Non, tu n'as pas vraiment tenu le compte exact ! ironisa Will. Je peux te demander pourquoi vous vous êtes séparés ? Tu t'ennuyais avec lui, ou quelque chose comme ça ?

— D'où te vient cette pensée ? Le contraire aurait très bien pu se produire !

Will s'éloigna de l'évier en l'attirant à lui.

— Non, c'est impossible, dit-il en lui prenant la main et en la mordillant. Tu as pu le rendre fou furieux, d'accord. Tu as pu le déboussoler, d'accord. Mais jamais, au grand jamais, il ne s'est ennuyé.

— Merci. Je le pense aussi.

— Tu ne m'as jamais parlé de lui.

— Je pensais que parler de ses ex n'était pas de très bon goût.

Elle retira sa main et se mit à battre les dessous de plat comme des symbales. Des miettes tombèrent sur la table.

— Où les ranges-tu ?

— Où tu veux. Et la réponse à ma question, c'est… ? Je vais t'embêter jusqu'à ce que tu répondes. En récompense, tu auras cette magnifique carafe en cristal, dit-il en soulevant la bouteille d'huile d'olive.

— Tu t'es trompé. C'est lui qui en a eu marre de moi.

Bella rangea les dessous de plat dans un tiroir et poursuivit, appuyée contre l'évier, face à la fenêtre :

— Il m'a fait le coup du départ définitif. Il est mort. Ah, les hommes ! Ils sont tellement imprévisibles ! Juste au moment où on s'imagine les tenir, ils trouvent le moyen de s'échapper en mourant dans un stupide accident. Enfin… ça fait du repassage en moins, c'est toujours ça de gagné.

Will vint se placer derrière elle et l'encercla de ses bras. Cependant, malgré la chaleur de son étreinte, Bella fut incapable de se détendre.

— Ecoute, je suis désolé, chuchota-t-il dans ses cheveux. Vraiment désolé. Je n'aurais pas dû plaisanter. Je suis un vrai con… Mais pourquoi ne m'as-tu rien dit ? Tu n'as pas envie d'en parler ? Non. Bien sûr que non. Quelle question idiote.

— Non, non. Ça va.

Elle lui relata les faits dans leur sécheresse. Un paragraphe paru dans la presse. Dans sa tête, elle revit les lettres typographiées sur une page du journal : « Un accident mortel alimente les inquiétudes concernant la sécurité sur les chantiers. La mort d'un géomètre a ravivé les inquiétudes concernant les normes de sécurité en vigueur dans l'industrie du bâtiment. Patrick Hughes, 34 ans, est mort mardi soir à la suite d'un accident provoqué par la chute d'une cheminée en brique sur un chantier de construction à Vauxhall, dans le sud de Londres. Souffrant de graves blessures à la tête et d'hémorragies internes, il a été transporté en ambulance au St Thomas Hospital, où il est mort sans avoir repris connaissance, en dépit des efforts des médecins. M. Hughes était en train de vérifier la stabilité d'un mur adjacent lorsque l'accident s'est produit. Une enquête a été ouverte. »

Patrick se réduisait-il à ces quelques mots plats et concis, imprimés en noir sur du papier gris ? A la parution du journal, elle avait résisté à l'envie d'acheter tous les numéros. Elle ne voulait pas que, le lendemain, les gens l'utilisent pour protéger leurs parquets, bourrer leurs chaussures humides, garnir les caisses de leurs chats. Le lendemain, il serait jeté à la poubelle, avec ses vieilles nouvelles périmées et oubliées.

— Bella ? dit Will en la retournant vers lui.

— Ça va, ça va. C'est vrai, assura-t-elle avec un sourire machinal.

— Oui ? Tu en es certaine ?

Sa voix était basse et douce.

Lorsqu'il se retourna pour voir son visage, elle sentit sa chaleur. Il était solide et fiable à ses côtés. Elle eut envie de s'appuyer contre lui. Elle souhaita pouvoir se laisser tout simplement aller, se donner à lui, le laisser la guider et la réconforter.

Elle bougea imperceptiblement la tête et Will la serra plus fort contre lui. Un instant, un seul instant, il sentit son abandon et il la tint avec toute la tendresse que l'on accorde à un enfant effrayé. Sa main caressa ses cheveux.

Puis elle se raidit, se redressa en secouant la tête, et tapota son bras avec une affection distante.

— Allez, Will. Tu n'es pas mon thérapeute, ni mon travailleur social. Ce n'est pas la peine de prendre cette voix de sollicitude.

Elle se dégagea, comme frappée par la dureté de ses

propres paroles. Puis elle attrapa un chiffon et entreprit d'essuyer la table.

— Excuse-moi. Ce n'est pas… ce n'est pas ce que tu crois, reprit-elle, le nez dans les miettes qu'elle recueillait au creux de sa main. Je ne peux pas. Mais ça va. Vraiment.

Elle sentit la brève pression de sa main sur son bras, puis il se tourna vers l'évier et recouvrit le silence du bruit rassurant de la vaisselle.

Elle lui demanda la permission d'utiliser son téléphone pour écouter les messages de son répondeur.

— Mais bien sûr. Tu n'as pas à demander.

Il y avait un appel de Viv : « Oh, pardon ! J'avais oublié que tu passais cinq jours à faire la fête avec la huitième merveille du monde. Nous sommes en manque de potins et de poulet au citron. Ne m'oublie pas sous prétexte que tu as rencontré l'âme sœur. »

Un nouveau message de son père suivait. Il attendait toujours la réponse à son message précédent. Elle demanda à Will la permission de lui téléphoner.

— Tu es très polie, fit-il remarquer avec amusement. Je n'arrête pas de te le dire : fais comme chez toi.

— Salut, papa. C'est moi.

Elle couvrit le combiné avec sa main et chuchota à Will :

— Ce ne sera pas long.

— Prends tout ton temps, on n'est pas pressés, répondit ce dernier.

Elle remercia d'un mouvement de tête et lui envoya un baiser.

— Non, c'est juste que je téléphone de chez quelqu'un, annonça-t-elle à Gerald.

Elle entendit les commentaires de Will, articulés depuis la cuisine d'une voix suffisamment forte pour qu'elle les entende :

237

— Oui, les parents, c'est moi. Je suis chez « quelqu'un ».
Pas chez mon « copain », pas chez « mon petit ami », pas
chez « Will », non, chez « quelqu'un ». Elle m'aime, oh oui !

Très bien, elle allait très bien… elle se plaisait bien dans
la maison… Justement, l'artisan était là pour s'occuper de
l'humidité… Dans quelques jours, ce serait fini et elle
pourrait défaire ses cartons et vivre enfin comme une
personne civilisée… Oui, le boulot marchait bien, un peu
bête, mais ça payait le crédit et les croissants… La peinture, oh oui, beaucoup mieux qu'elle ne le croyait ; finalement, elle était moins rouillée qu'elle ne le pensait… Mais
non, que tu es bête, pas assez bonne pour ça… Oui, bien
sûr, elle les lui montrerait.

— Et pourquoi moi, je n'ai pas le droit de les voir ?
intervint Will de loin.

— De quoi je me mêle ? lui cria-t-elle. Fais plutôt le
thé ! Oh, c'est Will, répondit-elle à son père. Eh bien…
c'est… enfin… hum… oui, oui.

Mieux valait l'admettre. Elle ne pouvait mettre indéfini-
ment le sujet de côté.

— Ça fait un petit moment. Au départ, il est venu pour
s'occuper du jardin, qui, soit dit en passant, ajouta-t-elle
en voyant le jardinier entrer dans la pièce chargé de deux
tasses de thé, a un besoin urgent de soin. Il ne fait pas face à
ses obligations.

Will vint se placer derrière elle, la prit dans ses bras en lui
chuchotant à l'oreille :

— C'est parce qu'on m'en détourne sans arrêt.

Elle le repoussa et lui fit signe de s'éloigner.

— Oui, oui, il est…

Will, derrière elle, voulut savoir :

— Il est quoi ? Il est quoi ? Superbe ? Délicieux ?
L'homme le plus génial de la planète ?

— Il est ici ! cria-t-elle à son intention.

Will fronça le nez.

— Non, non, ne saute pas au plafond, papa. Ce n'est pas à l'ordre du jour.

— Quoi ? Qu'est-ce qui n'est pas à l'ordre du jour ? intervint à nouveau Will en lui mordillant le cou.

Bella couvrit l'appareil.

— Va-t'en, arrête de m'embêter ! J'essaie d'avoir une conversation raisonnable avec mon cher papa.

Will fourra sa langue dans son oreille et la lécha à grand bruit. Elle attrapa sa manche et s'en servit pour s'essuyer.

— Tu es dégoûtant, lui dit-elle en bougeant les lèvres sans parler.

— Je sais, admit-il en souriant.

Elle baissa la voix et lui tourna le dos.

— Drôle, il adore plaisanter... oui... hum... très brillant, délicat, direct. Pas bête, non plus. Il est pas mal.

Will se mit dans son angle de vision et lui dédia un sourire radieux. Elle le repoussa.

— Non, non, pas du tout, répondit-elle en éclatant de rire.

Il y eut une pause. Une longue pause. Elle fronça les sourcils.

— En ce moment, ce n'est pas facile. Il est très occupé.

— C'est pas vrai ! protesta Will.

La voix de Bella baissa de nouveau. Will essaya de se rapprocher pour entendre, mais elle le tint à distance.

— Tu sais bien que oui ! Tu la connais !... Ça ne fera que le rebuter, et après, elle fera semblant d'être surprise... Mmm... Tu dis ça à chaque fois. Bon, je vais réfléchir. Je ne promets rien. Mouais. Salut, papa, salut.

Will la regarda, bras croisés.

— Ils veulent faire ma connaissance, c'est ça ? Tu ne pourras pas me cacher éternellement.

— C'est tout le contraire, espèce d'idiot ! Je te protège d'eux. D'elle. On ira, si tu insistes, mais ne me fais pas de reproches si ça foire. Bon, je peux aller prendre un bain ? demanda-t-elle, en s'avançant vers l'escalier.

— Ça fait quarante-cinq fois que je te dis que ce n'est pas la peine de demander. D'accord, mais seulement si je peux monter avec toi et t'agresser avec mon canard en caoutchouc.

— Ah bon ? Je ne savais pas que ça s'appelait comme ça.

— J'ai pensé à toi cette nuit, mais tu ne peux pas savoir comme c'était hard...

Will posa un verre de rosé frais sur le ventre de Bella, étendue dans son bain.

— Raconte-moi.

— Tu veux que je te raconte mon fantasme ? Tu es sûre ? C'est hard, tu sais.

Elle hocha la tête.

— Il fait très, très chaud et ça fait des heures que je marche à travers les collines. J'arrive enfin dans une prairie où l'herbe est très haute et ondule sous le vent. Au loin, de l'autre côté, je distingue une tache de couleur... C'est une couverture orange étalée par terre, avec une silhouette en robe blanche étendue dessus. Je me fraie un chemin à travers les herbes, et je m'arrête à quelques mètres. J'ai très soif, mais il n'y a que toi qui m'intéresses. Tes cheveux m'empêchent de bien voir ton visage, tes paupières s'agitent comme si tu rêvais. Un souffle de vent chaud soulève ta robe et dévoile tes jambes. Pendant un bref instant, j'ai la chance d'apercevoir une petite tache blanche en haut de tes cuisses, puis ta robe redescend.

« Je ne veux pas attirer ton attention, mais j'ai très chaud et je vois que tu as un sac réfrigérant à côté de toi. Peut-être y a-t-il de l'eau à l'intérieur ? Je me mets à chanter tout bas pour te réveiller en douceur : "... the girl from Ipanema..." Tes yeux s'ouvrent en papillotant, je te rassure, tu me donnes de l'eau fraîche, tu me fais signe de m'asseoir à côté de toi. Engourdis par le soleil, nous nous étendons sur la couverture. Doucement, ta main caresse mes flancs et ma poitrine. Tu commences à déboutonner ma chemise en me disant, que, par cette chaleur... tu verses un peu d'eau dans le creux de ta main et tu me frottes le torse. La fraîcheur me fait du bien.

« "Moi aussi, j'ai chaud, dis-tu. Il faut que tu me rafraîchisses..."

« Je m'agenouille à côté de toi et j'asperge ta robe avec un peu d'eau. Le vêtement humide colle à ta peau et moule tes formes pulpeuses. "Souffle-moi dessus", me demandes-tu. Je commence par tes pieds ; je souffle entre tes orteils, sous la plante, autour des chevilles. Tu murmures des mots qui se mêlent à la brise, au chuchotement de l'herbe.

« Quand j'arrive au-dessus de tes genoux, tu trembles et tes jambes se séparent un peu. "Encore, dis-je en soufflant le long de tes cuisses, ouvre-toi pour moi." Le V de tes jambes s'élargit et me souhaite la bienvenue. Je souffle doucement, et c'est alors qu'en inspirant je sens ton parfum. Enivrant. Je ne peux pas résister. Ma langue joue à l'intérieur de ta cuisse et monte de plus en plus. J'appuie mes lèvres contre toi. La douceur de ta peau est un velours pour ma joue, mon menton.

« Je passe la tête sous l'auvent blanc de ta robe. Je suis tout près de toi maintenant. Je vois ton slip humide et collant. Je veux l'enlever, je tire dessus avec mes dents... mais d'abord, je vais reprendre mon petit jeu. Tes murmures commencent à ressembler à des gémissements. Finalement, tu te soulèves contre moi, tu te places contre ma bouche et je... Bella ?

Bella s'était redressée précipitamment dans son bain, aspergeant le bord de la baignoire. Elle s'assit devant lui pour l'embrasser avidement. Il l'attrapa et l'attira contre lui.

— Excuse-moi si je te mouille, dit Bella en tirant sur sa ceinture pour la défaire.

Il passa sa main entre ses jambes.

— Oh, je t'excuse ! souffla-t-il en la couchant sur le sol de la salle de bains.

Ils parlèrent jusqu'à une heure avancée de la nuit. Will lui demanda de laisser la lumière de la lampe de chevet allumée.

— Je veux voir ton visage, lui expliqua-t-il en caressant son bras du bout des doigts. C'est drôle, poursuivit-il, parfois, je me demande si tu es vraiment là. Dans ces cas-là, j'ai envie de te dire que tu me manques, mais ça paraîtrait idiot, puisque tu es dans la même pièce que moi. Euh... excuse-moi si je t'ai fâchée, tout à l'heure. A propos de Patrick. J'aurais préféré que tu m'en parles avant.

— Je pense que tu n'as pas envie de m'entendre discourir sur mes ex.

— Il ne s'agit pas de discourir. On a tous un passé.

— Ecoute, Will, tu ne voudrais tout de même pas que je fasse des comparaisons : « Oh, Patrick faisait comme ça... Cet after-shave ne sentait pas du tout pareil sur Patrick... Patrick aimait beaucoup que je lui fasse ça au lit... »

— Merci, Bella. Je me demande pourquoi tu réagis comme ça. Tu sais très bien que ce n'est pas ce que je voulais dire. Je ne sais pas... tu te défiles.

— Ah bon, je me défile ? Eh ben voilà, tout s'explique ! Je suis contente qu'on ait fini par mettre le doigt sur le problème.

— Tu vois, maintenant, tu prends ta voix de princesse des glaces. J'ai toujours le sentiment de te faire subir un interrogatoire à chaque fois que je te pose une question ;

comme si tu avais fait serment de ne jamais divulguer tes sentiments. Tu sais, tu peux me raconter des choses.

— Il n'y a rien à raconter.

Il soupira.

— Est-ce que je peux juste te demander... il doit te manquer, non ?

Dans son esprit, elle voit Patrick qui l'observe ; son visage est à demi plongé dans la pénombre, son expression impénétrable. Il ne parle pas.

— Ce n'est pas... tu ne... tu ne pourrais pas comprendre. Excuse-moi.

— Si, je peux comprendre. J'ai perdu mon beau-père, tu te souviens ? Je sais ce qu'est le deuil. Pourquoi ne me laisses-tu pas essayer, au moins ? Comment peux-tu le savoir si tu ne veux pas me parler ?

— Will, s'il te plaît, non.

Elle ferma les yeux et s'adressa silencieusement à Patrick : Patrick, s'il te plaît, non.

— Excuse-moi, Bella, excuse-moi. Pour rien au monde je ne voudrais te blesser. Je suis égoïste, je sais... Mais je voudrais simplement que tu m'aimes... autant que tu sembles l'avoir aimé, lui.

Elle secoua imperceptiblement la tête, puis ses paupières tremblèrent et elle ne dit plus rien. Elle sentit son doux baiser sur son front, elle entendit son soupir étouffé.

Il tendit le bras pour éteindre la lumière et elle l'entendit murmurer dans le noir :

— J'aimerais tant te connaître vraiment.

22

Après une huitaine de jours, et non pas les cinq promis, l'humidité fut enfin vaincue, les murs replâtrés et peints ; elle n'eut aucune excuse pour ne pas retourner chez elle.

Elle refit son sac, décrocha sa robe et ses corsages qui pendaient sur les cintres dans l'armoire de Will, sortit sa lingerie du tiroir. A présent, elle savait qu'elle avait commis une erreur en venant habiter chez lui ; elle savait que, désormais, les choses seraient sûrement pires.

Elle ramassa ses affaires dans la salle de bains, remonta la fermeture de sa trousse de toilette sous l'œil de Will.

— Allez, mon petit chou. J'ai l'impression d'assister à un départ pour cause de divorce. Tu n'as pas besoin de tout prendre. Laisse quelques petites choses ici. Tiens, je te fais de la place, dit-il en poussant son déodorant et sa mousse à raser.

Elle posa la main sur son bras.

— Merci, Will, merci beaucoup. Mais ce n'est pas nécessaire. J'ai besoin d'avoir mes affaires chez moi.

— Je... enfin... j'ai pensé que... peut-être...

Elle se dressa sur la pointe des pieds pour lui fermer la bouche d'un baiser.

— Viens chez moi ce week-end. A mon tour de te gâter. De toute façon, j'ai envie de peindre ton portrait. Et tu pourras m'aider à déballer ces maudits cartons.

Il l'enveloppa dans ses bras.

— Si tu as vraiment envie de me gâter, peux-tu me refaire du canard ? Avec la sauce ?

— Tu m'écrases. Oui, je vais te faire ton canard, mais, en contrepartie, tu auras une corvée de cartons supplémentaire.

— Marché conclu. Et n'oublie pas ta promesse.

— Non. Quelle promesse ?

— Je savais que tu répondrais comme ça. A propos des galeries. Tu m'as dit que tu montrerais tes tableaux.

— Oui, oui, je le ferai. Le moment venu. Il n'y a pas le feu. Ne commence pas.

— Si, il y a le feu. La vie est courte, tu sais.

Bella cligna des yeux.

— Excuse-moi, dit-il. Mais il faut que tu… autrement, je vais être obligé de te sucer les orteils jusqu'à ce que tu demandes grâce.

Le vendredi suivant, Will vint la prendre à son travail.

— Alors ? s'enquit-il en haussant des sourcils interrogateurs.

— Quoi ?

— Tu es allée voir les galeries ?

Elle lui répondit brièvement. Oui, elle l'avait fait, aussi le priait-elle d'arrêter de la tanner avec ça. Elle avait essayé de prendre rendez-vous, mais, à deux endroits, on lui avait dit de passer avec ses œuvres, à tout hasard ; la troisième galerie lui avait opposé une fin de non-recevoir.

A la première galerie, la directrice avait jugé sa peinture « de belle facture, et même de très belle facture, mais légèrement dérangeante ». Elle préférait les natures mortes, les paysages, les scènes d'intérieur plus conventionnelles.

A la deuxième, la personne responsable était absente pour une semaine. On lui avait proposé de laisser deux ou trois tableaux pour qu'elle les examine à son retour, mais Bella avait décliné.

— Es-tu allée voir chez, comment s'appelle-t-elle, déjà ? Mackie ou quelque chose comme ça ? La plus cotée ?

— MacIntyre Arts. Non. Pour quoi faire ?

Will haussa les épaules.

— Qu'est-ce que tu as à perdre ? Ne sois pas si négative. Ils accrochent bien des tableaux aux murs, alors, pourquoi pas les tiens ? On pourrait y aller maintenant, juste pour voir.

Il s'arrêta, bouchant le passage sur l'étroit trottoir.

— Non, on ne peut pas y aller. Pourquoi tu t'arrêtes ? Tu ne peux pas marcher et parler en même temps ? Ça décharge tes batteries ?

— Oui, parfaitement. Je m'arrête parce que je veux voir ton visage quand tu parles. Tu ne veux pas me montrer un de tes tableaux maintenant, comme ça, en passant ?

— Non, non !

— Rien qu'un ?

— Non.

— Un petit, un tout petit ?

— Bon sang ! Qu'est-ce que tu es têtu ! O.K., mais pas de commentaires à la con, s'il te plaît !

— Mais c'est renversant ! s'écria-t-il en tenant une petite toile à la lumière pour mieux voir.

— Pourquoi ce « mais » ? Je ne pensais pas que tu serais surpris à ce point !

— Arrête de m'embêter. Je ne suis pas surpris qu'ils soient si bien, espèce de petite parano. Mais je n'arrive pas à croire qu'on puisse créer des choses aussi belles... aussi puissantes... et j'ai envie de les garder pour moi. J'adore les couleurs. Je suis content d'avoir insisté pour que tu ailles voir les galeries. Tu es complètement dingue.

— Merci pour ton soutien.

— Tu dois absolument essayer cette fameuse galerie. Tu le sais, hein ? Si tu ne le fais pas, si tu exposes dans n'importe quelle galerie de troisième ordre, tu te reprocheras toujours de ne pas avoir fait ce que tu voulais vraiment, de n'avoir même pas tenté le coup.

— Mais ça ne me travaille pas tant que ça, tu sais. Je serais contente de les exposer, quel que soit l'endroit.

Il eut un petit rire moqueur.

— Mais oui, c'est ça, je te crois. Bon, regarde celui-ci…

— Oui, j'ai vu. C'est moi qui l'ai peint.

— Il me donne presque la chair de poule, poursuivit-il sans tenir compte de son persiflage. Dans le bon sens. Il dégage quelque chose de feutré, avec cette lumière et cette ombre, là. Ça me donne envie de baisser la voix ; la femme a l'air si triste. Non, pas vraiment triste. Abandonnée, plutôt… Et ces pavés, creusés par les pas. C'est la cathédrale ? Curieux. Par certains côtés, on dirait la cathédrale, mais on a plutôt l'impression d'être ailleurs, dans une sorte de rêve.

— Bravo, tu as tout compris. C'est une fusion, une synthèse entre la réalité et l'imagination. Comme toutes les peintures, en quelque sorte ; la façon dont on voit le monde ne correspond jamais à la réalité.

— Donc, tu peins ce que tu vois à l'intérieur de ta tête ?

Elle opina du chef.

Lundi, à l'heure du déjeuner.

Elle resta un long moment devant la vitrine. Bon, vraiment très bon, ce qui était exposé : un excellent portrait de femme à l'air légèrement contrarié, une huile de facture plutôt originale ; deux petits nus au pastel ; un ensemble de quatre paysages sur bois, magnifiquement stylisés, achevés.

Elle essaya de distinguer l'intérieur.

— Vous entrez ? s'enquit un homme d'âge moyen, vêtu de tweed, qui s'apprêtait à franchir le seuil.

— Non, je…

Pourquoi pas ? Maintenant qu'elle était là… Elle n'avait aucune raison de ne pas jeter un coup d'œil.

Elle s'arrêta devant chaque tableau, partagée entre l'enthousiasme (C'est superbe !) et le découragement (Je n'ai absolument aucune chance !). Il fallait qu'elle amène Will. « Oh, regarde ça, et ça, et ça ! » avait-elle envie de lui dire.

Une petite céramique émaillée, scintillante comme une pièce de joaillerie, retint son regard.

Même les œuvres qui ne correspondaient pas à son goût étaient réalisées avec maestria. Jamais ils ne prendraient les siennes. Inutile de demander. Son audace les ferait rire, ils la renverraient en lui disant avec embarras : « Mais vous n'êtes que Bella ! Vous n'avez pas bien compris : ici, nous n'exposons que les vrais artistes ! »

L'homme vêtu de tweed s'était arrêté devant le bureau de l'assistant et examinait ce qui semblait être son courrier.

— Bien.

Il se tourna vers elle sans s'interrompre.

— C'est moi que vous êtes venue voir ? dit-il avec un geste du menton vers son carton à dessins. Eh bien, on va regarder ça.

Il tendit la main.

M. MacIntyre passa ses œuvres en revue, hochant la tête sans piper mot. Oh mon Dieu, il n'a même pas trouvé un mot poli à me dire ! s'inquiéta Bella.

C'était horrible, pire que l'école, à l'époque où le maître

lisait sa rédaction. Aurait-elle un blâme ? Lui dirait-il :
« Vous auriez pu faire un effort » ?

Elle concentra toute son attention sur ses orteils, les crispant et les décrispant à l'intérieur de ses chaussures.

Il passa un long moment à examiner les cinq peintures
de la cathédrale qu'elle avait apportées, puis lui demanda
si elle avait autre chose. Oui, plusieurs toiles, plus d'une
douzaine, et quelques aquarelles. Avait-elle l'intention
d'en faire davantage ? Oui, elle travaillait sans relâche.

Il parcourut son calendrier des yeux.

— Nous sommes complets pour les dix mois à venir,
dit-il.

Il l'éconduisait gentiment. Bon. Il ne lui restait plus qu'à
fermer son carton et partir.

— Mais, mais, mais, ajouta-t-il en passant son doigt sur
les dates, c'est vraiment court, mais nous avons une exposition dans trois mois. Trois artistes. Nous en avions prévu
quatre au départ, mais le quatrième fait une dépression
nerveuse. Vous entrez dans le cadre, plaisanta-t-il avec un
petit rire. L'exposition est intitulée « Visions », mais en fait,
on peut y mettre tout ce qu'on veut. Mais ça, dit-il en tapotant son carton, ça, ce sont vraiment des visions. Bien,
réfléchissez-y. Je vous comprendrais si vous teniez à être
exposée seule. Si c'est le cas, nous devrons attendre
l'année prochaine, disons au début de l'automne, et, naturellement, il nous en faudrait beaucoup plus. J'aimerais
venir voir votre travail. Où se trouve votre atelier ?
Appelez-nous demain si vous pouvez. Au plus tard jeudi, et
nous parlerons de l'encadrement, etc.

Cela voulait-il dire qu'il aimait ? C'était ça qu'il avait
dit ? Lui avait-il proposé une exposition avec d'autres ou
avait-elle rêvé ? Si elle lui posait la question, il la prendrait
pour une folle.

Il sourit, et son visage sérieux s'éclaira soudain, rajeuni
de dix ans.

— Au fait, ils sont magnifiques, vraiment, dit-il en hochant la tête. On en reparle demain.

Bella était en « conférence » avec Seline, ce qui signifiait qu'elles bavardaient, mais avec la porte fermée. Elle avait repoussé sa prise de décision tant qu'elle avait pu, mais Seline revenait régulièrement à la charge : était-elle intéressée par un partenariat, l'année suivante, ou non ?

— Je te remercie vraiment de me faire cette proposition...

— Mais tu as décidé de ne pas accepter ? Excuse-moi, mais ce n'est pas une énorme surprise. Je peux te demander pourquoi ?

Bella lui parla de l'exposition et de son désir d'accorder davantage de temps à la peinture.

— Je ne pense pas pouvoir consacrer plus de temps à mon travail ici, expliqua-t-elle. J'aimerais même travailler à mi-temps si c'était possible. Disons.. trois jours par semaine ? Cela me permettrait de me consacrer davantage à ma peinture. Anthony pourrait prendre une partie de mes activités. Il a l'expérience. A moins que tu ne préfères que je démissionne, si tu penses que c'est mieux ?

— Certainement pas ! Tu nous donneras le temps que tu pourras, nous sommes preneurs ! Nous profiterons de toi tant que nous pourrons, avant de te perdre complètement.

Maintenant que les mots avaient été prononcés à haute voix, Bella comprit que l'idée lui trottait dans la tête depuis des mois. Maintenant qu'elle avait parlé, la chose était là, officielle.

Elle accepta de continuer ses horaires habituels pendant deux mois encore, le temps de mettre Anthony au courant de l'art mineur, mais vital, de la diplomatie envers les clients difficiles.

Bella ferma la porte derrière elle. Ai-je vraiment dit ça ?

Ses genoux tremblaient un peu, mais elle se sentait légère et aérienne, prête à s'envoler. Etait-ce parce qu'elle venait de comprendre qu'elle avait fait une bêtise ? Ou bien était-ce dû à quelque chose qui ressemblait à de l'excitation ?

Comme toujours dans ces cas-là, elle fut prise d'un brusque besoin de s'affairer. Elle se réfugia à la cuisine du bureau et entreprit de nettoyer le plan de travail. Puis elle remplit la cafetière électrique. Plantée à côté de la machine, elle écouta les gouttes de café s'écouler en rythme, et aperçut son reflet déformé dans la bouilloire ventrue : c'était une nouvelle Bella, une Bella inconnue.

23

Il était prévu qu'Helen, la sœur de Will, vienne lui rendre visite avec ses deux enfants le dimanche suivant. Bella avait-elle envie de se joindre à eux, pour faire la connaissance de nouveaux membres de la tribu Henderson ?

— Eh bien, ça ne m'arrange pas vraiment. J'ai des tas de trucs à faire.

— Je peux t'aider ?

— Non, tu sais, c'est juste des choses, comme ça...

Will souffla d'un air impressionné.

— Ah bon, des choses ! Parfait. Ça doit être important. Nous feras-tu le coup à chaque fois que je voudrai te faire rencontrer des gens de ma famille ?

— Je travaille sur une peinture, Will. C'est de ta faute. C'est toi qui as eu l'idée de m'envoyer voir la galerie.

— De t'envoyer voir la galerie ? Donc, c'est de ma faute si tu es en danger d'être comblée, de réussir ? Quel salaud ! Je me demande comment tu fais pour me supporter, dit-il en la prenant dans ses bras. Bien sûr, ta peinture passe avant tout, mon chou. C'était simplement comme ça, au cas où tu n'aurais rien eu de spécial...

— Je pourrais peut-être passer juste en coup de vent à l'heure du thé ?

— C'est ça. Bonne idée. Donne-moi les miettes, ce vieux Will ne sera que trop heureux de les ramasser.

— Mais je ne suis pas du tout obligée de venir ! jeta-t-elle, vexée.

— Si, tu es obligée de venir. Tu n'as pas lu les règles concernant le poste de petite amie de Will ? Obligation 1 : m'aimer follement. N° 2 : faire l'amour avec moi comme une bête. N° 3 : faire la connaissance de ma famille. Je t'épargne le n° 54 : faire la connaissance de mes cousins d'Uxbridge, totalement dénués d'intérêt. Pour moi, c'est vraiment important. J'ai envie que deux des personnes que j'aime le plus au monde se rencontrent. Tu ne peux pas comprendre ?

— O.K., O.K., du calme. J'ai dit que je viendrai.

— Hourra, cria la foule en délire ! s'exclama Will en sautant de joie à travers la pièce.

— Quand est-ce que tu deviendras une grande personne ?

— C'est trop tard pour moi, maintenant.

Helen mit son bébé en équilibre sur sa hanche pour pouvoir serrer la main de Bella.

— Excuse-moi, mais je ne me rappelle plus l'époque où j'avais les deux mains libres. Je suis sans arrêt en train d'en porter un, ou d'en retenir un, ou d'en sauver un d'une mort certaine.

Bella regarda le bébé, qui lui rendit son regard.

— Léo, c'est ça ? s'enquit-elle.

— C'est ça. Et l'espèce de singe qui est en train d'essayer de grimper le mont Will est Abigail. Viens dire bonjour, Abby.

Du regard, Abigail fit le tour de la pièce et, détectant une nouvelle tête, cacha sa figure dans la jambe de son oncle.

— Ne le prends pas pour toi. Elle est en train de traverser une crise de timidité.

— Ne t'inquiète pas, la rassura Bella. Je n'ai toujours pas terminé la mienne.

Abigail s'étala par terre, entourée de papier et de crayons. Bella prit le pied de Léo dans sa main et le serra doucement.

— Bonjour, Léo, dit-elle en soufflant comiquement sur ses joues.

Tentative réussie : le bébé sourit.

— Ça ne te fait rien de le tenir un peu ? Mon Dieu, qu'est-ce qu'il est lourd, maintenant. Je vais sortir les tasses.

Il était plus lourd qu'il n'en avait l'air, pour une si petite personne. Comment des mains pouvaient-elles être si minuscules tout en étant de vraies mains ? Avec des ongles miniatures, des répliques parfaites de la réalité, comme créées par un apprenti artiste avant de se lancer dans la taille définitive. Le bébé attrapa son doigt tendu avec une force surprenante.

— Ah, il a une sacrée poigne ! commenta Will. Regarde, j'en ai perdu un la semaine dernière.

Il leva sa main en gardant un doigt baissé.

La figure du bébé, soudain toute triste, se plissa comme s'il allait pleurer. Bella se mit à le bercer doucement et entonna doucement une berceuse :

— Dors, petit bébé, la la la …

Léo s'apaisa et sourit paresseusement, prêt à s'endormir.

Elle leva la tête et ses yeux rencontrèrent ceux de Will. Ils ne dirent mot, ni l'un ni l'autre.

Helen revint avec les tasses.

— Tu t'en débarrasses, s'il est trop lourd. Oh, tu lui plais. Normalement, il devrait déjà être en train de hurler, c'est pas vrai, mon gros ? dit-elle en posant un doigt tendre sur le petit nez de son bébé.

Puis elle servit le thé.

— Alors, as-tu l'intention de te lancer dans cette aventure démente ? Tu piaffes d'impatience à l'idée de connaître les joies de la maternité, ou tu es assez raisonnable pour profiter au maximum du calme de ton existence ? Je dois reconnaître que la maternité, c'est pas mal, si tu acceptes d'être envahie par les mauvaises herbes et d'être crevée au point de ne plus savoir comment tu t'appelles.

— Je ne sais pas si je serais une mère à la hauteur...

— Mais si ! se récria Will.

Helen leva des sourcils interrogateurs sur Bella.

— C'est la déprime ?

Will reprit, avec un peu moins de véhémence :

— Qu'est-ce que ça veut dire ? Tu serais une mère géniale. Je ne comprends pas pourquoi tu dis ça.

— Oh, je suis sûre que je bâclerais l'éducation de mes enfants et qu'ils m'en voudraient une fois adultes... il leur faudrait des dizaines d'années de thérapie. Et après, ils m'enverraient la facture. Ou alors, je serais trop anxieuse et je les surprotégerais. Ça a l'air si fragile. Je ne pourrais pas le supporter. Je passerais mes nuits à vérifier qu'ils respirent toujours.

— Crois-moi, après quelques nuits sans sommeil, tu te retrouverais à piquer un roupillon au beau milieu du supermarché. Mais, tu sais, les bébés sont plus costauds qu'ils n'en ont l'air. D'accord, c'est un souci. Maman dit même qu'elle continue à s'inquiéter pour nous, et tu vois quel âge il a ! dit-elle avec un hochement de tête vers Will. Et tes parents à toi, c'est quel genre ? Le genre envahissant, ou le genre famille anglaise typique, qui se voit deux fois par an ?

— Papa serait assez du genre envahissant. Ma mère

aime se mêler de ma vie, mais elle évite de me le faire trop sentir, ce qui fait qu'elle évolue sur la corde raide et elle s'en sort bien. Mais il faut des années de pratique pour en arriver là. Elle serait enchantée que je me fixe : elle serait enfin débarrassée de moi. Elle a tellement peur de me voir finir vieille fille !

Léo se mit à pleurer et Helen le récupéra en le tenant serré contre elle.

— Oh, allez, dit Will, tu n'exagères pas un peu ?

— C'est la vérité. Ça oui, elle s'inquiète pour moi, mais si elle n'a pas envie que je me fasse écraser par un camion demain, c'est uniquement pour ne pas subir les regards apitoyés des voisins.

— C'est terrible, ce que tu dis, lui fit remarquer Will d'une voix sourde.

Helen ne fit pas de commentaire.

— Je n'arrive pas à croire que tu aies dit une chose pareille, reprit Will, l'air sonné.

Bella haussa les épaules. Elle avait voulu faire de l'humour, mais ces paroles prononcées à haute voix n'avaient rien de drôle, mais alors, rien du tout.

— Tu as l'air de lui en vouloir beaucoup.

— Je ne suis pas venue ici pour être analysée. Ne prends pas ton air protecteur, Will.

Helen remplit à nouveau leurs tasses.

— Ça ne me regarde pas, dit-elle, mais si j'avais l'impression que ma mère ne s'intéresse pas à moi, je lui en voudrais. Toi aussi, Will, j'en suis sûre. Si tu veux, nous sommes d'accord pour partager notre mère avec toi, Bella. Elle te porte aux nues. Il n'y en avait que pour toi, après ta visite. On en a eu pour des heures, au point que ça m'a rendue jalouse.

Bella se demanda si elle éprouvait vraiment un tel ressentiment envers sa mère. Elle ne le savait pas. Sa mère... Le simple mot de « Maman » paraissait curieux, trop popote, trop femme d'intérieur, appliqué à Alessandra. Sûrement celle-ci ne s'y était-elle résignée que contrainte et forcée. Mais lorsque vous n'avez aucun point de comparaison, les choses et les comportements vous semblent normaux. C'est lorsque l'on est confronté à la différence que l'on commence à se poser des questions.

Elle est invitée chez Sara pour le thé. Ils ont mangé des sandwiches aux œufs. Le pain était blanc, moelleux et duveteux, servi sans la croûte. Maintenant, ils ont chacun un gâteau magique, recouvert de très petites dragées, et du sirop d'orgeat servi dans un verre décoré de ronds rouges et jaunes. Pendant qu'ils mangent leur gâteau, les petites dragées n'arrêtent pas de tomber dans leurs assiettes en produisant un léger son crépitant, un son de pluie multicolore. En riant, Sara tend la main pour essayer d'attraper les bonbons de Bella du bout de son doigt léché. Bella se penche au-dessus de l'assiette de son amie pour faire de même. En tendant la main, elle renverse son verre de sirop d'orgeat. Sara pousse un cri en voyant la boisson asperger la table et couler par terre.

Bella retient son souffle. La mère de Sara va la traiter de maladroite, elle va lui crier après. Elle va la faire descendre de sa chaise et la chasser de la cuisine. Bella va devoir se réfugier dans le jardin, pour se cacher derrière le buisson aux fleurs violettes, là où jouent les papillons.

La maman de Sara nettoie la table avec un chiffon.

— Oh là ! dit-elle. Ce n'est rien.

Elle prépare un nouveau verre de sirop d'orgeat et le lui donne.

Bella la regarde, dans l'expectative, sans oser respirer. C'est maintenant que ça va se passer.

— Il est bon, le gâteau, hein ? demande la maman de Sara.

Bella hoche lentement la tête et se met à ramasser les dragées pour les manger une à une.

— Un jour, je suis allée voir mon père. Notre vrai père. Tu te souviens, Will ? demanda Helen.

Ce dernier fit signe que oui.

— Je lui en ai voulu pendant des années. Vraiment. Il n'a pratiquement jamais fait aucun effort pour nous voir après avoir quitté maman. Nous avions Hugh, qui était adorable, mais j'avais envie que mon vrai père veuille de moi, lui aussi. Je suis allée le voir dans le Yorkshire, je devais avoir dix-huit ans environ. Maman m'a donné l'argent du voyage. Elle n'a sûrement pas sauté de joie à cette idée, mais elle n'a pas essayé de me dissuader. J'avais besoin de le voir, elle le savait.

— Et alors, il était comment ? demanda Bella.

— Il était... assez pathétique, en fait. Un incapable, quelqu'un de pas tout à fait adulte. On n'était absolument pas sur la même longueur d'ondes. Il m'a embrassée sans vraiment m'embrasser, et moi, il m'a fait pitié, c'est tout. Il ne valait pas le coup que je perde mon énergie à lui en vouloir. Et là, j'ai compris que c'était lui qui était passé à côté d'un tas de choses en ne nous connaissant pas. Et qu'il ne rattraperait jamais ces années. J'ai décidé de ne plus m'en faire pour tout ça, et, maintenant, je me contente de lui envoyer une carte de temps en temps. Je le considère comme un oncle éloigné, pas plus. Hugh me manque bien davantage.

Léo s'était endormi. Sa petite figure était complètement détendue. Helen le déposa avec précaution entre deux coussins sur le canapé et s'assit à côté de lui.

— As-tu déjà essayé de parler de tout ça avec ta mère, de lui décrire la façon dont tu la vois ? demanda-t-elle.

— A quoi ça servirait ? Elle ne va pas changer d'un coup

de baguette magique simplement parce que je le lui demanderais.

— Non, bien sûr. Ce n'est pas ce que je voulais dire. Mais tu devrais. En lui parlant, tu comprendrais peut-être pourquoi elle est comme ça. Qu'est-ce que tu as à perdre ?

Abigail vint chuchoter quelque chose à l'oreille d'Helen.

— Tu peux parler tout haut, ma chérie. Qu'est-ce qu'il y a ?

Mais la petite fille chuchota de plus belle.

— Demande-lui. Je suis sûre qu'elle voudra bien.

Trop timide pour formuler sa requête à voix haute, Abigail se contenta de tirer sa mère par la manche.

— Bella, tu veux bien regarder le dessin d'Abigail ? J'ai l'impression qu'elle est à la recherche d'une nouvelle admiratrice.

Pendant qu'Helen donnait son biberon à Léo et que Will faisait la vaisselle, Bella et Abby s'allongèrent par terre, munies de crayons.

— Que veux-tu qu'on dessine, maintenant ? demanda Bella.

— Moi. Dessine-moi.

Une Abby stylisée prit dûment forme sur la page blanche, dotée d'une masse de cheveux dressés, à la Will, d'une salopette rouge vif et d'un tee-shirt bleu.

— Tu veux qu'on dessine ton petit frère aussi ?

Abby réfléchit en suçant sa lèvre.

— Non, répondit-elle.

Bella éclata de rire.

— D'accord.

En partant, Abby offrit un dessin à Bella : son portrait, avec des yeux immenses et un sourire écarlate.

— Merci beaucoup. Je vais le mettre dans mon atelier. Il

faudra que tu viennes me voir bientôt pour que nous puissions en faire d'autres.

— Tu vois comme elle a bien saisi tes cheveux, dit Will.

La tête du personnage dessiné par la petite fille était recouverte d'un enchevêtrement de traits ressemblant à un tricot défait.

— Oh, ça va, toi ! protesta Bella en lui pinçant le bras. Je suis contente d'être venue. Merci.

— Je le savais. Qu'est-ce que tu fais maintenant ? Tu files faire tes trucs ou tu m'accordes quelques instants supplémentaires ?

Elle consulta sa montre.

— Hum, hum. Il faudrait que je rentre.

— Ça ne peut pas attendre ? J'ai quelque chose à te montrer... là haut, précisa-t-il en la guidant vers l'escalier.

— Oh, ça, je m'en doute. O.K. A condition que je puisse regarder *Jane Eyre* ici. Ça commence dans quarante minutes.

— Toi alors ! s'exclama-t-il en la poussant sur les marches. Quatre minutes suffiront. On ne va pas perdre notre temps en préliminaires, on se connaît trop bien, maintenant.

Il se mit à déboutonner sa robe.

— Parfait, mon chéri. Je me couche sur le dos et je te laisse prendre ton plaisir.

Sa robe tomba sur le sol.

— Quarante minutes ? Ecoute, à la fin, elle réussit à l'avoir... allez, maintenant que tu connais la fin, ce n'est plus la peine de regarder *Jane Eyre*.

Il la mena vers la salle de bains.

— Viens prendre une douche avec moi.

Une multitude de petites rigoles d'eau coulaient sur la poitrine de Will. Bella savonna ses mains et les passa sur ses jambes, suivit le galbe de ses fesses... D'un bras, il la plaqua contre lui et, de sa main libre, fit glisser le morceau de savon sur ses seins, caressa sa peau, son ventre, introduisit son doigt dans son nombril. Il la retourna, la maintint fermement, l'enveloppa, fit voleter ses doigts sur sa peau, sur sa chair. Elle s'écrasa contre lui et posa la tête sur sa poitrine, la caressant de sa chevelure mouillée... Elle tendit la main derrière elle pour le toucher, sentit son souffle, très chaud tout à coup, sur sa nuque. Sa main descendit. Il guida son autre main entre ses cuisses.

— Continue un peu sans moi. Je reviens tout de suite.

Il sortit précipitamment de la douche. Elle l'entendit farfouiller dans la chambre. Un bruit de tiroirs qu'on ouvre et referme.

— Où sont ces saloperies ?

— Sous l'oreiller !

Il revint en courant dans la salle de bains.

— Ça va, tu t'amuses bien ? Je peux en profiter aussi ?

— Allez, viens, espèce de fou.

Il la rejoignit et elle s'appuya fort contre lui.

— Bon, on en était où ? demanda-t-il.

Ils étaient couchés dans un fouillis de serviettes, d'oreillers et de couette.

— Ma puce ? murmura Will en se tournant vers elle.

— Oui ?

Elle se tortilla pour lui faire face, puis tendit la main vers sa joue.

— Je...

Il lui posa un baiser sur le nez.

— ... t'aime...

Un autre baiser.

— ... énormément.

Un baiser.

— Enormément ?

Elle se blottit contre lui et frotta sa figure contre sa poitrine.

— Oui. Enormément. Je sais que tout ça a été... c'est vrai, non ?... très rapide et très intense ; pas seulement l'amour, qui est intense, mais pas trop rapide, j'espère, et, de toute façon, ce qui se passe, c'est que...

— Va droit au but, Will. Tu te perds.

— Oui, c'est vrai. Je me perds. Je voudrais te dire quelque chose, mais je ne veux pas que tu prennes peur.

— Moi ? Je n'ai jamais peur. Comme Davy Crockett. « Davy, Davy Crockett, l'homme qui n'a jamais peur ! » chantonna-t-elle.

— Non, l'interrompit-il en lui secouant doucement le bras. Ne chante pas.

— Oh là là ! Donc, c'est sérieux ?

Elle mordit l'intérieur de ses joues.

— Tu vois ? Je suis raisonnable.

Will hocha la tête.

— Je n'ai pas envie que tu t'enfuies en courant. Tu connais mes sentiments envers toi.

Il lui prit la main et baissa les yeux sur ses doigts, qu'il écrasa dans les siens. Il fit passer son pouce sur ses jointures, sur ses ongles, comme s'il ne les avait jamais vus avant, puis il releva la tête et la regarda droit dans les yeux.

— Je veux t'épouser.

Pendant une fraction de seconde, elle se sentit submergée de chaleur. Pendant une fraction de seconde, ses yeux brillèrent, et des larmes s'amoncelèrent doucement sous ses paupières.

Oui, oui. Aime-moi, épouse-moi. Oui.

Puis un souffle froid lui glaça la nuque. Elle frissonna. Sa peau devint moite, elle se sentit pâlir, sa bouche s'assécha. Elle ferma les yeux. Et elle vit Patrick qui lui tournait le dos. Mais elle n'osa pas tendre la main vers lui. Que

262

lirait-elle dans ses yeux ? Elle ouvrit et referma les poings et enfonça ses ongles dans les paumes de ses mains.

— Dis, ton silence signifie-t-il qu'il te faut un peu de temps pour y réfléchir ? Ou que la surprise te laisse sans voix ? Ou alors il veut dire « oui », mais tu fais celle qui ne se donne pas aussi facilement ?

— Ce n'est pas une chose à faire.

— J'avais l'impression qu'on était sur la même longueur d'ondes. Merde, je savais que je n'aurais pas dû me précipiter. J'ai la tête dure. Oublie ce que j'ai dit.

— Comment veux-tu que j'oublie ? C'est bien, vraiment. Je suis flattée. Simplement, je ne suis pas encore sûre de moi. Désolée.

Pourquoi ne parvenait-elle pas à formuler son désir ? Oui, oui. Aime-moi, épouse-moi. Oui.

Il parvint à sourire.

— Est-ce que je peux au moins te demander d'y réfléchir ? Plus tard, le moment venu, comme tu dis.

— Le moment venu.

Elle sourit et l'embrassa sur la joue, avant d'ajouter :

— Merci.

— Tu vas arrêter d'être aussi polie ? Allez, viens, fais-moi un câlin. Comme prix de consolation.

Le lundi suivant, elle retrouva Viv à l'heure du déjeuner. Elles s'installèrent sur un banc avec leurs sandwiches.

— Oh, oh, tu as un regard bizarrement figé, constata Viv en se rapprochant pour la scruter de plus près. Qu'est-ce qui se passe ? Tu ne t'es pas disputée avec Will, j'espère ?

— Non, non, la rassura Bella. C'est tout le contraire. Il m'a fait une proposition.

— Une proposition ? Genre de se marier, par exemple ?

— Non, il m'a proposé de se mettre à forer dans mon jardin pour essayer de trouver du pétrole. Evidemment, de se marier ! C'est si ridicule que ça ?

— Mais non, c'est génial ! s'exclama Viv en serrant son amie dans ses bras. Ça me fait tellement plaisir ! Tu le sais ! Oh, un mariage ! Je vais pleurer.

Elle prit une bouchée de sandwich et se mit à mâcher lentement.

— Dis-moi... tu ne devrais pas avoir l'air un peu plus guillerette ? Tu as dit oui, ma poule ?

— Non, pas que je sache.

Viv s'arrêta de mâcher.

— J'ai mal entendu.

— Ça me tue, ça. Et moi qui croyais que vous étiez tous du genre raisonnable... surtout, ne te précipite pas... prends ton temps... c'est un décision importante, tout ça, tout ça. Et vous deux, nom d'une pipe, ça fait combien de temps que vous êtes ensemble ? Quatre ans ? Cinq ans ? Et je n'ai toujours pas été invitée au mariage !

Viv rougit.

— Excuse-moi, dit Bella, c'était déplacé.

Viv ne voulait pas épouser Nick pour la seule et unique raison que le mariage serait inévitablement boycotté par l'un de ses parents. Dix-huit ans après leur difficile divorce, ils refusaient toujours de se retrouver ensemble dans la même pièce.

Viv haussa les épaules.

— Ça n'a rien à voir. Mais dis-moi pourquoi tu l'as envoyé balader.

— Je sais pas, Viv, répondit Bella avec un embarras visible.

— Bel ? C'est... ? Euh, c'est à cause de Patrick ? Oh, ma poule... je suis désolée.

Bella secoua la tête et ferma les yeux en serrant bien fort les paupières.

— Je ne sais pas, je ne sais pas. Je ne peux pas, c'est tout. Je ne peux pas...

— Bella, je peux te demander une faveur ? lui cria Will depuis la cuisine.

— Bien sûr. Pourquoi tant de précautions ? s'enquit-elle en dévalant les escaliers. Tu ne veux pas m'emprunter les économies de toute une vie, j'espère ?

— Non. Bien. Ne le prends pas mal, mais y a-t-il une chance pour que... enfin... tu ne pourrais pas enlever de là ces photos de Patrick et les mettre, disons, dans ton atelier ?

— Ecoute, Will ! Tu ne peux quand même pas être jaloux d'un mort ? Je ne pensais pas que tu pourrais être aussi peu sûr de toi.

— Merci. Non, je ne suis pas jaloux. Pas exactement. Mais à chaque fois que j'entre dans la cuisine, je suis confronté à cette photo où je te vois au lit avec quelqu'un d'autre.

— Will, nous portons des bois de cerf en carton. Tu n'as pas à subir la vue de deux corps emmêlés, non ?

— Tu fais exprès de répondre à côté. Et, pour être sincère, je pensais que tu aurais la délicatesse de l'enlever sans que je te le demande.

— Selon moi, c'est plutôt toi qui manques de délicatesse.

— D'accord, excuse-moi. Je ne trouve pas cependant que ce soit une demande déraisonnable. Ce n'est pas comme si je te demandais de t'en débarrasser. Ne pourrais-tu pas tout simplement conserver ces photos hors de ma vue ?

— Je pourrais les sacrifier sur un bûcher rituel, si tu veux.

— Pourquoi faut-il toujours que tu montes sur tes grands chevaux ? Ce n'est pas une demande aberrante, il me semble. Comme nous vivons pratiquement ensemble, je pensais que...

— Nous ne vivons pas ensemble.

— Ah non ? Pardonne-moi. Il y a sûrement une erreur quelque part. Et comment appelles-tu le fait de passer toutes les nuits ensemble et tous les week-ends ? Sans parler de mes chemises qui sont suspendues dans ton armoire. Il y a aussi ma veste dans ton couloir, pas vrai ? Et mon germe de blé dans le placard de ta cuisine ? Mon rasoir dans ta salle de bains ? A moins que ce ne soit celui de Patrick ?

— Pas la peine de crier. Tu deviens agressif.

— Excuse-moi, je ne voulais pas.

Elle haussa les épaules.

— C'est pas grave. De toute façon, j'avais l'intention de les enlever.

— Non, laisse-les. Pas de problème.

Elle secoua la tête. Après avoir soigneusement ôté les punaises, elle monta les photos. Dans son atelier, elle hésita entre son chevalet et le manteau de la cheminée. Elle examina les clichés : celle où elle était avec Patrick, et l'autre où il était seul, prise pendant leurs vacances mouillées en Ecosse. C'était une sensation bizarre que de posséder une photo d'une personne qui n'existait plus. C'était une sorte de mensonge, une fiction, comme s'il était un acteur dans un film, hormis le fait que, maintenant, le film était fini, et les lumières rallumées. Et si elle retournait sur sa tombe pour lui dire au revoir, un au revoir en bonne et due forme ? Non, après tout, inutile d'en rajouter. D'ailleurs, il n'aimait pas mettre les formes ; elle se sentait plus proche de lui quand elle commandait un repas à emporter au restaurant chinois. Néanmoins, en songeant au temps qui s'était écoulé depuis sa dernière visite à sa tombe, elle ne put s'empêcher de se sentir coupable. C'était juste après la pose de la pierre tombale.

Maintenant qu'elle est là, elle se sent un peu bête. Elle a vu cette scène dans des films ou dans des séries, donc elle connaît le processus. Elle se tient devant la tombe et la regarde en essayant de chasser de sa tête le tourbillon de pensées diverses et irrespectueuses qui n'arrêtent pas de se cogner les unes dans les autres.

La tombe est entourée d'un rebord de béton, la concession est remplie de gravier, du même genre que celui utilisé dans les allées. Patrick disait qu'on pouvait déterminer la richesse des gens au bruit du gravier quand on remontait leur allée en voiture. Elle se ressaisit : cet instant n'est-il pas celui où elle est censée prononcer des paroles sérieuses et importantes ? En principe, c'est le moment pour elle de déclarer que, désormais, sa vie ne sera plus jamais la même, mais qu'elle continuera à se battre et qu'elle sera guidée par sa mémoire comme par un flambeau. Mais comment dire ça à une allée ? Et d'ailleurs, pourquoi le dire à voix haute ? Il n'entend pas, de toute façon. Et quand il était vivant, les trois quarts du temps, il n'écoutait pas ce qu'on lui disait.

D'ailleurs, ce n'est pas grave, ce n'est pas ça du tout. Elle ne sait même pas s'il existe des mots pour évoquer ce qu'elle ressent.

La pierre tombale est arrondie au sommet, comme un vitrail, avec un bas-relief représentant un ange, heureusement pas trop ringard. Patrick l'aurait trouvé « potable », l'un de ses mots préférés. « Ce vin est tout à fait potable », disait-il, ou alors, pour l'embêter : « Tu es relativement potable ce soir. »

Elle regarde l'inscription :

CI-GIT
PATRICK DERMOT HUGHES

Ah oui. Elle avait oublié ce détail. Dermot. Il aurait détesté, il n'aurait pas été content du tout : « Tu te rends compte, aurait-il dit, ils ont dépensé du fric pour faire ajouter ces six lettres ! »

Sous son nom sont inscrites ses dates de naissance et de décès. Le temps écoulé entre les deux, si court, est plus éloquent que toutes les phrases du genre : « Enlevé brutalement à notre affection » ou : « Fauché dans sa prime jeunesse. » En dessous, il est écrit :

TANT AIMÉ, TANT REGRETTÉ

SON SOUVENIR RESTERA À JAMAIS VIVANT

R.I.P.

Requiescat In Pace. Qu'il repose en paix. R.I.P. Rip [1]. Un mot très violent, quand on y songe, pas pacifique du tout. Mais c'est la vérité, après tout. C'est l'effet produit par la mort sur tous ceux à qui elle arrache un être aimé. Elle réduit leurs vies en pièces. Elle les déchire, aussi, les écorche, déchiquette leurs muscles, leurs tissus, écrase leurs organes. Elle les laisse nus, écartelés comme des papillons piqués sur une aiguille, fragiles et exposés, livrés aux assauts de la plus légère brise. C'est le disparu qui gagne le pari, le repas gratuit. Il lui suffit pour sa part de rester couché dans la terre. Et ce sont ceux qu'il laisse derrière lui qui paient la note.

Maladroitement, elle se penche pour déposer le petit bouquet de roses en boutons qu'elle a apporté. Elle a l'impression de jouer un rôle, qu'une caméra filme la scène par-dessus son épaule, zoome sur les fleurs, s'arrête sur l'une d'elles, où une larme parfaite se tient en équilibre sur le bord d'un pétale. Puis suit un gros plan sur son visage

---

1. En anglais, *to rip* signifie « déchirer, réduire en pièces ». *(N.d.T.)*

triste. Patrick aurait trouvé tout ça stupide. « Ne dépense pas ton fric en fleurs, Bel. Va boire un coup pour moi au pub. »

Elle jeta un dernier regard sur les photos qu'elle tenait à la main, puis les déposa sur le manteau de la cheminée.

24

— Je sais que je vais le regretter.

Bella posa le téléphone et plissa exagérément le front. Will l'embrassa et prit sa nuque dans sa paume.

— Arrête de t'inquiéter comme ça. On a tous des problèmes avec nos parents. C'est pour ça qu'ils sont là. Il faut bien qu'ils aient un but dans la vie ! Tu as vu ma mère et tu n'en es pas morte, non ? Pourtant, on ne peut pas dire qu'elle soit conventionnelle.

— C'est toi qui porteras le chapeau. Rappelle-toi, c'est ton idée.

— En fait, tu veux que ça foire. Comme ça, tu pourras te vanter d'avoir eu raison. Allez, ça ne peut pas être si affreux que ça !

Ça ne peut pas être si affreux que ça. Il en avait de bonnes ! Elle se souvint du premier séjour de Patrick chez ses parents pour le week-end.

— Oh, quelle classe ! Tu as eu une réunion aujourd'hui ? demanda Bella à la vue du costume prince-de-galles de Patrick, de sa chemise impeccablement repassée et de sa cravate de soie. Tu as tout juste le temps de te changer avant qu'on se mette en route.

— Je viens de me changer.

Patrick ôte une peluche invisible de sa manche.

— Pour quoi faire ? Tu ne vas pas demander ma main ! Ce n'est pas la peine de chercher à les impressionner.

— Eh bien… en fait, tu avais tellement l'air de craindre cette visite que je me suis dit que ça valait le coup de faire un petit effort. C'est pour ne pas te laisser tomber.

C'est gentil de sa part. Mais on peut faire confiance à sa mère. Elle ne le loupera pas, avec son costume. « J'espère bien que Bella ne vous a pas demandé de vous habiller exprès pour nous. » Ou alors : « Je pensais que vous viendriez en combinaison de travail. Bella dit que vous êtes dans le bâtiment. » Peut-être ferait-elle bien de s'habiller aussi, pour être à l'unisson ? Elle porte un ensemble pantalon gris très chic, avec des chaussures de daim noir. Ses cheveux sont retenus en arrière par une grosse pince en argent assortie à ses boucles d'oreilles en spirale qui captent la lumière quand elle bouge.

Elle retire ses boucles, remplace sa veste par une plus grosse, en laine marron, et ses chaussures de daim par une paire de mocassins couleur vieux bourgogne.

Alessandra détaille le costume de Patrick.

— Il ne nous reste plus qu'à nous changer pour le dîner, Patrick. Vous nous faites honte avec ce costume si élégant.

Elle prend le revers de la veste entre son pouce et son index, un geste de couturière, et sourit.

— Tu ne veux pas mettre une jupe, Bella ? Tu ne vas pas laisser tomber ton cavalier.

— Mon cavalier ! reprend Bella entre ses dents. Comme si je l'avais loué pour le bal !

— Normalement, explique Patrick, ma tenue est plus

négligée. C'est simplement parce que j'avais un rendez-vous...

— Bien sûr, vous autres, les hommes, vous devez penser à vos perspectives d'avancement, n'est-ce pas ? Ça fait partie du monde des affaires.

— Il n'est pas dans le monde des affaires. Il est géomètre. Et il ne cherche pas d'avancement parce qu'il est déjà associé dans la société.

Patrick la regarde d'un air renfrogné et se retourne pour admirer une gravure sur le mur.

Pendant le trajet, Bella inonda Will de renseignements sur les différentes particularités de la maison et de ses habitants.

— Et on entend ce qui se passe dans les toilettes du bas quand on se trouve près de la porte du fond, alors tu pourrais chanter ou fredonner assez fort, mais comme ça, de façon naturelle, comme si tu avais l'habitude de le faire tout le temps.

— O.K. Note 312b : les chiottes du bas : fredonner. Ça marche. Si je chante *Strangers in the night*, ça va, ou il y a des mélodies obligatoires affichées sur le mur ?

— Oh, oh, j'oubliais ! Surtout, très important, n'oublie pas de t'extasier sur la cuisine de ma mère. Ça devrait être facile parce qu'elle cuisine très bien.

— Tu sais que c'est la première fois que je t'entends dire quelque chose de positif sur elle ?

Bella haussa les épaules.

— Tu as pris des notes ? Tu n'as pas d'autres chats à fouetter ?

— Aussi bizarre que ça paraisse, je passe beaucoup de temps à penser à toi.

— Parfait. Mais il faut que tu sois précis. Je parle de sa cuisine. Ne te contente pas de dire : « C'était bon », ça lui mettrait la puce à l'oreille, elle saurait que je t'ai fait la leçon. Pose-lui des questions, donne-lui l'occasion de se faire mousser.

— J'aurais dû venir en queue-de-pie. Comme ça, j'aurais pu écrire des anti-sèches sur mes manchettes amidonnées.

— Dis-moi, ta mère, je vais l'appeler comment ? demanda Will un peu plus tard, tout en déroulant un rouleau de pastilles aux fruits pour choisir sa préférée.

— Eh là, ne prends pas toutes les rouges, s'il te plaît ! Tu peux l'appeler « O la Parfaite » puisque c'est une cérémonie tout à fait informelle.

— Bien. Je t'ai déjà dit que, pour ma part, je préfère qu'on s'adresse à moi en m'appelant « O divin dieu du sexe » ? Uniquement mes amis intimes, bien sûr, mais comme ils font presque partie de la famille...

Bella le regarda pour étudier son expression. Presque partie de la famille.

— Alors, faut-il que je les appelle par leur prénom, ou quoi ? insista-t-il en touchant sa joue du dos de la main.

— Papa, c'est Gerald. « Monsieur Kreuzer », ça lui paraîtra bizarre, mais tu constateras par toi-même que ce n'est pas le genre à être appelé Gerry. Il porte des petites lunettes en demi-lune pour faire ses mots croisés et il a l'air un peu ailleurs, comme s'il venait juste d'être posé sur la planète sans savoir au juste ce qu'il est venu y faire. Gerry, ça conviendrait plutôt à un homme plus dynamique, à chemise rayée, buveur d'expresso, et qui bosserait dans le marketing.

Will la regarda, surpris.

— Je n'ai jamais rencontré personne qui soit capable de lire tant de choses dans les plus petits détails. Tu m'épates. Et Will ? Tu dirais quoi à ce sujet, par opposition à William ?

— Eh bien, William, c'est le nom que pourrait porter ton conseiller financier, ou un gamin que sa mère habille avec des pulls trop grands, tricotés à la main. Digne de confiance, stable. Un rien humide, peut-être. Le genre de gamin qui a toujours une petite traînée de morve qui tombe d'une narine. Pas sexy. Bill, c'est trop court pour être un vrai nom... et un peu trop mielleux pour être honnête. C'est le nom d'un oncle qui sourit tout le temps, mais qui ne vous donne pas envie de vous asseoir sur ses genoux.

— Mais Will a le même nombre de lettres que Bill. Sois gentille avec moi !...

Bella pencha la tête et le scruta du regard.

— Oui, mais ça sonne moins tronqué, comme surnom. Ça évoque plutôt la confiance, la décontraction. On se sent en sécurité avec un Will. Il est sérieux, mais pas ennuyeux. Suffisamment vif pour être sexy.

— Sexy, oui. Tout à fait moi. Bon, revenons-en aux parents. Pas Gerry. Et l'Ancien, ou Pépé, qu'est-ce que tu en penses ?

Pour le punir, elle lui donna une tape sur la cuisse.

— Tu pourrais peut-être appeler maman « madame Kreuzer ». Je sais que ça paraît absurde, mais ça lui donnera l'occasion de jouer les dames simples et d'insister pour que tu l'appelles Alessandra. Surtout, en aucun cas il ne conviendra de lui donner du Sandra, un diminutif qu'elle trouve affreux, commun, sous peine de voir tes entrailles jetées à Hund.

— Et c'est qui, Hund ? Un dragon qui crache du feu ? Une tante folle enfermée dans le grenier ?

— Le chien de chasse de papa, bien que je doute qu'il ait jamais rapporté quoi que ce soit de plus énergique qu'un biscuit au chocolat. Hund, ça veut dire chien, en allemand, comme tu le sais sûrement. C'est papa qui a choisi ce nom pour rire.

Après avoir franchi un portail blanc, ils remontèrent l'allée sur le gravier, les pneus signalant leur arrivée. Hund se précipita vers eux pour les accueillir. Bella se pencha pour lui passer un bras autour du cou.

— Bonjour, Hund ! dit-elle en lui caressant l'oreille. Mon gentil vieux toutou.

Will se mit à pousser des gémissements de chien pour attirer son attention.

— Oh, toi alors ! l'admonesta-t-elle.

Dans un accès de coquetterie, il se baissa pour vérifier sa coiffure dans le rétroviseur extérieur et aplatit ses cheveux avec sa main. Ce fut peine perdue.

— Allez, Cheveux Elastiques, en route pour la fosse aux lions !

Alessandra, toute souriante, lui tendit la main.

— Vous êtes William, sans doute. Entrez, je vous en prie. Nous avons si peu entendu parler de vous !

Elle rit de sa petite plaisanterie, aussitôt imitée par Will.

Bella se pencha pour échanger les bises de rigueur avec sa mère.

— C'est Will, dit-elle, pas William.

— Peu importe ! remarqua Will avec un geste de la main.

— Prendrez-vous un verre de sherry ? s'enquit Alessandra en le guidant du bout du coude vers le salon. Le dernier petit ami de Bella adorait prendre un verre de sherry.

Sous-entendu : *La vie en commun avec Bella conduit les hommes à se noyer dans l'alcool.*

Alessandra faisait passer Patrick pour un alcoolique. De toute façon, n'importe qui s'empresserait de descendre une bouteille de sherry entière à la simple idée de passer un week-end avec elle. Elle pousserait un militant de la ligue anti-alcoolique à mettre de l'alcool à brûler dans son cacao.

— Eh bien, un petit… commença Will.

— Vous savez, nous ne buvons jamais à cette heure-ci, mais il faut reconnaître que nous ne savons pas vraiment ce qui se fait en ville. Peut-être préféreriez-vous du café ?

— Oui, comme il vous plaira. Du café, merci.

Gerald arriva du jardin et serra la main de Will en lui tapotant le bras.

— Ainsi, vous êtes Will. Bien, bien. Nous sommes très contents de vous avoir ici.

Gerald ouvrit un placard et il y eut un tintement de bouteilles prometteur.

— Vous allez bien prendre un petit verre de scotch avec moi. A moins que vous ne préfériez un gin-tonic ? Du bourbon ?

— Juste un petit scotch, alors. Merci.

— Cette pièce est très belle, madame Kreuzer.

Will traversa ladite pièce pour aller admirer le meuble d'angle.

— Dix-huitième ?

— Effectivement. Pourquoi êtes-vous si formel ? J'espère que ce n'est pas Bella qui vous a fait la leçon, William…

— Will, rectifia Bella.

— Gerald et moi sommes très simples, n'est-ce pas, chéri ?

— Hum… oui ? fit Gerald.

— Je vous en prie, appelez-moi…

Elle prit une inspiration, comme une diva prête à attaquer un air d'opéra.

— … Alessandra.

A la surprise de Bella, sa mère, au lieu de les séparer, leur attribua la chambre d'amis.

— J'ai pensé que vous voudriez partager la même chambre, n'est-ce pas ? dit Alessandra, avec un petit rire indulgent pour cette perversion manifeste.

— C'est assez normal pour des gens de trente ans.

— Je suppose que oui, Bella chérie, répondit-elle tout en fermant les rideaux. Mais je crains fort de ne plus être dans le coup.

Elle lissa les serviettes placées près du lavabo.

— Les serviettes. Le savon. Oui. Attends un peu d'avoir des enfants qui te reprendront à chaque fois que tu ouvriras la bouche.

Bella entreprit de défaire son sac.

— Je ne te reprends pas, rectifia-t-elle en sortant sa trousse de toilette. Je dis simplement qu'il serait anormal de dormir dans des lits séparés à notre âge.

— Donc, il n'y a pas de problème, n'est-ce pas ? répliqua sa mère en s'éloignant.

Elle s'arrêta sur le seuil de la porte.

— Puisque vous n'êtes pas dans des chambres séparées, poursuivit-elle en souriant à Will, dites-moi s'il vous faut d'autres serviettes.

Elle ferma la porte derrière elle.

— Mais merde ! Je suppose que oui, Bella chérie. D'autres serviettes ! explosa Bella en tapant à grands coups sur une grosse pile de serviettes posées sur une chaise. Mais que veut-elle qu'on fasse ? Que croit-elle qu'on va faire ici ? Des petits ? S'inonder de sirop d'érable ?

— Oh là ! Allez, du calme, du calme, dit Will en la prenant dans ses bras. Bon, à propos de sirop d'érable…

— Je sais maintenant d'où Bella tient ses talents culinaires, déclara Will pendant le repas du soir, la mine aussi

277

réjouie que s'il se trouvait en face d'une coupe remplie de manne. C'est absolument délicieux.

Il lut le mot « fayot » sur les lèvres de Bella.

Lorsqu'ils eurent regagné leur chambre, Will s'assit sur le lit et demanda à Bella ce qu'il avait fait de mal.

— « Je sais maintenant d'où Bella tient ses talents culinaires », répéta-t-elle en le parodiant. Talents culinaires ! Et pourquoi n'as-tu pas dit, tout simplement, « ses dons de cuisinière » ?

— Tu me cherches ? Pourquoi ? Je ne suis pas ta mère !

— Très drôle. Mais non, je ne te cherche pas.

— Mais si. Je croyais que je devais lui faire des compliments sur sa cuisine. C'est ce qui est écrit dans le manuel *Les parents de Bella – Le guide du visiteur*.

Elle vit les coins de sa bouche se relever. Il espérait visiblement qu'elle se joigne à son rire.

— Je n'ai pas dit que tu devais te transformer en une espèce de lèche-bottes bavant de flagornerie.

— Oh charmant. Moi aussi, je t'aime.

— J'espérais simplement qu'on serait solidaires, que tu me soutiendrais pendant ce séjour. J'aurais trouvé ça approprié.

— Approprié ? Quoi ? Je ne me désolidarise pas de toi en étant gentil envers ta mère. C'est une coutume très répandue quand on est invité. Ça s'appelle avoir de bonnes manières. S'entendre avec les gens. Tu devrais essayer, de temps en temps.

— Chut ! Ne parle pas si fort. Tu trouves que je ne m'entends pas avec les gens ?

— Je trouve que tu pourrais changer de tactique, en étant agréable avec ta mère. Ce serait révolutionnaire et tu n'en mourrais pas.

— Je savais que tu ne la verrais pas telle qu'elle est

vraiment, riposta Bella en s'acharnant sur la poignée de fenêtre, qu'elle réussit finalement à ouvrir.

D'un geste apaisant, il posa ses mains sur ses épaules, mais elle se dégagea.

— Ce que je vois, dit-il, c'est qu'elle n'est pas à l'aise avec toi, elle est tout le temps en train de marcher sur des œufs. J'ignore le pourquoi de la chose, mais ce que je sais, c'est que toi, tu envenimes les choses. Tu ne t'en rends pas compte ? Devant toi, elle paraît nerveuse, on a presque l'impression qu'elle a peur d'être frappée...

— Elle ? Nerveuse en ma présence ? Ha ha ha !

Will confirma d'un hochement de tête, l'air grave.

— Oui, c'est l'impression qu'elle donne. Comme si vous étiez toutes les deux coincées dans un cul-de-sac. Pourquoi ne ferais-tu pas le premier pas, comme te l'a conseillé Helen ?

— Et pourquoi moi ? C'est elle la mère, c'est son boulot à elle.

— Pardon ? Je rêve ! « M'sieur, m'sieur, c'est elle qui m'a poussée la première ! » Avec un raisonnement pareil, tu es sûre d'obtenir de bons résultats...

— Mais j'essaie, tu sais ! Tu ne peux pas comprendre. Tu ne sais rien de tout ça.

— C'est clair, je ne sais rien du tout, jeta-t-il d'une voix brève. Parce que tu ne m'as rien dit. Les choses qui te touchent, qui te blessent, qui te posent problème, tu ne m'en parles jamais. Tu t'en vas, ou tu changes de sujet, ou tu me sors une plaisanterie... c'est ta façon à toi de résoudre tes problèmes. Sauf qu'en réalité, ça n'a jamais rien résolu, je me trompe ?

Bella voulut parler, protester, nier. Mais sa gorge était si nouée qu'elle ne put proférer un mot.

— Non, poursuivit Will d'une voix morne. Et d'abord, qu'est-ce que j'y connais, moi ? Rien du tout, je ne suis qu'un étranger. D'ailleurs, ça ne me regarde pas, c'est pas mes oignons.

— C'est vrai, renchérit-elle sans lever les yeux. Donc, tu n'as absolument pas à t'occuper de ça.

Elle l'entendit pousser un soupir venu du plus profond de son être, puis fermer la porte derrière lui. Elle resta figée sur place et se vit comme si elle était représentée sur l'un de ses propres tableaux, appuyée contre le rebord de la fenêtre, le regard rêveusement tourné vers le jardin.

Elle les observe à travers les barreaux du banc. Ils sont assis là-bas sous l'amandier. De l'endroit où elle est allongée, dans les hautes herbes, plaquée contre le sol, elle voit les gens à travers le banc, mais elle n'en aperçoit que des fragments nets, inhabituels au premier abord, et pourtant reconnaissables : la veste du dimanche de papa, verte et rêche comme de la mousse desséchée ; les cheveux blond vénitien de Mme Mellors : « Ils ne sont pas teints, c'est juste un rinçage pour faire ressortir leur éclat naturel. »

Des bribes de sons arrivent jusqu'à elle, des voix avec des tonalités et des volumes différents, comme les graphiques de température qu'elle a faits à l'école. Puis, parmi les bribes, quelques mots prennent soudain forme, coupants et clairs au soleil.

— Elle n'arrive pas à se mêler aux autres… dit sa mère, c'est dur pour elle…

— Même en faisant des efforts ? demande Mme Mellors.

Puis la voix de son père, basse et douce, que, malheureusement, elle n'arrive pas à comprendre. Tout à coup, quelqu'un fait « Chut ! » très fort, puis c'est le silence. Elle cache son visage dans l'herbe, mais il est trop tard.

— Bella !

La voix de sa mère, précautionneuse et distincte.

— Nous ne t'avions pas vue, ma chérie. Ne te roule pas dans cette herbe mouillée. Viens dire bonjour à Mme Mellors.

Bella se lève et frotte vivement ses genoux verts avec l'arrière de sa main, place ses cheveux derrière ses oreilles.

— Tiens, voilà des *panettone* pour les petites filles sages qui viennent s'asseoir bien gentiment, propose sa mère en enlevant d'une main sèche quelques brins d'herbe sur son front.

25

Lorsque arriva le moment du déjeuner dominical, Alessandra était dans de si bonnes dispositions à l'égard de Will qu'elle lui tapotait le bras et riait à la moindre de ses paroles.

Gerald, de son côté, l'emmena faire un tour de jardin et décréta qu'il était « une bouffée d'air frais, et assez robuste pour tenir tête à Bella ». Il rit en prononçant ces mots, ce qui conduisit sa fille à en déduire qu'il plaisantait.

Will la retrouva dans le salon, pelotonnée dans un fauteuil, en train de lire un livre. Il lui demanda si elle comptait les rejoindre pour le café.

— Non, merci.

— Madame désire-t-elle qu'on lui en apporte une tasse avant que le personnel ne termine son service ? proposat-il en souriant, penché sur son visage.

— Non, tout va bien, merci.

— Qu'est-ce qui se passe ?

— Rien. Je lis.

— Très bien. Tu lis. C'est normal. On fait des kilomètres à travers le pays pour que tu puisses me présenter à tes parents, et toi, tu passes tout ton temps à te planquer dans les coins comme une adolescente boudeuse. Tu fais toujours ça quand tu rends visite aux gens ? Tu vas les voir, et, une fois sur place, tu les ignores ?

Bella s'abstint de répondre, le nez plongé dans son livre.

— Je trouve que c'est plutôt mal élevé de ta part. Envers moi comme envers tes parents. Je suis venu uniquement pour toi, et toi, tu m'as pratiquement abandonné.

— Oh, tu as l'air de t'en sortir parfaitement tout seul.

— J'essaie d'être sociable pour deux, pour compenser.

— Pas la peine de te donner tout ce mal pour moi. Ils ont l'habitude. Il paraît que je suis difficile. Je suppose que ma mère te l'a dit ?

— Ecoute ! Aurais-tu la bonté de me regarder, au moins ?

Bella leva les yeux, des yeux transparents comme du verre.

— J'ai horreur que tu fasses ça !

Elle se contenta de hausser les sourcils sans répondre.

— Tu ne me demandes pas quoi ?

— Je penses que tu vas me le dire, de toute façon.

— Bon Dieu, qu'est-ce que tu peux me mettre en rogne ! s'exclama-t-il en enfonçant les mains dans ses poches. J'ai horreur que tu restes muette comme ça quand je te parle. Que tu deviennes glaciale. Je ne sais pas comment te prendre.

— Pas la peine de gaspiller ton énergie, alors.

— Qu'est-ce que ça signifie ? Tu joues à quoi ? demanda Will en s'avançant vers elle et en posant une main sur ses cheveux.

— Laisse mes cheveux, ça les aplatit ! se défendit-elle en secouant la tête.

Il retira sa main.

— Viens nous rejoindre quand tu auras décidé de retrouver le genre humain.

Bella déposa un baiser sur la joue droite d'Alessandra et recula promptement, prisonnière de son rituel. Sa mère hésita, puis tira sur le gilet de soie drapé autour de ses épaules et croisa les bras. Gerald fut dûment enlacé et embrassé. Quant à Hund, il eut droit à une véritable démonstration de tendresse. Elle entendit Will embrasser Alessandra, qui eut un petit rire, et Gerald lui manifester son affection par une affectueuse tape dans le dos. Elle déposa un nouveau baiser sur la tête de Hund et le gratifia de flatteries réitérées.

— Il faut revenir nous voir, mon cher Will. Et n'attendez pas que ce soit Bella qui vous amène... nous aurions le temps d'avoir des cheveux blancs, d'ici là ! s'exclama Alessandra en riant.

Will s'installa sur le siège du passager et posa une boîte de biscuits maison en équilibre sur ses genoux. Un pot de cerises à l'eau-de-vie était coincé entre ses pieds.

— Tu as assez de cadeaux à emporter chez toi, mon cher Will ?

En sortant de l'allée, Bella agita brièvement la main par la glace baissée et donna un coup d'avertisseur pour la forme.

— C'est très gentil à elle, dit Will. Tout ce qu'elle voulait, c'était que je me sente le bienvenu.

— Le bienvenu ? Elle t'a pratiquement proposé de t'adopter. D'ailleurs, je m'étonne qu'elle ne m'ait pas tout simplement échangée contre toi, du vieux contre du neuf : « Ne jette pas ce vieil enfant indigne d'être aimé. Echange-le pour un autre, plus facile à aimer. »

— Je te le répète pour la énième fois : arrête d'exagérer comme ça !

— C'est tout ce que tu trouves comme réponse ? Il est temps que tu investisses dans de nouvelles plaisanteries.

— Tu es fâchée, hein ?

— Comme tu ne l'ignores sûrement pas, quand on veut

fâcher une personne parfaitement calme, on lui demande si elle est fâchée. Tu m'emmerdes avec ta façon de jouer les donneurs de leçons.

— Tu peux me dire ce qui te met dans une rogne pareille ? Je ne comprends pas.

— Ah bon ? C'est vrai ? Tu as passé tout le week-end à former un gentil petit club avec mes parents, surtout avec ma mère, et tu ne comprends pas pourquoi ça m'a fâchée ?

— Non, pas du tout. Bon, j'ai peut-être deviné.

— Ah bon ? Et c'est quoi, monsieur le donneur de leçons ?

— Arrête ! Ne pousse pas, Bella !

— Bella ? Ah bon, tu connais mon nom, alors ? Mais uniquement quand il s'agit de m'envoyer aux pelotes, apparemment. Parce que le reste du temps, c'est « mon chou », ou « ma citrouille », ou n'importe quelle autre sorte de matière végétale.

Will mit quelque temps avant de répondre :

— Tu sais très bien que ce sont des termes d'affection. Si ça ne te plaît pas, tu me le dis. Je croyais que tu aimais bien.

Mais j'aime bien !

Elle avait l'impression d'être tombée au fond d'une fosse sans savoir comment s'y prendre pour remonter. Que faire d'autre en dehors de creuser plus profond ?

A court de réponse, elle se contenta de souffler.

— Moi, je crois que tu es furieuse parce que je me suis bien entendu avec ta mère, poursuivit-il, et que ça, ça fout ta théorie en l'air, ta théorie selon laquelle elle est la méchante sorcière, et toi la gentille petite fille, innocente comme l'agneau qui vient de naître.

Bella leva un sourcil.

— Oh, tu m'envoies ton regard qui tue, j'ai peur ! En fait, tu n'as pas vraiment envie d'être heureuse. Tout ce qui t'intéresse, c'est d'avoir raison.

— C'est ça.

— O.K. Donc, dis-moi pourquoi tu es fâchée.

— Je ne suis pas fâchée. Mais j'ai toutes les raisons d'être furieuse que tu aies fait équipe avec Alessandra contre moi ; ce qui m'a fait passer pour la méchante, pour une vilaine écolière inadaptée...

— Tu n'as pas arrêté de faire la gueule, alors qu'est-ce que tu veux !

— Je me demande vraiment quel est l'objet de cette conversation.

— Allez, dit Will en posant une main sur sa jambe, dans une tentative d'apaisement. On ne va pas se disputer, quand même ?

Bella, saisissant le prétexte d'un changement de vitesse, fit mine d'enlever sa main.

— Excuse-moi... Tu pourrais... ? Merci.

Il s'exécuta et tourna la tête pour admirer le paysage.

Le reste du voyage se passa dans un silence presque total.

Will sortit une cassette.

— On écoute un peu de musique ?

— Mmm mm.

— Bon, je prends ça pour un oui.

Sans grand enthousiasme, il farfouilla parmi les boîtes.

— Demain, je vais avoir plein de choses à faire, dit-il.

— Hmm ?

— Oui. Plein, plein de choses à faire.

— Ah, très bien.

De nouveau, Will tourna la tête vers la fenêtre.

Bella arrêta la voiture devant chez lui et laissa tourner le moteur pendant qu'il sortait son sac du coffre.

— Bon, eh bien... dit-elle.

— Bella ? Tu pourrais garer la voiture et entrer quelques instants ?

— Je suis très fatiguée.

— On est tous fatigués. Juste quelques instants. Je voudrais te parler.

— Pourquoi ? Non, je n'ai pas envie que tu me fasses la leçon. Tu as ta voix de maître d'école.

— Arrête un peu.

Avec un soupir, il remonta dans la voiture et claqua la portière.

Bella resta assise, raide, les yeux détournés, mais sentant tout de même ses yeux à lui braqués sur elle.

— Alors, insista Will, tu vas me répondre ? On a l'impression que tu n'es pas là. Tu es retournée dans ton petit monde, c'est ça ?

La colère monta en elle et s'infiltra dans ses veines, menaçante, sur le point d'éclater. Comment pouvait-il ? Comment osait-il ? Elle avait envie de lui hurler sa rage au visage.

Will penchait la tête en tous sens pour essayer de rencontrer son regard.

— Arrête ! cracha-t-elle en abritant son visage, comme s'il s'était apprêté à la frapper.

— Tu sais que tu es un vrai glaçon, comme ça ? Comment veux-tu que qui que ce soit se sente proche de toi si tu passes ton temps à repousser les gens ?

— Personne n'a à se sentir proche de moi. Toi pas plus que les autres.

— Parfait. Et je ne l'ai jamais été ?

Bella haussa les épaules et croisa les bras.

— O.K. Pas la peine de me faire un dessin. Je crois que même ce con de Will a fini par saisir le message, dit-il en tâtonnant pour trouver la poignée de porte. Je t'aime comme un fou, tu le sais. Mais je ne peux pas...

Elle le vit chercher à avaler sa salive.

287

— Peu importe, se reprit-il, l'air complètement désemparé. Pourquoi ne m'as-tu pas dit que tu ne m'aimais pas, tout simplement ? C'est si dur que ça ? « Will, je ne t'aime pas, va-t'en. » C'est tout. Je me sens… Bon Dieu… Je…

Il passa sa main dans ses cheveux et garda le silence quelque temps.

— C'est à cause de Patrick, c'est ça ? Tu es toujours amoureuse de lui. Mais merde, comment veux-tu que je lutte avec un mec qui est mort, qui est idéalisé sur son piédestal ?

Bella ne bougea pas lorsqu'il ouvrit la portière. Une bouffée d'air froid l'atteignit, l'enveloppa, ruissela sur son corps comme un liquide glacé, s'infiltra en elle.

— Mais je t'aime, prononça-t-elle doucement.

— Si tu m'en avais informé avant, je ne t'en aurais pas voulu. Mais peut-être avais-tu juré de garder le secret ?

Ses lèvres effleurèrent brièvement ses cheveux.

— Prends soin de toi, dit-il sans se retourner.

La portière claqua derrière lui avec un bruit sec. Puis il n'y eut plus rien, hormis le silence de l'air qui picotait ses oreilles et le bruit de ses pas qui s'éloignaient.

26

Bella sortit une tasse et une soucoupe de porcelaine fine du buffet, une tasse décorée de minuscules feuilles de trèfle bordées d'or. Elle versa un peu de lait dans un pot assorti. Il lui fallait du bon thé, plus pour la complexité prévisible du rituel que pour le parfum. Du vrai thé, English Breakfast. Elle réchauffa la théière peinte à la main, où ondulaient des touches de jaune citron, de bleu ciel et de bleu mer. Une cuillère et demie de thé, avec la mesure à thé en bois de cerisier que Patrick lui avait offerte une année à Noël ; un tout petit plus, juste comme ça.

Dommage que le thé ne soit pas plus difficile à préparer. Cela lui aurait permis de se consacrer à cent pour cent à sa tâche, s'appuyer dessus, se reprendre. Peut-être était-ce là le but de toute la cérémonie du thé : la quête de l'ordre, de repères, dans le désordre de la vie. Elle aurait pu se plonger entièrement dans l'exécution parfaite de ce processus élaboré, tenir les autres pensées à distance… ces pensées qui se nichaient à présent dans la boîte de thé, qui n'attendaient que le moment de lui sauter dessus lorsqu'elle ouvrirait le couvercle, qui couleraient du pot à lait et recouvriraient le thé clair d'un nuage blanc comme de la crème, qui s'apprêtaient à lui souffler leur chaleur sur les lèvres lorsqu'elle pencherait la tête pour boire.

Elle tint délicatement la tasse entre ses mains, sensible à la chaleur qui passait à travers la fine porcelaine en lui brûlant légèrement les doigts, et examina le sol. Ce tapis était bien à sa place ici, ses couleurs étaient superbes, mais il était un peu glissant sur le parquet. Et si elle achetait un antidérapant à mettre en dessous ? Elle pouvait aussi l'enlever et peindre un tapis par terre. Une vision lui vint à l'esprit : la maison vidée de son décor, remplacé par des meubles peints en trompe-l'œil sur les murs, des lampes peintes aux plafonds, une scène en perspective ; les coussins ne seraient jamais écrasés, les tapis ne feraient jamais de vagues ; rien ne s'abîmerait, rien ne se casserait, rien ne changerait.

Mais il était impossible de ne pas penser à une personne en particulier uniquement parce qu'on l'avait décidé. L'acte même de ne pas penser à lui faisait apparaître son visage clair, vivant, devant ses yeux. Elle ne voulait pas prononcer son nom dans sa tête, de peur que les lettres dont il était formé, leur sonorité, ne l'ensorcellent. Son odeur flottait dans l'air, la prenait au dépourvu lorsqu'elle entrait dans la chambre. Elle voyait les empreintes de ses pas sur le sol, la trace de ses doigts sur les meubles, les objets, comme si elle était dotée d'une vision infrarouge. Elle devait absolument remplir sa tête avec autre chose, n'importe quoi d'autre, pour lui barrer le passage. Chasser toutes les pensées qui se rapportaient à lui, s'incrustaient comme des grains de sable s'acharnant à rester coincés entre ses orteils. Ainsi, il sortirait de son esprit, et son visage ne serait plus qu'une image fragile, transparente, le fragment fugitif d'un rêve lointain.

Grâce à Dieu, elle avait sa peinture pour l'occuper. La date de l'exposition ressortait sur son agenda, entourée à l'encre rouge. Elle se força à la garder bien en vue, de sorte qu'elle lui accroche le regard aussi sûrement qu'une bouée de sauvetage se détachant sur les eaux sombres de l'océan. Lorsqu'elle rentrait du travail, elle jetait son sac par terre, balançait ses clés sur la table, se débarrassait de sa veste comme un serpent pressé de changer sa vieille peau. Elle mangeait debout dans la cuisine, devant le plan de travail encombré, en poussant de côté les tasses à café et les vieux journaux, le nez baissé sur un plat de pâtes qu'elle enfournait mécaniquement dans sa bouche comme si elle remplissait une chaudière, sans prendre la peine d'émincer des oignons, d'écraser de l'ail pour faire une sauce. Elle n'avait envie ni de faire la cuisine, ni de manger, ni de s'occuper d'elle.

Puis elle grimpait les escaliers pour s'enfermer dans son atelier et se plongeait dans son travail, se perdait dans les couleurs et les ombres, emplissait sa tête de l'odeur de la peinture et de la térébenthine, et se consacrait à ses toiles pour l'empêcher d'entrer.

Sous la douche, elle se lavait comme un automate, par habitude, avec le sentiment de reproduire inlassablement les mêmes gestes. Elle se lavait, s'habillait, se brossait les dents, partait au bureau. Mangeait, se déshabillait, se lavait, se brossait les dents. Encore et encore. Jour après jour. C'était la même chose que pour les relations amoureuses. On se rencontre, on se revoit, on parle, on s'embrasse, on baise, rideau. Encore et encore. Quelle perte de temps ! Au moins, avec la peinture, dès le moment où le pinceau entrait en contact avec la toile, le chevalet, le papier, la marque était là. Le tableau existait, elle n'avait pas à le reproduire inlassablement, encore et encore. Et même lorsqu'elle peignait par-dessus, elle savait que les coups de pinceau originaux étaient en dessous, cachés mais bien réels.

Désormais, pour compenser les heures solitaires passées chez elle, Bella arrivait au bureau à neuf heures pile, au lieu d'arriver tranquillement vers dix heures avec le reste de l'équipe. Son travail était idiot, mais elle se sentait à l'abri, et elle appréciait la routine et l'activité ambiante.

Elle évitait la compagnie des autres, prétextait la nécessité de préparer son exposition lorsque ses collègues lui proposaient de se joindre à eux au pub. Elle allait jusqu'à éviter Viv. Un vendredi soir, elle resta plus tard pour dégivrer le réfrigérateur, une tâche qui n'avait pas été effectuée depuis si longtemps qu'Anthony lui conseilla de mettre une tenue de protection et de faire évacuer l'immeuble. Seline avait admis l'idée qu'il serait peut-être utile de mettre ce dernier au courant, afin qu'il puisse la seconder si elle pouvait obtenir de lui qu'il agisse de façon un peu plus responsable et qu'il arrête d'évoquer son piercing au bout du sein devant les clients.

Le jour où il s'était mis sa boucle au sein, Bella avait eu à cœur de lui prodiguer ses conseils pour le « préparer pour la gloire ».

« Les autres garçons voulaient devenir astronautes, footballeurs, lui avait-il avoué, mais moi, je rêvais de devenir mégalo.

— Tout vient à point à qui sait attendre, avait-elle répondu. Mais tu dissimuleras soigneusement la soif de pouvoir qui brille au fond de tes yeux, jusqu'au moment où il sera trop tard pour que les gens puissent réagir. »

Lorsqu'elle referma la porte du bureau de Seline, elle la claqua un peu trop fort. Il fallait croire que l'objet initial de la réunion qui venait de se dérouler, c'est-à-dire les projets auxquels Bella était susceptible de participer en libéral, n'était pas d'une importance cruciale, mais que, en revanche, les travaux de peinture dans la maison de Seline étaient d'une importance vitale !

Bella avait dû examiner avec le plus grand sérieux une série d'au moins deux mille nuanciers présentant des différences infinitésimales sur les échantillons d'une couleur qui, normalement, était le beige, mais qui, de nos jours, était rebaptisée « Cappuccino », « Sahara » et « Vieil or ».

Elle trouva deux stickers jaunes sur son téléphone : « Ton père a téléphoné pour te rappeler l'anniversaire de ta mère. Il veut te parler. » Encore une visite obligée, ça promettait d'être drôle. Elle feuilleta son agenda. L'anniversaire tombait un vendredi, elle devrait demander une journée.

L'autre message était de Viv, qui prenait congé avant de partir en voyage professionnel à Birmingham pour trois semaines. Il était trop tard pour la rappeler... elle était sûrement partie, maintenant.

Bizarrement, Viv s'était montrée fort peu compréhensive lorsque Bella lui avait annoncé sa rupture avec Will : « Quoi ? Tu l'as envoyé balader ? Tu es une véritable idiote. Cet homme-là est un vrai trésor. »

Bella était dans son atelier, entourée d'une série de croquis qui jonchaient le sol, lorsque le téléphone sonna. En entendant la voix de Fran sur le répondeur, elle resta plantée au sommet de l'escalier, brûlant d'envie de descendre décrocher.

Fran l'appelait pour prendre de ses nouvelles, et lui précisait qu'elle était toujours la bienvenue, même sans Will.

Bella descendit sans faire de bruit, comme pour éviter de dévoiler sa présence, et posa la main sur l'appareil.

« Je sais que j'ai une tendance à me mêler des affaires des autres, et j'ai promis de ne pas le faire. J'ai simplement très envie de te voir. J'éprouve beaucoup de sympathie pour toi, et je trouve que c'est idiot de perdre le contact. La vie est trop courte. Et j'ai une autre raison… »

Elle a beau dire qu'elle ne veut pas s'en mêler, je suis sûre qu'elle va me faire la leçon pour Will…

« … j'aimerais beaucoup que tu me refasses la tarte de l'autre jour. Celle où les fruits sont en dessous… »

La tarte Tatin ?

« J'en ai même rêvé l'autre nuit. Parce que tu sais, quand on a passé la ménopause, c'est fini, on ne rêve plus de beaux mâles qui vous enlèvent au crépuscule… »

Bella se revit dans la cuisine, chez Fran, en train de rouler la pâte pendant que Will pelait les pommes et en plongeait de temps en temps un quartier dans la boîte à sucre avant de la lui mettre dans la bouche. Elle revit son regard d'enfant émerveillé lorsqu'elle avait retourné le moule pour dévoiler la tarte chaude et brune fleurant le caramel… le sourire qu'il lui avait dédié.

« Je suppose que tu es très occupée avec l'exposition à venir. C'est Will qui m'a mise au courant… il avait l'air très fier de toi… »

Et si je décrochais ?

« Bon, excuse-moi de bavarder comme ça, j'espère que je n'ai pas utilisé toute ta cassette. Tu peux m'appeler n'importe quand si tu as envie de venir. N'attends pas que je t'invite. Ma maison t'est toujours ouverte. »

Puis elle raccrocha.

Donald MacIntyre l'appela depuis la galerie. Il voulait connaître l'état d'avancement de ses œuvres, et lui demandait de lui faire parvenir une brève biographie. Elle l'écouta, assise dans les escaliers, bercée par la profondeur mâle de sa voix.

— Il faudra que vos tableaux soient prêts à être envoyés

chez l'encadreur. Nous pouvons aussi nous en charger, si vous préférez.

— Euh... eh bien... je crois qu'il y a un petit problème...

— Ah oui ? s'étonna son interlocuteur.

— Hum... oui. Je ne sais pas s'ils sont... eh bien, je ne suis pas prête pour l'exposition. Je crois qu'il vaudrait mieux que vous m'annuliez...

— Non, répondit-il d'une voix ferme. Vous avez le trac, c'est classique. Je vais venir voir votre travail.

— Je ne préfère pas.

— Je regrette, il le faut. Disons ce soir ? Vers vingt heures ?

Plus grand que dans son souvenir, il remplissait le salon de sa présence. Son costume élégant lui fit soudain prendre conscience de son propre aspect : ses cheveux étaient sommairement attachés, son caleçon délavé et ses chaussettes en tire-bouchon. Elle vit son regard faire le tour de la pièce, noter la présence des tasses de café à moitié vidées, éparpillées partout, du linge mis à sécher sur les radiateurs.

— C'est là-haut, indiqua-t-elle en le précédant.

Elle était sûre qu'il les trouverait affreux. Elle anticipa son regard déçu, son haussement d'épaules, son effort pour chercher des mots pleins de tact. Mieux valait se débarrasser de l'épreuve au plus tôt.

— Il n'y a que quelques aquarelles... quelques dessins, aussi. Les autres sont des huiles, comme celles que vous avez vues.

Dans son beau costume, il paraissait incongru au milieu des tubes de peinture à demi écrasés et des chiffons graisseux.

— Attention, ceux-ci ne sont pas encore tout à fait secs.

Il s'arrêta devant un grand tableau, celui qu'elle avait peint à partir de son tout premier croquis de Will.

295

— Celui-ci, dit-il en hochant la tête. Pour la vitrine.

— Non ! s'écria-t-elle.

Puis elle toussa pour s'excuser.

— Il n'est pas à vendre.

Il eut un petit rire sec et secoua la tête.

— Il sera toujours temps de discuter de cela plus tard. Dites-moi, pourquoi m'avez-vous raconté que vous n'étiez pas prête ?

Bella haussa les épaules.

— Avec celles que vous m'avez apportées, il y en aura plus que nous ne pourrons en prendre, faute de place. Mais...

Ça y est, il va me le dire. Il les trouve affreux.

— Ceux-ci sont meilleurs que certains autres, on va donc procéder à un petit échange avant de les envoyer chez l'encadreur, d'accord ?

Il se redressa en faisant craquer ses articulations.

— Je vieillis, tss !

Puis, la dévisageant, il ajouta :

— Il y a un problème ?

— Non. Si. Ils sont... donc, ça va ?

C'est alors qu'il éclata de rire. Un grand rire généreux, tonitruant. Bella rit nerveusement, sans trop savoir pourquoi, surprise qu'un homme aussi tranquille, aussi élégant, puisse produire un tel son.

— Excusez-moi, se reprit-il. Pardon. Comment avez-vous pu penser un seul instant que je les aurais exposés si je n'avais pas trouvé que « ça va » ? Je ne dirige pas une œuvre de bienfaisance pour artistes au chômage. Non, votre travail ne va pas, il est excellent ! Vraiment. Tenez-vous-le pour dit.

Secouant la tête, il ajouta en riant :

— J'adore mon métier. Mais si seulement je n'avais pas à traiter avec des artistes !

27

— Tu amèneras Will, bien sûr ? s'enquit Gerald au téléphone lorsqu'elle le rappela à propos de l'anniversaire
d'Alessandra.

— Hum. Sans doute pas.

— Ah bon ? Comment ça marche avec lui ?

— Ça marche, ça marche, ça ne marche plus, puisque
tu me le demandes.

Non, elle n'avait pas envie d'en parler.

— Et, s'il te plaît, ne dis rien à Alessandra ; je n'ai pas
envie de supporter son regard stoïque signifiant : « Ma fille
est la croix que je porte. »

Elle avait déjà acheté le cadeau, un plateau de service
ancien, aux bords décorés de grappes de boutons de roses
d'un rose profond rehaussé de touches d'or. Elle avait
passé presque autant de temps à choisir le papier cadeau
que le plateau.

Et en ce qui concernait la carte d'anniversaire, alors
qu'elle offrait à ses amis des cartes dessinées par ses soins,
pour Alessandra, elle avait opté depuis longtemps pour
celles du commerce. C'était plus facile, et elle échappait à

ses exclamations hypocrites : « Oh, c'est charmant, comme c'est mignon d'avoir une carte faite à la main. »

Elle avait pris sa journée du vendredi, le jour de l'anniversaire. Elle chargea donc la voiture le jeudi soir : ses vêtements, le cadeau, ainsi qu'un joli figuier pleureur en pot, un roman policier qui venait de sortir, cadeau de non-anniversaire pour papa, et une bonne bouteille de claret ; puis elle se mit en route.

Une fois de plus, elle dormait dans son ancienne chambre ; mais, avant d'en prendre possession, elle se glissa subrepticement dans la chambre d'amis qu'elle avait partagée avec Will lors de sa dernière visite. C'était là qu'ils avaient eu leur querelle idiote, qu'il avait joué les donneurs de leçons. Elle pinça les lèvres, déterminée à lui en vouloir. Cette nuit-là, elle lui avait tourné le dos et avait fait semblant de dormir lorsqu'il avait touché son épaule, mis son bras autour de sa taille, chuchoté son nom. Si seulement il pouvait ne pas tant lui manquer, si seulement elle n'avait pas cette horrible douleur quasi permanente au creux de l'estomac !

Attrapant son fourre-tout, elle alla rejoindre sa chambre et ferma la porte derrière elle d'un geste décidé. C'était mieux ainsi.

Toujours vêtue du tee-shirt déformé avec lequel elle avait dormi, Bella enfila rapidement son jean et ses grosses chaussettes pour descendre. Elle sortit Hund de sa couche favorite et lui passa les bras autour du cou. Au même moment, le souvenir de Will poussant un gémissement comique en la voyant cajoler le chien vint l'assaillir.

Hormis le bruit produit par les pattes de Hund sur le sol, la maison était plongée dans le silence, dans ce calme caractéristique de l'heure qui précède le lever. Elle semblait retenir son souffle en attendant les signes du réveil, le glissement des pantoufles dans l'escalier, le claquement de la vaisselle, le ronronnement du chauffe-eau, le tintement des bouteilles de lait dans la porte du réfrigérateur.

La cuisine, comme d'habitude, brillait de propreté. Il en émanait la fraîcheur particulière aux pièces vraiment nettes.

Bella se félicita d'avoir mis ses chaussettes, même si elles laissaient passer le contact froid du carrelage. Elle sortit les plus jolies tasses du buffet, remplit une cruche de lait, fouilla dans un tiroir à la recherche de la meilleure passoire à thé. Bien, le plateau, à présent. Et une serviette.

Elle trouva une serviette de lin propre et la posa sur le plateau, disposa les tasses dessus, prit une fleur et du feuillage dans le bouquet du couloir pour les mettre dans un petit vase.

Elle entendit un léger bruit de pas dans les escaliers.

Gerald entra.

— Bonjour, papa. Retourne au lit. Allez ! Je vous apporte du thé.

Il aperçut le plateau.

— Oh, quelle chance ! Tu as trouvé tout ce qu'il te fallait ?

Il s'arrêta à la porte.

— Oh, tu sais, ta mère ne boit plus que de l'Earl Grey, le matin. Moi, je préfère le thé ordinaire, mais ne t'en fais pas.

— Non, non. Pas de problème. Je vais trouver une deuxième théière.

Tenant d'une main le plateau posé en équilibre sur son genou dressé, elle frappa à la porte.

— Madame désire-t-elle son thé d'anniversaire au lit ? proposa-t-elle en se penchant pour embrasser la joue de sa mère. Bon anniversaire ! Ton cadeau est dans ma voiture, je descends le chercher tout de suite. Tu es bien coiffée. Dès la première heure du matin, les cheveux d'Alessandra étaient déjà soigneusement remontés.

— Merci, Bella chérie. Que c'est gentil ! Elle est jolie, l'anémone... j'en ai justement mis dans le couloir. C'est de l'Earl Grey ? s'inquiéta-t-elle en regardant le plateau.

— Oui. Papa m'a prévenue. Je te sers ?

— Laisse-le infuser un peu. Oh, tu n'as pas trouvé les napperons à mettre sur les plateaux ? Ils sont dans le tiroir.

— Non.

Bella se détourna pour servir le thé, plaça la passoire sur chaque tasse avec un soin infini, versa le lait en dernier comme il se devait et porta les tasses jusqu'au lit, concentrée comme une enfant, les sourcils froncés dans son désir de faire plaisir.

— Merveilleux, apprécia Alessandra. Pourrais-je avoir juste une goutte de lait supplémentaire ?

Bella obtempéra, puis se prépara à sortir.

— Pas de Will, cette fois-ci ?

— Non.

— Oh ! Tout va bien ?

— Très bien, merci. Pourquoi ça n'irait pas ?

— Désolée. Je ne voulais pas... Dis-lui bien des choses de notre part.

— Hmm mm.

Ils passèrent la matinée en ville, où Alessandra espérait trouver un foulard pour y accrocher la magnifique broche en ambre que lui avait offerte Gerald.

— Il dit qu'elle lui rappelle les taches de mes yeux. Ah, ton père est un incorrigible romantique ! remarqua-t-elle en souriant avec indulgence.

Au déjeuner, elles rejoignirent Gerald, qui s'extasia consciencieusement devant le foulard.

— Bella chérie, laisse-moi t'offrir un vêtement neuf, décida Alessandra. Tu portes ce pantalon depuis des années.

— Il est confortable. J'ai des vêtements élégants pour aller travailler, tu sais.

Sa mère opina du chef.

— Oui, bien sûr, je n'y connais rien à la mode d'aujourd'hui. Moi, je m'en tiens au classique, ajouta-t-elle en tirant sur le poignet de son chemisier en crêpe de Chine gris.

Bella avait insisté pour préparer le repas d'anniversaire. Ils commencèrent par des œufs durs de caille reposant sur un nid de salade mélangée, composée de roquette fraîche, d'un bouquet de radis frais, de petits pois blanchis et croquants, de lamelles de poivrons rouges et jaunes grillées, le tout assaisonné d'huile de sésame chaude.

Alessandra n'avait fait « que passer pour prendre quelque chose » pendant que Bella s'affairait à la cuisine.

— Mmmm ! Quelles couleurs merveilleuses ! Ton père ne mange pas de poivrons, tu sais.

— Tu as pris la recette dans le livre de cuisine que je t'ai offert pour Noël ? s'enquit Alessandra pendant le dîner, en penchant la tête d'un côté.

— Non, je l'ai inventée moi-même. Qu'est-ce que tu en penses ?

— Délicieux ! s'écria Gerald. Les poivrons sont très bons, cuisinés comme ça.

— C'est très bon. Mais la *rucola* a dû coûter cher, répondit Alessandra.

Le plat principal était constitué d'un saumon poché, servi chaud avec du cresson et des pommes Anna disposés sur une couche d'oignons translucides émincés et trempés dans du lait, des haricots verts fins et des carottes glacées. Pas d'innovation, pas de risque, rien qui puisse s'attirer la remarque : « Comme c'est intéressant ! Moi, je ne le fais jamais comme ça ! »

— Et il devrait en rester assez pour le manger froid demain.

— Oh, mais j'ai déjà prévu une quantité de choses pour demain ! se récria Alessandra.

— Tu n'as toujours pas ouvert le cadeau que je t'ai apporté, éluda sa fille en se levant. Il est dans le couloir. Je vais aller le chercher.

— Mais non, Bella chérie, je l'ouvrirai plus tard.

— Non, fais-le maintenant, s'il te plaît.

Bella enleva les assiettes et posa le cadeau devant sa mère.

— Oh, quel superbe emballage ! Quel joli papier !

— J'espère que ça va te plaire, s'inquiéta Bella en tripotant nerveusement la salière et la poivrière. Je ne sais pas si je pourrai l'échanger.

— Mais tu n'auras pas besoin de l'échanger ! protesta Alessandra en enlevant délicatement le scotch. Bien…

Le plateau apparut aux yeux de tous dans son nid de papier de soie rose pâle entouré du papier cadeau d'un rose plus profond.

— Oh, il est vraiment joli, Bella. Merci.

— Il faut le mettre bien en vue, décida Gerald. Et si on le mettait à la place du vieux plateau vert, au milieu du grand vaisselier ?

— Mais, Gerald chéri, c'était celui de Mamma ! Peut-être pourrions-nous mettre celui-ci sur le buffet, dans le hall.

Bella alla chercher le dessert dans la cuisine.

— J'espère que tu t'en serviras de temps en temps ! cria-t-elle de loin, tout en cherchant la pelle à gâteau en argent.

— Il est vrai que nous ne recevons plus autant qu'autrefois, Bella. Ce n'est plus comme lorsque j'avais ton âge. Et il est un peu grand pour deux.

Bella fit son apparition, chargée de son gâteau rafraîchi à la mousse de citron, entouré d'un coulis de framboises. Sur le dessus parfaitement lisse, elle avait calligraphié un A en chocolat.

— Voilà, voilà ! chantonna-t-elle d'une voix mono-corde, dans une feinte exubérance.

— Ça semble absolument délicieux, mais, tu sais, je ne sais pas si je réussirai à en prendre une bouchée mainte-nant. Prends-en, toi, avec papa.

— Il est très léger. C'est surtout de l'air !

Alessandra sourit, eut un geste gracieux de refus et se tamponna les lèvres avec sa serviette pour mettre un terme à la discussion.

— Maintenant, c'est moi qui vais faire le café, annonça-t-elle en quittant la table.

Bella baissa le nez sur le gâteau. Une grosse goutte tomba sur une boucle du A. Suivie d'une autre. Debout, la pelle à gâteau à la main, elle laissa couler ses larmes.

— Oh, Bella, mon chou, ne pleure pas, dit son père. Tu sais, elle est comme ça, elle ne peut s'en empêcher.

Elle hoquetait, à présent, respirait par à-coups, la poitrine serrée.

— Jamais elle...

Bella tapa sur le gâteau avec le plat de la pelle.

— Jamais elle ne me dira un mot gentil !

— Chut, fit son père en posant son bras autour de ses épaules raidies. Ton repas était délicieux. Ça lui a fait plaisir, j'en suis sûr.

— Elle… me… déteste !

Alessandra entra, avec le café sur un plateau.

— Oh, je vous interromps ? Qu'est-il arrivé à ce superbe gâteau ? Juste au moment où je voulais en prendre une part…

Gerald lui imposa le silence du regard.

— Je me demande pourquoi elle pleure, reprit-elle. C'est moi qui devrais pleurer. C'est moi qui ai un an de plus.

— Ali ! Ça suffit maintenant.

— Toutes ces histoires…

Bella se tourna vers elle et lui cria au visage :

— Tu as raison, toutes ces histoires, toutes ces conneries ! Rien n'est jamais assez bien pour toi ! Quoi que je fasse, c'est mal, juste parce que c'est moi !

Bella regarda la pelle à gâteau qu'elle serrait dans sa main. Son contact était dur, solide, réconfortant. L'éclat froid du métal était rassurant. Elle s'y cramponna.

— Qu'est-ce que tu veux de moi ? Qu'est-ce que je peux faire de bien ? On ne peut même pas dire que tu m'aimes bien, alors, m'aimer tout court… On se demande pourquoi tu m'as eue. Tu ne voulais pas de moi, c'est vrai ou c'est pas vrai ? Allez, réponds !

Alessandra regardait sa fille avec des yeux agrandis, pleins d'effroi, en tressaillant au fur et à mesure que les mots l'atteignaient.

Bella leva la pelle à gâteau très haut et l'abattit avec force au milieu du gâteau. De gros jets de mousse éclaboussèrent la table. Le coulis de framboise coula comme du sang sur la nappe d'un blanc immaculé.

Gerald prit sa main dans la sienne et la reposa fermement sur la table, décrispant ses doigts.

— Non, dit Bella en s'essuyant le nez avec le dos de sa main.

Elle éclata de rire, c'était si évident !

— Non, tu n'as jamais voulu de moi. C'est aussi simple que ça.

Devant elle s'étalaient le gâteau écrabouillé, la pelle à gâteau en argent, la nappe blanche souillée de rouge violent.

Elle n'était pas en état de rentrer immédiatement. Elle partirait le lendemain matin, dès qu'il ferait jour. Tout ce qu'il lui fallait maintenant, c'était un bon bain chaud, et son lit. Elle avait tant pleuré que ses côtes lui faisaient mal, mais ses larmes étaient taries. Elle était calme. L'indicible avait été dit, et c'était un soulagement.

Gerald monta la voir dans sa chambre au moment où elle s'apprêtait à prendre son bain.

— Ta mère voudrait te parler. Elle voudrait t'expliquer. Vas-y, je t'en prie.

— Je suis désolée, papa, j'ai eu ma dose. Je ne suis pas d'humeur à écouter ses justifications.

— Je sais que c'est dur. Elle essaie. Elle n'y peut rien.

— Papa, laisse tomber. O.K. ?

— D'accord.

Ses épaules s'affaissèrent. Il paraissait las.

— Peut-être demain matin, alors ?

— Peut-être, dit-elle avec un sourire en l'enlaçant. Excuse-moi pour les dégâts.

Il repoussa ses excuses d'un geste de la main.

— N'en parlons plus. Mais… quand je pense que tu as dit que c'était surtout de l'air !

Elle est assise par terre, dans le grand placard sous l'escalier, et enserre ses genoux remontés sur la poitrine.

En se dressant sur la pointe des pieds, elle arrive tout juste à atteindre l'interrupteur. Elle vient parfois ici avec Fernando, sa petite grenouille en peluche, du papier et ses feutres préférés. Elle dessine des princesses. Naturellement, elle est la princesse en chef. Entourée de ses amies, des princesses plus petites, ses suivantes, elles portent toutes de longues robes et des couronnes jaunes avec des joyaux énormes.

Personne ne l'a jamais découverte dans sa cachette secrète. D'une part, elle prend soin de ne pas y rester trop longtemps, sa mère s'est habituée à la voir disparaître dans la nature, et, d'autre part, avec la planche à repasser posée contre le mur, le gros manteau d'hiver de papa et les ustensiles de pêche suspendus aux crochets, elle ne peut pas être vue au premier regard.

Mais, aujourd'hui, elle n'a pas son papier, ni ses feutres. Elle n'a pas eu le temps de les prendre.

Elle a passé sa matinée au jardin à arracher les mauvaises herbes que papa lui a montrées, et à cueillir des framboises. Maman veut faire un bon dessert.

Elle en mange au fur et à mesure en les comptant suivant un rituel : une, deux, trois, hop dans le saladier, et une dans la bouche. Quand le saladier est plein, elle l'apporte à l'intérieur en laissant rêveusement traîner sa main sur le mur tout en marchant. Maman la remercie d'avoir été si sage et elle espère qu'elle n'en a pas trop mangé pendant la cueillette parce que cela coupe l'appétit. Maman sort dans un bruissement de robe en direction de la salle à manger.

— Bella !

Elle se fige dans la cuisine, la main arrêtée dans son geste, au moment où elle veut prendre une nouvelle framboise. Puis elle commence à se faufiler vers l'autre porte, vers le couloir, la sortie, la sécurité.

Alessandra appelle Gerald à grands cris pour lui dire de venir voir ce que cette enfant impossible a encore fait.

— Des traces de doigts rouges tout le long du mur, sur le papier peint ! Bella ! Viens ici !

Elle est presque arrivée à la porte lorsqu'on l'attrape par le bras en la faisant tourner violemment sur elle-même.

— Tu ne l'as fait que pour m'embêter, hein ? Allez, dis-le !

La figure de sa mère n'est qu'à quelques centimètres de la sienne. Elle sent l'odeur parfumée de sa poudre et de son huile de bain au jasmin. Les yeux d'Alessandra sont immenses, brillants et piquetés de feu, comme ceux d'un tigre.

— Non, c'est pas vrai, murmure-t-elle. C'est pas vrai.

— Si, c'est vrai. Ne mens pas.

Une volée de coups s'abat sur ses jambes.

— Va dans ta chambre et que je ne te revoie plus de la journée.

Elle se mord les lèvres pour essayer de ne pas pleurer. Elle ne veut pas que sa mère la voie pleurer. Non.

Elle commence à grimper les escaliers, puis elle entend des voix dans la cuisine. Elle redescend sur la pointe des pieds et se glisse sans bruit dans le placard. De l'autre bout, blottie derrière le manteau réconfortant de papa, elle s'efforce d'entendre ce qu'ils disent, mais elle ne comprend pas bien la signification.

— … suffit, dit son père… pas fait exprès…

— … prendre son parti…

— … s'agit pas de parti…

— … fais tout ce que je peux…

— … t'aider… la punir ne changera…

— Non, Gerald, s'il te plaît.

Un léger bruit de pas qui montent les escaliers. Quelqu'un entre dans la salle de bains.

Elle entrebâille la porte du placard. Elle voit une étroite bande de couloir, un bout de la porte de la cuisine... ouverte. Elle traverse prudemment le corridor pour regarder à l'intérieur. Son père est devant l'évier, le dos tourné, face à la fenêtre. Il fait la vaisselle. La tasse de porcelaine vert et blanc paraît trop petite pour ses mains. On dirait une tasse de sa dînette. Elle doit être vraiment sale, parce qu'il n'arrête pas de la faire tourner et de frotter l'intérieur. Il a sûrement pensé à une bonne blague ; ses épaules se secouent, comme parfois, quand il rit. Elle aimerait bien qu'il lui raconte la blague, mais elle se sent étrangement mal à l'aise et elle a peur. Alors elle recule, passe devant les murs décorés de framboise et sort par la porte-fenêtre dans le jardin pour se glisser dehors par le trou dans la clôture, jusqu'au champ, jusqu'à l'herbe haute.

Et au matin, quand son père frappa à sa porte avec une tasse de thé, elle était partie.

28

La lumière de son répondeur clignotait de façon obsessionnelle ; la cassette était pleine d'appels, provenant presque tous de son père.

Elle était lasse des messages de Gerald. A quoi bon rappeler, si c'était pour tomber sur sa mère ? Et elle ne voyait pas l'utilité de parler à son père. Il se contenterait d'essayer de jouer les diplomates des Nations unies, tenterait de la décider à venir leur rendre visite en lui affirmant que ce serait différent, lui demanderait d'excuser Alessandra tout en excusant sa conduite, en la défendant.

Anthony venait de lui envoyer sa balle de basket en éponge à la tête lorsque le téléphone sonna. Elle la lui renvoya, heurtant dans ce geste sa tasse pleine de café.

— Tony, je ne suis pas d'humeur ! lui cria-t-elle, ce qui n'empêcha pas le jeune homme de lui faire des grimaces.

C'était Gerald.

— Salut, papa, dit-elle sans enthousiasme. Comment ça va ? Tu as raison de me relancer jusqu'au bureau, bravo !

La balle en éponge rebondit au milieu de son bureau.

Elle la renvoya sur la photocopieuse en sifflant entre ses dents.

— Dis-moi que tu ne m'appelles pas pour la même raison, papa.

Après une série de « hum » et de « ouais, ouais », elle prononça :

— Si elle est si désolée que ça et si elle a tant envie de m'expliquer les choses, tu peux me dire pourquoi elle n'appelle pas elle-même ?

Elle sentit qu'Anthony préparait un nouveau coup, aussi le gratifia-t-elle d'un regard furieux qui l'arrêta net dans son élan.

— Mais oui, j'écoute, zut !

Elle reprit en baissant la voix :

— Elle a jeté l'anathème sur moi sans me donner une chance, comme d'habitude, d'ailleurs. Elle a peur de quoi, au juste ? C'est ridicule…

« Je n'en sais rien du tout. Pourquoi ? Je ne l'ai pas vu. Puisque vous l'aimez tant, tous les deux, vous n'avez qu'à l'appeler. Comme ça, vous pourrez jouer les familles heureuses tous ensemble. Comme ce serait mignon ! Et vous pourriez vous prendre en photo regroupés tous ensemble autour de la cheminée pour vos prochaines cartes de vœux…

« Je suis comment ? Vraiment, papa, je ne vois pas à quoi ça rime. Je serais très contente de te voir tout seul, si tu as envie de venir un jour, mais je ne veux pas écouter tes conneries, style "Elle t'aime mais elle ne peut pas le montrer". Bon, il faut que j'y aille, maintenant. J'ai un rendez-vous. Oui, maintenant. Allez, salut.

Une nouvelle tasse de café apparut sur son bureau, ainsi que deux barres de Kit-Kat.

— Merci, Tony.

— De rien. Excusez-moi pour la balle, mademoiselle.

— Une retenue pour ce soir.

Le soir, en rentrant chez elle, elle se vautrait devant la télé et laissait le flot d'images ininterrompues défiler devant elle sans les voir : des jeux avec un public qui semblait être sous ecstasy, des séries dont elle ignorait l'intrigue, et même des émissions sportives dont elle se moquait éperdument.

Parfois, elle se forçait à monter dans son atelier. Elle ouvrait la porte qui donnait sur les tableaux posés contre le mur, les toiles vierges, les vieux carnets de dessins. Le pinceau qu'elle tenait à la main lui paraissait incongru, aussi grossier qu'une truelle. Les tableaux pénétraient lentement dans son cerveau comme se frayant un chemin dans le plomb fondu, puis ils se délitaient en flaques dès qu'elle tentait de les fixer. Elle redescendait alors et regardait fixement le pinceau toujours dans sa main comme s'il était un objet étrange, à la fonction mystérieuse.

Le facteur balança le courrier sur le paillasson. Sûrement des factures et des prospectus, comme d'habitude. Une carte postale posée sur le dessus attira l'attention de Bella.

C'était une carte de Viv, toujours à Birmingham, où elle passait quelque temps à la maison mère.

Salut la vieille !

J'espère que tu vas bien et que tu ne rumines pas trop à propos de Will. Désolée de ne pas avoir été très compatissante, mais j'étais tellement persuadée que vous étiez faits l'un pour l'autre... Je me demande si ma réaction n'a pas aggravé la situation. Excuse-moi, excuse-moi encore. Va voir Nick si tu as besoin qu'on te remonte le moral. (Si tu n'en as pas besoin, lui, si, et de plus, il aime tes crevettes épicées.) Je rentre la semaine prochaine.

Suivaient le devis pour le remplacement des cordes de fenêtres à guillotine cassées, la facture de la carte de crédit… à ouvrir plus tard, des publicités annonçant l'ouverture d'un nouveau restaurant et d'un salon de beauté avec une offre spéciale : « La Teinture De Vos Cils Et De Vos Sourcils A Moitié Prix. » Deux yeux pour le prix d'un, autrement dit. Et pourquoi commençaient-ils chaque mot par une majuscule ? Pour faire croire qu'ils annonçaient Quelque Chose De Vraiment Important ? En tout cas, moi, je n'en ai pas besoin, décida-t-elle en fronçant ses sourcils sombres et fournis devant la glace du couloir.

Oh, il y avait des lustres qu'elle n'avait vu cette élégante écriture : une lettre de Mère. Ici, les majuscules étaient justifiées. Quelle belle calligraphie, tout en lettres étirées, qui ressemblait à un glaçage de gâteau de noces. Il y avait cependant gros à parier qu'à l'intérieur la lettre soit chargée de poison… sur la pointe d'une dague effilée comme une lame de rasoir et présentée dans un fourreau orné de joyaux.

Ne me dites pas qu'Alessandra m'a vraiment écrit pour me présenter ses excuses ? Dans ce cas, il faudrait téléphoner au Vatican pour lui annoncer qu'un miracle s'est produit.

Non, il s'agissait certainement d'une justification, d'un blâme implicite pour sa fille. Voilà qui promettait d'être réjouissant.

Elle réchauffa son café avec l'eau de la bouilloire et ouvrit la lettre.

Chère Bella,

Tiens, c'est bizarre, elle n'a pas mis le mot « chère » entre guillemets.

Je n'ai pas l'habitude d'écrire, ou de parler de mes émotions, donc tu peux imaginer à quel point c'est difficile pour moi.

Ah bon ? Oh, comme c'est difficile ! Pauvre Alessandra, contrainte à un tel effort par la méchante Bella !

Nous nous ressemblons tellement par certains côtés.

Nous nous ressemblons ! Qu'est-ce que c'est que ces conneries ? On n'a rien en commun !

Je sais que nous avons toutes les deux tendance à nous couper de ceux que nous aimons, surtout lorsque nous souffrons ou nous sentons vulnérables.

Pas moi. Moi, je suis très ouverte.

Le visage de Will lui revint en mémoire : « J'aimerais te connaître vraiment. » Elle revit son propre visage, détourné, ses lèvres serrées, sa fuite devant les conversations embarrassantes.

Je te présente mes excuses…

Elle ne pouvait pas dire tout simplement : « Excuse-moi » ?

Cette manie d'être toujours aussi formelle !

… si tu as le sentiment que je t'abandonne ou que je ne t'ai pas témoigné tout l'amour ou toute la tendresse que tu attendais.

Ces mots auraient pu être formulés par un juriste. Donc, elle n'accepte pas de se sentir partiellement responsable de sa froideur ? Elle ne se la reproche pas ?

La voix de Will lui parla en écho : « Elle, c'est la méchante sorcière, et toi la gentille petite fille innocente comme l'agneau qui vient de naître. »

Je ne crois pas avoir été une si mauvaise mère.

Ah non, bien sûr !

J'aurais bien aimé être une meilleure mère. Peut-être comme toutes les mères. Nous avons tous les deux fait de notre mieux pour te nourrir et t'habiller, te procurer un foyer sûr et stable.

Nous avons toujours accueilli tes amis, nous t'avons encouragée à développer tes talents, nous t'avons accordé une grande indépendance.

Ouais. C'est parce que tu t'en foutais, c'est tout.

Tout ce que je peux dire, c'est que j'ai fait de mon mieux, compte tenu de ma personnalité. Jamais je ne t'ai blessée délibérément. Je pense que j'aurais pu être une « meilleure » mère…

Ah, ah. C'est intéressant, tu l'as mis entre guillemets, c'est vraiment un concept étranger.

… et je vais tout faire dans ce sens. Je ne veux pas me justifier ou me sentir obligée de me justifier…

Mais tu vas le faire.

… mais mon éducation a été complètement différente de la tienne. Nous avions très peu d'argent, comme c'est souvent le cas chez les immigrants, et c'est ce qui explique peut-être que j'aie accordé trop d'importance à ton bien-être matériel, au lieu de t'accorder l'attention à laquelle tu aspirais. Plus tard, j'ai rencontré des problèmes qui m'ont terriblement affectée. Peut-être t'en parlerai-je un jour.

Oh, du suspense ? Très astucieux. Des problèmes ? Quoi, comme genre ? Tu as perdu un rouge à lèvres à l'âge de vingt ans ? Tu as fait tourner la sauce hollandaise il y a quinze ans ? Tu ne veux pas le dire, car tu sais que ça paraîtrait trop dérisoire.

Tu te trompes en pensant que je ne t'aime pas. Tu te trompes tout à fait. Je suis désolée de ne pas te le montrer autant que tu le voudrais… ou autant que je le voudrais.

Pourquoi n'as-tu pas écrit que tu m'aimais ? Je t'aime. Est-ce si difficile à dire, à écrire ?

Elle repensa à Will : « Tu n'arrives pas à le dire, hein ? »

Et à sa réponse : « De quoi parles-tu ? Du mot qui commence par "A" » ?

Mais il n'y avait que sa mère pour le formuler ainsi sous la forme négative.

Une voix murmura dans sa tête : Et toi, tu lui as déjà dit que tu l'aimais ?

J'espère que nous arriverons toutes les deux à devenir de meilleures amies. Je t'embrasse très fort. Maman.

Bella observa la signature. Visiblement, sa mère avait commencé à écrire « Alessandra ». La lettre A avait été soigneusement transformée en M.

Oh, je t'en prie ! Maman. Très convaincant. Tu aurais pu m'envoyer un gâteau à la noix de coco en même temps, pour me prouver que tu es une bonne « maman ».

Elle plia la lettre pour la remettre dans l'enveloppe.

Quelque chose se trouvait encore à l'intérieur : deux photos tombèrent sur la table, des photos qu'elle n'avait jamais vues. La plupart des photos de famille étaient plutôt formelles, avec des poses empruntées. Alessandra déployait en général un charme sophistiqué. Il en existait quelques-unes de Bella seule, ou jouant avec une copine. C'était son père qui en avait pris la majeure partie ; il n'y en avait donc pas beaucoup de lui.

Le premier des clichés envoyés par sa mère était légèrement flou. Alessandra, jolie et décontractée en robe d'été, les cheveux dénoués, portait Bella sur une hanche et la chatouillait sous le menton ; la petite Bella riait.

Quand cette photo avait-elle été prise ? Bella la retourna. Pas de date. Elle devait avoir deux ans, peut-être trois.

L'autre était plus nette. C'était une plage. Alessandra, agenouillée sur le sable, retenait ses cheveux et observait sa fille en train de planter un drapeau au sommet d'un grand château de sable qui lui arrivait aux épaules. Le château était pourvu de tours garnies de coquillages, et d'un fossé. Pas de date non plus, mais Bella pensa qu'elle ne pouvait avoir plus de trois ans. En y regardant de plus près, elle reconnut le petit costume de bain qu'elle portait. Il était bleu marine, elle s'en souvenait maintenant, avec une petite jupe noire et un haut rayé décolleté en V. Elle l'avait complètement oublié, et pourtant, elle avait été aux anges lorsque sa mère le lui avait acheté. C'était un maillot de bain pour grande fille, son premier vrai, alors qu'auparavant elle portait juste sa culotte et rien en haut, comme un bébé.

Elle avait envie d'appeler son père pour lui demander de quelle année dataient les photos.

Elle observa attentivement la première d'entre elles. Qu'avait-elle donc de si étrange ? Des photos de famille comme celle-ci, il y en avait des milliers. Elle était délicieuse, mais pourtant très ordinaire. Elle regarda le visage de sa mère de plus près. Oui, c'était ça. Il était un peu flou, mais on voyait qu'Alessandra regardait sa fille avec une extrême attention. La photo était un petit monde en soi, avec seuls les deux personnages de la mère et de l'enfant complètement absorbées l'une par l'autre. Elle ferma les yeux et fouilla dans sa mémoire pour revivre l'instant.

Deux bras tendres l'entourent. Un parfum de jasmin et de poudre de riz et de mer. Elle frotte son nez à celui de sa maman.

Elle baissa les yeux sur les photos qu'elle tenait à la main, puis les posa sur le manteau de la cheminée.

Bella errait dans les allées du supermarché sans trop savoir ce qu'elle cherchait, entassant machinalement les boîtes et les paquets dans son chariot. De quoi avait-elle besoin ? Que faisait-elle dans cet endroit ? Elle attrapa un pot de yaourt et fixa l'étiquette en se mordant la lèvre, comme pour l'étudier à fond : la liste des ingrédients, le prix, le poids, l'analyse nutritionnelle. Féculents modifiés, acide citrique : 104 kcal pour 100 g, 208 kcal par pot. C'était bien ? Pouvait-elle l'acheter, ou non ?

Elle ne cessait de penser à Will, de le voir. Elle le voyait endormi, ses boucles indisciplinées étalées sur l'oreiller. Elle le voyait s'arrêtant de marcher au cours de leurs promenades, dans le feu de la conversation. « Tu n'arrives pas à marcher et à parler en même temps ? » lui demandait-elle. « Non », répondait-il en lui prenant le bras et en la tenant de façon à ce qu'ils puissent se parler face à face, qu'il puisse guetter sa réaction. Elle le voyait dans la douche, tandis que l'eau ruisselait sur son visage, sur sa poitrine, et qu'il faisait mousser le savon sur ses jambes. Elle le voyait ici même, au supermarché, parcourant les allées avec le chariot à une vitesse folle, en imitant le crissement des pneus dans un virage à chaque changement de direction. Elle le voyait au lit, le visage détendu, les yeux brillants lorsqu'il la regardait, entortillant une boucle de ses cheveux autour de son doigt : « Tu vois ? On est enchevêtrés. Tu ne peux plus t'échapper, maintenant. »

Elle tenta à grand-peine de chasser ces souvenirs qui refusaient de s'effacer. Puis les photos lui revinrent à l'esprit, les photos d'elle et de sa mère. Avec impatience, elle se tourna vers le rayon des produits frais qui se trouvait en face d'elle. Que lui fallait-il d'autre ? Elle garda les yeux braqués sur un carton de jus d'orange, comme pour y lire la réponse.

Sur le parking, elle déchargea sa voiture, l'esprit absent, entassa ses achats dans le coffre en calant les œufs avec précaution, comme s'il lui importait avant toute chose de les acheminer entiers chez elle…

Elle sortit du parking à une vitesse d'escargot, s'efforçant d'être attentive aux gens qui reculaient, aux acheteurs qui poussaient des chariots incontrôlables, aux enfants qui n'atteignaient pas la hauteur des yeux. Son visage était là, dans sa tête, clair et précis, avec son demi-sourire quand il l'écoutait, ses sourcils qui se rapprochaient quand il réfléchissait. Elle cligna des yeux et avala sa salive. Non, elle n'avait pas à penser à lui. Elle ne penserait pas à lui. Ni à personne d'autre. Ni à rien d'autre.

C'est alors que, comme à travers une brume, elle croit voir Patrick devant elle, s'éloignant. Il se tourne à demi comme s'il sentait sa présence derrière lui, mais elle n'arrive pas bien à voir si c'est vraiment lui. Elle inspire ; une odeur d'humidité, une légère odeur de terre emplissent ses narines. Ses cheveux se hérissent sur sa nuque, la chair de poule recouvre ses bras. Peut-être va-t-il se retourner, lui faire signe de le suivre. Il va l'appeler, c'est sûr ! Le froid et l'humidité, la frayeur s'insinuent en elle, s'infiltrent dans ses épaules, descendent le long de son épine dorsale, se glissent vers ses genoux. Patrick ! a-t-elle envie de crier. Patrick.

Soudain, un *Bing !* Un bruit de tôle froissée. Un affreux gémissement de pneus. Elle fut projetée en avant, puis sur la gauche, puis en arrière, fermement maintenue par sa ceinture de sécurité.

— Non mais quelle conne ! Qu'est-ce que vous avez foutu ? Pourtant, j'étais bien visible ! hurla un inconnu à travers la glace, si près d'elle qu'elle vit l'intérieur de sa bouche..

C'était donc ça, la vision du monde qu'avaient les dentistes ? Une couronne en or, placée sur une prémolaire, brillait de façon incongrue en se détachant dans le four noir de sa bouche.

Il criait toujours. Ses lèvres s'agitaient frénétiquement, sa bouche changeait de forme au rythme de ses mots. Il montra quelque chose du doigt, puis abattit à grand bruit sa main sur son capot. Elle se cramponna désespérément au volant en se disant que si elle parvenait à s'y accrocher, tout se passerait bien. Elle ne sentait plus ses mains. Un coup d'œil au volant lui confirma qu'il était toujours là, bien enfermé entre ses doigts crispés ; en dessous, ses jambes tremblaient de façon incontrôlée.

Un policier s'approcha du type qui beuglait toujours. Il lui dit quelques mots, puis lui posa une main sur le bras et le poussa fermement sur le côté. On tapa à sa fenêtre. Un second policier apparut, fit un petit mouvement circulaire avec son doigt. Comme c'était drôle ! A quoi jouait-il ?

— Baissez votre glace, dit-il à travers la vitre.

Baissez votre glace. Elle crut entendre les engrenages de son cerveau se remettre lentement en route, puis en place. Elle vit son bras se mouvoir lentement, comme brassant l'eau, se tendre vers la poignée.

— Coupez le moteur et descendez du véhicule, s'il vous plaît.

Bella le regarda. L'expression du policier changea et il passa son bras pour tourner la clé de contact. La portière s'ouvrit.

— Vous êtes blessée, mademoiselle ? Attendez. Ne bougez pas. Restez ici.

Quelqu'un vint s'asseoir à côté d'elle et lui posa des questions. Avait-elle mal quelque part ? Ressentait-elle quelque chose à la nuque ? Pouvait-elle bouger ses jambes ? Ses pieds ? Comment s'appelait-elle ? Savait-elle quel jour on était ?

— O.K. Venez, on va vous faire sortir de la voiture. Tout se passera très bien, vous verrez.

Un collier doux et spongieux fut placé autour de son cou. Il y eut un « clic » lorsque la ceinture fut détachée.

Elle fit quelques pas incertains, comme un bébé testant

ses jambes. Le contact du sol lui parut inhabituel ; ses pieds étaient lourds, trop lourds à soulever. Elle tremblait de façon incontrôlable. Il faisait vraiment froid. Quelque chose de chaud et de lourd fut placé autour de ses épaules ; la veste fourrée de quelqu'un. Un bras la soutenait. Elle n'était pas seule.

— … complètement choquée, dit une voix.

Le policier lui demanda en articulant lentement :

— Vous avez besoin qu'on appelle quelqu'un ?

Will. Je veux Will.

Elle sentit qu'on lui mettait un paquet de mouchoirs dans la main. Elle ne pouvait appeler Will. C'était à maman et papa de venir s'occuper d'elle. Eux, ils sauraient arranger les choses. Non. Non, ils ne viendraient pas. Ils ne voudraient pas la voir maintenant.

Elle secoua la tête. Un policier lui tendit un tube étroit pour qu'elle souffle dedans ; une petite lumière verte s'alluma et il lui dit qu'elle était en règle.

— Nous allons vous poser quelques questions, dit le policier, mais avant, nous devons vous examiner. D'accord ?

Elle hocha la tête. Oui. Elle comprenait. Ils avaient quelques questions à lui poser. Il fallait qu'on l'examine. D'abord, monter ces marches et entrer dans l'ambulance. Quelqu'un avait-il été blessé ? Pendant qu'on l'aidait à monter, elle jeta un regard sur sa voiture : une petite camionnette blanche était encastrée dans l'aile droite : « Fiona Fleurs – Des fleurs en toute occasion. »

C'est ma voiture. J'étais dans cette voiture.

Son corps tout entier se mit à trembler, aussi fort que si une secousse faisait bouger la terre sous ses pieds.

L'auxiliaire médical lui demanda si elle se sentirait mieux allongée. Pourquoi s'allongerait-elle ? Elle n'avait absolument pas sommeil.

On la mena jusqu'à son siège et on l'emmitoufla dans une couverture.

A l'hôpital, on la déclara apte à rentrer chez elle.

— Mais il faudrait vraiment que quelqu'un vienne vous chercher, dit l'infirmière. Je peux joindre quelqu'un pour vous ?

— Non, non, ça va. Vraiment. Merci. Je vais appeler un taxi.

L'infirmière lui indiqua le publiphone.

— Il y a un numéro sur le mur. Y aura-t-il quelqu'un chez vous quand vous rentrerez ? Il ne faudrait pas que vous restiez seule, vous êtes sous le choc.

— Non. Oui. Mon... il y aura quelqu'un quand je rentrerai.

Elle salua l'infirmière d'un signe de tête et s'éloigna à reculons.

— Je vais bien. C'est vrai, je vous assure. Je vais bien.

29

Ignorée, la pile de courrier s'étalait près de la porte d'entrée comme du carrelage non cimenté ; abandonnés là, des verres sales et des assiettes portant des traces de nourriture desséchée encombraient le plan de travail ; derrière les rideaux obstinément fermés, les plantes du jardin poussaient comme bon leur semblait.

Il y eut une étrange sonnerie. Bella s'administra une tape distraite sur le côté de la tête pour la faire disparaître. Mais le bruit désagréable ne cessa pas. Un bruit de sonnerie. Oui, c'était bien ça. Et maintenant, on frappait. Quels emmerdeurs, ces voisins ! Quel boucan ! Le coin était vraiment bruyant. A quoi bon quitter Londres pour se retrouver dans un endroit pareil ! Ça suffisait comme ça, trop, c'était trop. Oui. Elle allait leur écrire, à ces gens, pour se plaindre.

La sonnerie persistait de plus belle. Elle tendit le bras vers son réveil. Il était réglé sur « Arrêt ». Mais le bruit continuait.

Bella se roula sur elle-même et posa lentement ses jambes par terre. Des chaussures. Il fallait qu'elle trouve des chaussures. Elle regarda ses pieds. Ils étaient chaussés. C'était pratique. Et maintenant, on recommençait à frapper. Ah, ils allaient voir, elle allait s'en occuper.

Elle se mit debout et sortit en titubant sur le palier. Quel vacarme !

— Chut !

Elle était au sommet des marches. En dessous, l'escalier s'étirait si loin qu'il paraissait aussi profond que le Grand Canyon. Elle se demanda s'il y avait de l'écho.

— Houhou ! appela-t-elle.

— Houhou ! répondit-on d'en bas.

Génial. Il y avait de l'écho.

— Houhou-ou-ou ! cria-t-elle encore.

— Bella ? C'est moi !

Mais l'écho n'était pas terrible. En principe, il devait répercuter les mêmes sons.

Le trajet jusqu'au bas de l'escalier était affreusement long. Elle s'assit brutalement sur la première marche et entreprit de descendre sur les fesses, marche par marche.

Arrivée en bas, elle fut confrontée à une paire d'yeux qui la regardaient à travers la fente de la boîte aux lettres.

Bella leur fit signe de la main.

— Bella ! Dieu merci.

Les yeux de Viv s'agrandirent.

— Qu'est-ce que tu fabriques ?

— Et toi, pourquoi es-tu dans la boîte à lettres ?

— Je ne suis pas dans la boîte à lettres, espèce de pomme. J'essaie de regarder à travers pour voir si tu es là.

Bella regarda autour d'elle.

— Mais je suis là.

— Oui, c'est ce que je vois.

Bella réfléchit.

— J'ai entendu une sonnerie.

— Oui. C'était moi. Ça fait dix minutes que je suis

appuyée contre la sonnette. Dis, ma poule, on se gèle, dehors.

— Tu veux une petite boisson pour te réchauffer ?

Bella se souleva à l'aide de la rampe.

— J'ai un entonnoir, ajouta-t-elle.

— Non, merci. Laisse-moi entrer, d'accord ? Je commence à avoir des crampes.

— Prends du sel, c'est bon pour les crampes. Et évite d'entrer dans les boîtes à lettres. Tu arrêteras de sonner si je te laisse entrer ?

— Je ne sonne pas.

— Oh, c'est vrai. Ça s'est arrêté.

Bella ouvrit la porte et son amie s'affala presque sur le paillasson.

— Je suis tout engourdie, dit-elle. J'étais à genoux devant la porte. Mais merde, qu'est-ce qui se passe ? Tu ne réponds plus au téléphone ? La cassette de ton répondeur est pleine.

— Tu veux toujours un entonnoir ?

— Tu m'emmerdes avec ton entonnoir. Bel ! Tu as.

Viv l'attrapa soudain par les épaules.

— Tu as pris quelque chose ?

— Oui, merci. Tu en veux ?

— Quoi ? Quoi ?

— Quoi ?

— Oui, quoi ? espèce d'imbécile ! Qu'est-ce que tu as pris ?

— Non, merci. J'en ai eu assez.

Viv la secoua.

— Bella, écoute-moi, c'est sérieux. Dis-moi exactement ce que tu as mangé ou bu.

Bella réfléchit quelques instants.

— Des biscuits. Des Jaffa.

Elle leva trois doigts.

— Trois gâteaux Jaffa ?

Bella secoua la tête.

— Trois paquets.

— A moi, ça ne me fait pas cet effet-là. Quoi d'autre ?

— Des Maaa...

— Des maaa quoi ? Allez, continue !

— Des Maltesers, termina Bella. Un paquet familial conditionnement spécial.

— Et ? Quoi d'autre ? Des comprimés ?

— Non, non, j'suis pas malade. Pas de comprimés... Des Maltesers.

— Oui, tu l'as déjà dit.

— Mmm, confirma-t-elle en opinant du chef. Du vin... et du Bailey's... et je me suis tapé de la vodka en pagaille.

Bella, assise sur les escaliers, suivait des yeux son amie qui passait de pièce en pièce en accompagnant ses déambulations d'un flot de paroles :

— Pourquoi n'as-tu appelé personne ? Nick serait venu... il aurait pu te donner mon numéro à Birmingham... Et tout ça, c'est à cause de Will ?... Merde, qu'est-ce qui se passe ?... Incroyable... Tout ce bordel... une pile de courrier... quelle idée... Depuis combien de temps... Les gens de ton bureau m'ont dit que tu travaillais comme une perdue... De l'eau... Boire des litres d'eau... Comment t'as fait pour être aussi bête ?...

Bella désapprouvait toute cette agitation. Ce n'était pas bon de courir comme ça. Ça vous collait des indigestions. Et le stress.

Viv monta les escaliers quatre à quatre, ouvrit des tiroirs et des placards, puis réapparut en fourrant des affaires dans un sac.

— Tu vas venir passer quelques jours avec nous. Pas de discussion. On peut dire que tu m'as foutu une sacrée trouille. Il suffit que je tourne les talons pour que tu disparaisses de la surface de la terre !

Elle prit son amie indigne dans ses bras.

— Tu ne te rends pas compte, tu sais !

— Quoi ? répondit Bella.

Elle était couchée dans la chambre d'amis, blottie dans la robe de chambre moelleuse de Viv. Un verre d'eau était posé près du lit. Et une bassine.

Elle entendit des voix étouffées devant la porte. Un chuchotement rassurant de grandes personnes. La porte s'entrebâilla.

— Bel ? Tu dors ?

— Mmm. Viv ?

Son amie entra et s'assit sur le bord du lit.

— Qu'est-ce qu'il y a, ma poule ?

— Excuse-moi.

— De quoi ? Tu n'as pas à t'excuser.

— D'être conne comme ça. Merci de ta gentillesse.

— Bonne nuit, espèce de folle. Fais un beau dodo.

Les policiers étaient très polis.

Il ressortait de l'enquête qu'elle circulait sur la route principale, tandis que l'autre conducteur débouchait d'une route transversale.

— Moi, je croyais qu'elle s'était arrêtée, expliqua-t-il, ouais, elle était arrêtée. Et là-dessus, v'là qu'elle démarre sans prévenir, ce qui fait que moi, ben, je lui ai foncé dedans ! Vous auriez fait pareil à ma place. Elle est givrée, quoi, c'est tout.

Les témoins n'étaient pas d'accord entre eux. L'un dit qu'elle s'était presque arrêtée, et un autre déclara que la camionnette arrivait trop vite, qu'elle était impossible à éviter. Indiscutablement, c'était à la dame de passer.

Viv conduisit Bella à l'endroit où sa voiture avait été transportée après l'accident. La compagnie d'assurance de l'autre conducteur, qui avait envoyé quelqu'un pour l'expertiser, la déclara bonne pour la casse.

Il ne lui restait plus qu'à sortir ses affaires personnelles de l'épave.

— Putain ! s'exclama Viv en voyant la voiture. On peut dire que tu as eu du pot, Bel.

Viv se chargea de vider la boîte à gants, tandis que Bella allait ouvrir le coffre en prenant bien soin d'éviter de regarder l'avant et le côté de la voiture.

La puanteur était atroce. Une odeur d'ordures et de viande pourrie. Elle recula avec un haut-le-cœur. Qu'est-ce que c'était que ça ? Puis elle comprit. Ses courses.

Viv s'approcha, puis s'arrêta, frappée par l'odeur. Elle recouvrit son visage de ses mains.

— C'est quoi ?

— Ben... du poulet, des crevettes... des tas de trucs. J'ai envie de vomir.

— O.K., j'y vais.

Viv se boucha le nez et se jeta à l'eau. Elle attrapa les deux sacs et les jeta dans un troisième dont elle noua les anses. Puis elle s'enfuit en le tenant à bout de bras, à la recherche d'une poubelle.

Bella respirait mal, le souffle court, au bord de la nausée. Quelle puanteur ! Et la voiture. Elle était dans cette voiture.

Il faut que je la regarde. Il le faut.

L'avant et une partie de l'aile droite étaient enfoncés, pliés aussi nettement qu'une feuille de papier. Elle passa les doigts sur la tôle déchirée. Les deux phares, brisés, où des débris de verre étaient toujours accrochés aux cadres de métal, ressemblaient à une paire de lunettes écrasée.

L'aile, devant le siège du conducteur, semblait avoir été défoncée à coups de masse par un fou.

Une crampe lui serre l'estomac et la nausée monte dans sa gorge. Elle s'agrippe à l'épave pour se soutenir, tombe en avant, secouée de spasmes, et vomit sur le goudron.

Une main se pose sur son front et lui maintient les cheveux en arrière. Une voix douce la calme. Un bras entoure ses épaules pour la soutenir. Viv.

De retour chez son amie, elles se réchauffent les mains autour d'une tasse de thé, comme des rescapées d'un naufrage.

— Quand j'ai vu ta voiture, j'ai eu une de ces trouilles ! Tout à coup, j'ai pensé : Et si... ?

Viv pique du nez dans sa tasse.

— Il faut que tu prennes soin de toi. Je n'ai personne d'autre pour me faire rire et me cuisiner du poulet au citron.

Viv lui demande si elle a prévenu Will.

— Pourquoi ? En quoi ça le regarde ?

— Mon Dieu, que tu es énervante ! Ça le regarde parce que je suis sûre qu'il est toujours fou amoureux de toi, voilà pourquoi. Je n'ai jamais vu personne d'aussi amoureux.

— Ah, tu crois ? demande poliment Bella, d'une voix plate, dénuée d'expression.

— Tu le sais très bien. Et toi aussi, tu l'étais. Vous étiez écœurants à voir, tous les deux, collés l'un à l'autre comme deux petits agneaux. Bêêê.

Bella ouvre la bouche pour parler.

— Et surtout, n'essaie pas de nier, l'interrompt Viv. Jamais je ne t'ai vue aussi heureuse. Je suis désolée de te le dire, mais avec Patrick, ce n'était pas pareil. Là, tu étais carrément radieuse. Ta peau irradiait de bonheur.

— C'est à cause du rouge à joues.

— C'est ça. Tu sais, j'ai l'habitude. Il suffit qu'une chose te tienne vraiment à cœur pour que tu la tournes en dérision. Arrête, pour une fois.

Viv finit son thé, puis poursuit :

— Tu ne te rappelles pas comment Nick te taquinait parce que tu n'arrêtais pas de parler de Will ? Tu te rappelles ? Il te disait : « Ah, que penserait-il de ça, Will ? Dis-nous, c'est quoi, sa couleur préférée ? Il n'est que minuit, on a toute la nuit. Allez, raconte. Dis-nous à quel point il te fait rire. Ça ne l'empêche pas de savoir être sérieux, quand il le faut ! Et parle-nous un peu de ses sourcils qui te plaisent tant. » Tout ça, tu l'as oublié ?

— Non, je m'en souviens.

— Eh bien.. si tu l'appelais, juste comme ça … ?

Bella secoue la tête.

— C'est trop tard.

Il ne voudra plus de moi maintenant. Et je ne sais pas… Je ne trouverai pas les mots.

— Comment tu te sens, ma poule ?

— Merveilleusement bien. Aux anges.

Bella ferme les yeux et se met à pleurer.

— Bizarre, reprend-elle. Merdique. Flageolante. Contente d'être entière. Tu peux me prendre dans tes bras ?

Viv la serre contre elle.

— Et que je ne t'y reprenne plus à me faire peur comme ça… ou je te tue.

Elles rient en chœur, et les larmes roulent le long de leurs joues.

30

— Evidemment, je te l'ai dit. Quand tu veux.

Fran paraît sincèrement contente.

Bella lui raconte son accident de voiture.

— Je me sens toujours un peu flagada, mais je sais que je dois recommencer à conduire, sinon je n'y arriverai plus. Je vais louer une voiture pour le week-end, en attendant d'en acheter une autre. Je le ferai dès que je serai d'attaque. Je te remercie, c'est gentil de ne pas... eh bien... de ne pas me considérer comme indésirable.

Fran rit.

— Que tu es bête ! Tu sais que je t'aime beaucoup, quoi qu'il arrive, et quoi qu'il se soit passé entre toi et Will.

Le dimanche matin est gris et triste, il pleut. Une tarte Tatin faite maison est posée sur le siège du passager. Elle fera une compagne idéale, peu exigeante. Elle ne tripotera pas les boutons de la radio. Elle ne dira pas : « Tu sais, je crois que tu aurais dû tourner à gauche. » Elle ne la fera pas rire pendant qu'elle essaiera de se concentrer sur la conduite. Elle ne mettra pas sa main sur sa cuisse, pour l'empêcher d'oublier sa présence un seul instant.

Fran est dans le jardin, visiblement peu troublée par l'humidité ambiante. Un temps idéal pour planter.

Elle embrasse Bella.

— Il faudra que tu prennes des groseilles en partant. J'en ai plein le congélateur. Je sais que tu sauras en faire des choses intéressantes. Je ne peux pas me gaver de confiture de groseilles jusqu'à la fin de mes jours.

Bella aide Fran au jardin. Elle est capable de faire la différence entre la mauvaise herbe et l'autre ; elle sait ce qu'il faut tailler et ce qu'il faut conserver. Le bruit des sécateurs lui rappelle Will. Fran a la même façon d'arpenter ses plates-bandes, tirant sur une herbe en passant, ôtant une fleur fanée ici et là.

Par courtoisie, Fran évite de parler de son fils. A la place, elle évoque Hugh, son mari.

— Il me manque toujours, tu sais ? Ça fait plus de cinq ans qu'il est mort, maintenant. Je me demandais combien de temps je mettrais à dépasser ça, comme on dit, comme s'il s'agissait d'une course d'obstacles. Dans ma tête, j'imaginais cet obstacle comme un grand rocher qui me barrait la route. Il me fallait le franchir. Je pensais qu'une fois passée de l'autre côté, je retrouverais la vie normale. Je ne me rendais pas compte ! s'exclama-t-elle en riant. Allez, y en a marre de cette bruine, on va rentrer prendre le thé.

— Donc, je suis passée par tous les stades, reprend-elle lorsqu'elles furent installées dans la cuisine. Au début, je n'arrivais pas à y croire. Hughie était tellement vivant. Je n'arrêtais pas de le voir partout. Il m'est déjà arrivé de suivre dans la rue un bonhomme qui portait le même genre de veste en velours que lui. C'est idiot, je sais.

Bella secoue la tête.

— Non, ce n'est pas idiot.

— Et je lui en voulais beaucoup. Je lui en voulais de ne pas avoir pris davantage soin de lui. Il avait déjà eu une petite attaque avant. Je ne comprenais pas qu'il ait pu me laisser seule. Ensuite, j'ai culpabilisé. Et par la suite, je suis devenue hypersensible. Je pleurais dans les endroits les plus invraisemblables. Une fois j'ai dû sortir en trombe de la pharmacie : j'avais vu la poudre qu'il mettait dans ses tennis. J'ai pensé que j'aurais dû faire quelque chose, n'importe quoi, que je n'aurais pas dû le laisser manger du beurre… que j'aurais dû lui faire reprendre le tennis. Dans le jardin, j'arrachais les pommes de terre pour le repas du soir et, tout à coup, je me rendais compte que j'en avais arraché pour deux. Je me retrouvais alors au trente-sixième dessous.

Bella débarrasse leurs tasses.

— Mais… ensuite, ça s'est amélioré.

Fran lève la main vers les sourcils que Bella a haussés pour traduire son doute.

— Non. Je sais ce que tu penses. Oh, je ne supportais pas que les gens me répètent sans arrêt que le temps était le meilleur des remèdes. Mais mes sentiments ont évolué. Dieu sait que je ne l'ai pas oublié. Jamais plus les choses ne seront comme avant. La vie n'est plus la même. Moi, je ne suis plus la même. Mais la douleur s'est atténuée, maintenant. J'arrive à prendre du plaisir en évoquant mes souvenirs, je ne suis plus torturée. Et, quelque part, j'ai décroché.

Un silence. Fran se lève pour aller remplir la bouilloire, farfouille dans la panière pour trouver « de quoi faire des toasts ».

— Toi aussi, tu as perdu quelqu'un, je crois ?

Le tintement du couvercle de la bouilloire. Le frottement d'une allumette. Le sifflement léger du gaz.

— Excuse-moi. Peut-être préfères-tu ne pas en parler ?

— Je… non, ce n'est pas que… j'aie des difficultés. Non, ce n'est pas ça. C'est si…

Elle serre les lèvres pour retenir ce qu'elle s'apprêtait à

dire, puis, tout à coup, sa bouche tremble et s'ouvre, elle a le souffle coupé. Puis elle se met à parler. Elle dit qu'elle a très peur… qu'elle ne pouvait pas laisser partir Patrick, qu'elle n'osait pas, qu'elle avait peur de le trahir, il avait besoin qu'elle se cramponne à lui, pour éviter qu'il ne parte pour de bon.

Autour d'elle, la cuisine est comme noyée dans la brume.

Ensuite, elle a rencontré Will et elle s'est sentie très mal à l'aise ; elle a culpabilisé de tant l'aimer, tout en étant terrifiée à l'idée de le perdre. Si elle l'avait perdu, elle n'aurait pas pu le supporter ; pas Will, c'était impossible, elle aurait été rongée de chagrin, elle aurait cessé d'exister. Et elle avait tout gâché, elle l'avait amené à la quitter et c'était affreux. Il ne savait même pas qu'elle l'aimait… elle était incapable de le lui dire, elle avait trop peur. Elle avait peur de l'admettre, de crainte qu'on ne le lui enlève… qu'on ne la punisse… on ne lui permettrait pas d'être aussi heureuse, pas longtemps. On le lui laisserait juste assez pour induire en elle un sentiment de sécurité trompeur. Elle prendrait l'habitude de l'avoir à ses côtés, et la vie serait belle, et puis… Boum… il serait renversé par un camion, ou attraperait un cancer, ou partirait pour Auckland. Et elle ne serait pas capable de le supporter. Le problème, c'est qu'elle l'a de toute façon perdu… mais ce n'est pas si terrible que ça ; au moins, elle s'y attendait, c'est elle qui a conçu son plan ; de cette façon, elle sait où elle en est. Non, non, ce n'est pas si terrible que ça. Pas si terrible.

Fran la prend dans ses bras. Elle caresse ses cheveux et la tient contre elle. Elle murmure des petits « chut ! » réconfortants contre sa tête.

— Et en plus, je te mou-ou-ouille ! dit Bella en pleurant.

— Chut, chut. Je m'en fiche, je n'aime pas cette chemise.

Bella respire en haletant. Ses épaules sont secouées de spasmes. Des sanglots étouffés compriment sa poitrine. Elle essaie de les ravaler. Le mascara coule sur ses joues, dessinant une toile d'araignée. Elle essuie son nez du dos de la main.

— Mais c'est bien pire que ça... b-bien pire.

Fran la tient toujours contre elle, et Bella lève la tête.

— Je ne l'ai jamais dit à personne. Tu me détesteras quand tu le sauras.

— Chut, chut. Jamais je ne te détesterai.

Bella se calme doucement. Elle se mouche et pousse un grand soupir à ce souvenir qui vient l'assaillir. Il est temps de le dire à quelqu'un.

Elle le savait depuis des semaines déjà, peut-être même des mois, avant d'oser l'admettre. Quand cette pensée s'était-elle insinuée en elle pour la première fois ? Quand s'était-elle autorisée à la former ? Elle avait dû naître au plus profond de ses os, puis s'était répandue dans son corps, glissée dans sa circulation sanguine, pour se frayer peu à peu un chemin jusqu'à son cœur, sa tête. Maintenant, c'est une sorte de picotement sous sa peau, qui refuse d'être ignoré. Elle ne peut s'accorder le luxe de l'oublier que lorsqu'elle se précipite dans autre chose. Elle passe donc de longues heures au travail, se lève de bonne heure pour aller à la piscine, appréciant, pour une fois, l'odeur du chlore qui s'insinue dans ses narines et lui brûle les yeux en même temps qu'il nettoie ses pensées honteusement égoïstes.

Elle va jusqu'à commencer une tapisserie en reportant sur du papier millimétré une vieille peinture qu'elle avait faite de la maison de ses parents. Le soir, elle peut se concentrer sur les minuscules carrés colorés, se plonger dans ses propres petits points, comme un chercheur qui, penché sur un microscope, est sur le point de faire une découverte.

Patrick commente avec un rire :

— N'importe qui penserait que tu as un amant, Bel. Toutes ces heures sup' au bureau !

— Meuh non, mon amour… Un client important, c'est tout.

Pour le taquiner, elle avait fait semblant d'être embarrassée, comme s'il l'avait percée à jour, avait découvert son grand secret, et il avait ri.

Mais il n'avait rien découvert du tout. Il était à cent lieues de là. Bella en était presque arrivée à souhaiter avoir un amant, une vraie raison, quelque chose de tangible, quelqu'un d'autre qu'elle pourrait montrer en disant : « Tu vois ? Voilà pourquoi. » Comme ç'aurait été simple !

Avec chaque jour qui passe, elle sent le fossé se creuser entre ses intentions et ses actions. Elle s'observe en train de parcourir l'appartement, un pas derrière cette fausse image d'elle-même, et elle ironise sur sa gaieté, ses sourires. Comment se fait-il que Patrick ne s'en rende pas compte ? Il va sûrement voir, là, tout à coup, à quel point elle tremble derrière cette horrible façade souriante.

— Ça va ?

Patrick lui tapote le genou, en tapotant en même temps les mots croisés de son journal du bout de son crayon.

— Ouais. Très bien, répond-elle, comme un épagneul bien dressé.

Elle se met à programmer « Parler à Patrick » dans sa tête, puis dans son agenda. Pas ce week-end, on va chez ses parents. Pas pendant la semaine, il va rentrer tard du boulot, tous les soirs. Le week-end prochain ? Peut-être.

Quand arrive le week-end suivant, ils ont des amis à

dîner ou Patrick n'est pas en forme, ou elle a des règles douloureuses. Peut-être lui parlera-t-elle mardi, un peu avant son anniversaire, ou, oh mon Dieu, après, ce sera Noël. Le mieux serait d'attendre après Noël.

De fil en aiguille, le 18 janvier, elle se retrouve dans une petite pièce blanche, les yeux braqués sur le corps de Patrick étendu devant elle. Je suis une hypocrite, s'accuse-t-elle intérieurement, je suis une horrible tricheuse qui ne mérite pas un homme comme lui.

Mais en même temps, malgré le choc, elle sait qu'elle est contente de ne pas lui avoir parlé, de ne pas avoir gâché ses derniers mois ; elle est heureuse de ne jamais avoir prononcé les mots : « Patrick, je ne peux plus continuer. Je ne peux plus rester avec toi. Je… je ne t'aime plus. »

Fran vient lui dire bonne nuit et la borde étroitement, comme si elle était une enfant. Bella place son menton sur le drap et regarde les roses, les joints bizarrement non alignés et les bords irréguliers du papier peint. La lampe de chevet éclaire quelques brins de fenouil mêlés à des boutons d'or d'un jaune éclatant qui garnissent un petit vase bleu. C'est drôle, se dit-elle, je n'avais jamais remarqué à quel point les boutons d'or sont jolis… leurs pétales sont parfaitement dessinés, très doux…

Le sommeil la surprend et elle ferme les yeux, veillée par leurs corolles jaunes qui la réchauffent comme de minuscules soleils.

Patrick marche devant, et elle a du mal à le suivre. Le souffle court, elle finit par le rejoindre et, par-derrière, lui donne une tape sur l'épaule. Il se retourne et semble surpris de la trouver là ; ennuyé même. Puis il se couche par terre et, d'un geste de la main, l'invite à le rejoindre.

Il fait froid, et l'air est lourd et moite sur sa peau. Elle s'étend sur le sol à côté de lui. Dans cette lumière laiteuse, le visage de Patrick est flou. Elle sent le contact dur du rebord de béton dans son dos, et, sous elle, les arêtes vives des pierres. Elles lui creusent la peau, la chair ; elle essaie cependant de ne pas faire la grimace, de ne pas lui montrer qu'elle a mal. D'ailleurs, il ne semble pas avoir conscience de sa présence. Soudain, il caresse la pierre tombale de la main.

— C'est du costaud, hein ?

Et il rit.

Elle sourit aussi, pour participer, pour rire avec lui de sa plaisanterie, mais son visage redevient sérieux sans transition. Il lui prend la main, et elle en a le souffle coupé : sa peau est froide comme la pierre, et lâche comme la pellicule qui recouvre la cire fondue. Il soulève sa main et la guide vers la pierre tombale. Il lui fait suivre du doigt l'inscription gravée à sa base :

R.I.P.

Puis il la regarde et ferme les yeux. Elle reprend son geste et sent les sillons des lettres sous son doigt ; elle les imprime dans son cerveau. Soudain, tout s'explique, tout est clair. C'est enfantin ! Maintenant, elle sait ce qu'il veut dire, ce que ça signifie. R.I.P. *Requiescat In Pace*. Repose en paix. Ces mots ne sont pas destinés aux morts, aux morts couchés en paix dans la terre craquelée ; aux morts qui ne pensent plus, qui ne craignent plus rien, qui ont oublié leurs joies et leurs chagrins.

C'est un message pour les vivants.

Au petit matin, un fin rayon de soleil caresse la pièce. Elle ouvre les yeux et, tout doucement, se met à pleurer.

31

Elle farfouille dans ses carnets de dessins. C'est là, quelque part, oui. Voilà. Il y a quelques dessins... et sa mémoire.

Elle commence à peindre. Elle le peint comme il est resté le plus vivant dans son souvenir, avec sa longue silhouette maladroitement pliée dans un fauteuil, une jambe passée sur un bras. Elle a envie de reproduire le mouvement de rotation qu'il imprimait à son pied pendant qu'il lisait, d'abord dans un sens, puis dans l'autre ; peut-être pourrait-elle le suggérer en lui faisant former un angle avec sa jambe.

Elle sait qu'elle doit achever son travail en une seule séance, maintenant, pendant que son idée est encore claire dans sa tête.

Elle laisse la voix de Patrick lui parler à l'oreille ; elle se remémore son contact, simplement, avec affection ; elle laisse l'essence de son être accélérer les mouvements de sa main et rejaillir sur le papier.

Elle sait apprécier son travail : c'est meilleur qu'elle ne l'avait espéré. Parfois, en peinture, le résultat n'est obtenu qu'au prix d'un travail acharné et sans cesse recommencé ; c'est une bagarre contre les limites de la couleur, du papier ou de la toile qui sont une entrave à la représentation de l'image qu'elle a dans la tête, et qui, bien souvent, engendrent une traduction insipide par le pinceau. Mais, en des occasions rares et précieuses, il arrive que l'œuvre coule de ses yeux, de son esprit, et guide sa main. Sa vision se matérialise alors sur le papier, semblable à un papillon venu se reposer.

Elle téléphone d'abord, pour être sûre de ne pas déranger, et prévient qu'elle ne sera pas longue, qu'elle ne veut pas s'imposer.

Elle emballe soigneusement le tableau et le pose sur le siège arrière de la voiture.

Au moment où elle lève la main vers le heurtoir, la porte s'ouvre à la volée.

— Bella !

Joseph, le père de Patrick, la serre contre lui.

— C'est déjà Bella ? s'écrie Rose, qui accourt tout en enlevant son tablier.

Leur plaisir de la voir la remplit de honte. Ils ne prononcent pas un mot de reproche, ne font aucune allusion voilée à la rareté de ses visites. Mais leur gratitude visible, « Merci d'avoir fait tout ce trajet pour venir nous voir ! », est bien plus culpabilisante que toutes les critiques. Comment avait-elle pu être si égoïste ?

— Entre, entre ! Et regarde qui est là.

Sophie, la jeune sœur de Patrick, se lève d'un bond et jette ses bras autour de Bella.

— Sophie ! Je ne savais pas que tu étais là.

— Ça fait des mois que nous ne t'avons pas vue. Je croyais que tu nous avais oubliés.

— Sophie ! la reprend Rose en fronçant les sourcils. Ne sois pas impolie !

— Oh, maman ! Bel ne le prend pas mal.

Bella saisit un regard échangé entre Rose et Joseph.

— Oh, Bel ! Ne pleure pas. Merde. Qu'est-ce que j'ai encore dit ?

— Quel langage ! se désole Rose. Excuse-la, Bella.

— Non, ce n'est pas ça. Ce n'est pas à cause de toi, Sophie, je t'assure. C'est à cause de moi. Et vous tous qui êtes si gentils !

Elle accepte le mouchoir que lui tend Joseph.

— Oh, si tu veux, je peux être infecte, propose Sophie. D'ailleurs, maman dit que je suis infecte, la plupart du temps.

— Ce n'est pas vrai. Tu peux être très agréable quand tu t'en donnes la peine, Sophie. Mais en ce moment, ce n'est pas super, comme vous dites. Ça ne fait pas branché, d'être agréable, alors tu te crois obligée de faire la tête, de tout trouver nul. Mais à vingt ans, tu pourrais arrêter. Ça devient pénible.

Rose s'enfuit vers la cuisine.

— Pas super ! Maman est à l'avant-garde de l'argot des rues, comme d'habitude !

Avec une grimace de vilaine écolière prise en défaut, Sophie adresse une prière au Bon Dieu :

— Mon Dieu, s'il te plaît, envoie-moi une nouvelle mère !

— Oh non ! s'insurge Bella. Je peux te donner la mienne en échange, si tu veux. Je pourrais vous la louer pour ramener l'harmonie au foyer. Une semaine avec elle, et tu feras la différence. Tu verras que Rose est vraiment gentille !

— Je vous ai apporté quelque chose, mais je ne sais pas si c'est bien.

— Tu n'as pas besoin d'apporter quoi que ce soit, dit Rose.

— Le simple fait de te voir est un cadeau, renchérit Joseph.

— C'est ton gâteau au citron qui colle ? avance Sophie.

Bella sort chercher le tableau dans la voiture. Et s'ils ne l'aiment pas ? Et s'ils fondent en larmes ? Elle a peut-être commis une grave erreur.

Elle le tient serré contre elle.

— J'espère que ça ne rendra pas les choses encore plus difficiles. Mais je l'ai fait pour vous et je voudrais que vous l'ayez.

Bella tend le tableau à Joseph. Ses yeux s'humidifient. Il hoche la tête sans rien dire. Rose, assise à côté de lui sur le canapé, lui serre le bras. Les larmes jaillissent sur ses joues poudrées, roulent le long des rides autour de ses yeux.

— Je ne voulais pas vous faire de peine. Je suis désolée. J'ai pensé… je ne sais pas ce que j'ai pensé.

Rose et Joseph hochent la tête ensemble.

Ils lui disent que non, elle se trompe, elle les touche beaucoup, ils ne s'y attendaient pas, rien n'aurait pu leur faire plus grand plaisir, elle n'aurait pu leur faire plus beau cadeau… c'est juste que… c'est tellement Patrick…

Sophie acquiesce ; c'est tout à fait Patrick, regardez son pied, on voit très bien qu'il n'arrête pas de le faire tourner, comme d'habitude, qu'est-ce qu'il était chiant ! Alan va l'adorer quand il le verra !

Alan ne rentrera pas avant l'heure du thé, aussi Bella est-elle invitée à rester. Lorsqu'il arrive, il l'embrasse sur la joue et lui tient maladroitement le bras pendant quelques instants. Il lui décoche un regard en coin, exactement comme Patrick.

— Les parents se languissaient de toi, tu sais.

Elle hoche la tête, décontenancée.

— Le tableau… Ils sont super contents, tu peux me croire. Tu as bien fait. Tu as très bien fait. Merci.

Elle avait oublié ce sentiment, ce sentiment de faire partie d'une famille, même brièvement. Il est décidément bien plus facile de s'entendre avec la famille des autres. Rose a oublié de décongeler les côtelettes prévues pour le repas. Bella insiste donc pour préparer le dîner en confectionnant un mélange magique à partir d'une série de découvertes faites dans le réfrigérateur.

Sophie la supplie de faire des *zabaglione*. Les deux jeunes femmes se retrouvent ensemble devant la cuisinière à échanger des plaisanteries grossières et à remuer le liquide dans la casserole à tour de rôle, jusqu'à ce que leur bras soit raide.

Puis elles versent la mousse dorée dans les verres et ils mangent dans un silence déférent, comme se livrant à quelque ancien rituel.

Rose ne veut pas entendre parler d'un retour le soir même. Bella doit être épuisée. Et d'ailleurs, les lits sont faits. Impossible de la laisser rentrer si tard. Absolument impossible.

— Mais je n'ai pas apporté mes affaires…

Qu'à cela ne tienne ! Rose lui fournit une chemise de nuit propre, déniche une brosse à dents neuve. Elle est aux petits soins et, pour une fois, Bella se laisse faire.

Après le petit déjeuner, Joseph, impressionné par ses connaissances nouvelles, lui fait faire le tour du jardin. Elle admire les plantes en les appelant par leur nom ! Elle tient leurs feuilles entre ses doigts, réconfortée par leur contact familier, elle absorbe leurs parfums ; du thym, de la mélisse, du romarin. *Rosmarinus officinalis*. Ah, le romarin !…

— Je suis content que tu sois venue. Je ne crois pas que ce soit très facile pour toi non plus.

— Je vais beaucoup mieux qu'au début.

Joseph se racle la gorge et se penche sur une plante pour enlever une feuille morte.

— Tu ne l'aurais pas épousé, de toute façon ?

Bella ne répond pas, puis lève les yeux pour rencontrer les siens.

— Ça ne fait rien, dit Joseph en enfonçant ses mains dans ses poches. Je crois que je le savais déjà depuis quelque temps. Mais pas Rose. Elle pense que vous faisiez comme tous les jeunes de votre âge, que vous étiez modernes.

— Je suis désolée.

— Tu n'as pas à être désolée. Il ne faut pas tricher avec ses sentiments, tu es d'accord ?

— C'est vrai.

Il la prend dans ses bras et lui tapote le dos.

— C'est pour ça que tu ne venais plus ?

Elle fait un signe que oui, le nez niché au creux de son épaule.

— Je ne pouvais pas. J'avais l'impression de tricher. Je pensais que vous me détesteriez.

Il secoue la tête avec un soupir désapprobateur.

Joseph la raccompagne à sa voiture et appelle le reste de la famille pour qu'elle assiste à son départ.

— J'espère que tu le trouveras, lui dit-il simplement, celui qui t'est destiné.

32

— Mais c'est absolument superbe, c'est beaucoup trop beau pour toi, ça ! Tu vas me le donner.

Viv fit glisser la manche de l'ensemble rouge cerise entre ses doigts. Bella craignait de paraître ridicule, trop apprêtée, pour son vernissage. D'autant que, dès son arrivée, elle était tombée sur l'un des autres artistes, vêtu d'un jean vert et de ce qu'elle appelle mentalement un gilet multimédia, pas mal en photo, mais ridicule sur une vraie personne.

Heureusement, Donald MacIntyre porte un costume au pli impeccable, assorti d'une cravate noir et rouge vif, tandis que Fiona, l'assistante, se pavane dans une élégante robe noire. Tous deux approuvent chaleureusement la tenue de Bella, particulièrement Fiona, qui accompagne ses félicitations d'un coup d'œil significatif en direction de l'homme au gilet.

— Tu es époustouflante, dit Viv. Et moi qui croyais que tu te déguiserais en artiste ! Ah, mais tu ne peux pas rivaliser avec ce gilet... Fais donc tourner ta jupe, pour voir !

Bella s'exécute obligeamment et la jupe s'enroule autour de ses jambes dans un mouvement plein de grâce.

— Tu as fait des folies. Tu n'as pas pu acheter ça chez Oxfam.

— C'était à Alessandra. Ma mère.

Viv hausse les sourcils sans faire de commentaire.

— C'est trop élégant pour moi, en fait, s'inquiète Bella en baissant le nez sur son ensemble.

— Qu'est-ce que tu racontes ? C'est tout à fait toi.

Nick émet un sifflotement d'appréciation et l'embrasse sur la joue.

— Bon, ben tu nous fais voir tes croûtes, alors ? propose-t-il avec un accent gouailleur, tout en feignant de s'essuyer le nez dans sa manche.

Elle indique l'endroit où sont exposées ses œuvres, ainsi que les deux tableaux en vitrine.

— Celui-ci ressemble à Will, commente Viv. Ce n'est pas exactement son visage, mais il y a quelque chose dans la posture, dans sa façon de se tenir. Merde, tu es vraiment douée ! On se demande pourquoi tu as traîné pendant toutes ces années, alors que tu es un génie. Enfin, tu t'es quand même décidée à lâcher ton boulot !

— Chut ! murmure Bella, avec un signe de tête vers Seline.

— Où sont les parents fiers de leur progéniture ? demande Jane, une amie venue de Londres.

— Ils ne sont pas là.

— Oh, excuse-moi, j'espère que je n'ai pas mis les pieds dans le plat ?

— Tu les as invités, Bel, n'est-ce pas ? intervient Viv en regardant fixement son amie.

— En fait, je leur avais préparé une invitation, explique cette dernière en tendant la main vers un plateau garni de canapés, mais j'ai oublié de la poster ; je ne l'ai fait que ce matin.

— C'est ça, tu as oublié. Ils auraient été enchantés de

venir. Ne fronce pas ton nez comme ça… tu as l'air d'un cochon. Tu es vraiment bête… Ils t'en auraient peut-être acheté un !

En principe, cette soirée devrait être l'une des plus belles de sa vie. C'est presque le cas. Elle est entourée de bons amis, ses œuvres sont exposées dans la galerie privée la plus courue de la ville, et les gens les apprécient. Un petit picotement agréable lui parcourt la peau. Les gens la couvrent de compliments, mais elle a du mal à les absorber. Elle se surprend à les écarter, à les repousser, comme l'eau refuse une peau huileuse. Ils sont polis, c'est tout. Il faut bien qu'ils disent quelque chose de gentil. Ils ont bu trop de vin. Elle sourit, hoche la tête, les remercie et fait des plaisanteries en s'autodénigrant, de crainte de ne laisser paraître sa satisfaction.

Mais son esprit est entièrement occupé par la pensée de Will. Elle est contente que ce soit son portrait qui soit en vitrine, tourné vers la rue ; cela lui évite de tomber dessus lorsque son regard fait le tour de la pièce. Elle n'arrête pas d'imaginer à quel point il aurait apprécié cette soirée, ce qu'il aurait dit : il aurait été amusé par ce type, là-bas, en train d'inspecter son travail au pinceau, le nez pratiquement collé dessus. Elle pense à la façon dont la main de Will aurait effleuré son dos en passant, à sa manière de lui ôter négligemment les mèches de cheveux tombées devant sa figure, presque sans s'en rendre compte. Il aurait aimé Donald MacIntyre, son humour pince-sans-rire et sa vive intelligence. Et ils se seraient gavés de canapés et d'autres choses rigolotes. Will adorait les brochettes.

— Tu me signeras le mien au dos quand tu auras le temps, Bella ? dit Seline. Tu n'as mis que tes initiales sur le devant.

Seline a acheté un tableau. Elle a dépensé de l'argent, pas mal d'argent même, pour une peinture de Bella, quelqu'un qu'elle connaît vraiment. Comment peut-on prendre au sérieux l'œuvre de quelqu'un avec qui on discute, avec qui on se bat pour des biscuits au chocolat, à qui on emprunte son peigne ?

— Mais c'est trop cher ! Il ne faut pas ! C'est la galerie qui fixe les prix... et sa commission est élevée... Je vais t'en faire un autre...

Seline lui impose le silence.

— Je l'adore et j'ai exactement l'emplacement qu'il lui faut, alors, laisse-moi ce plaisir. Et, de plus, je crois que j'ai fait un investissement plutôt intéressant.

Elle surprend Nick en train de remplir un chèque et se précipite vers lui pour l'arrêter. Fiona menace de l'enfermer dans la cuisine.

— Les gens sont censés les acheter. C'est bien pour ça qu'on fait des expositions, dit-elle.

Bella coince Viv.

— Vous faites ça uniquement parce que je te fais de la peine. Allez, avoue-le.

— C'est ça. C'est la seule raison. On va même le mettre directement au feu, tellement tu nous fais de la peine. Arrête tes conneries. Nick n'agit jamais par politesse, tu le sais très bien.

— Très juste, renchérit Nick en se gargarisant avec une gorgée de vin. Je ne me laisse pas entuber, moi ! On se dépêche d'acheter pendant que c'est encore bon marché. Enfin, bon marché...

— Tais-toi et prends un de ces trucs aux champignons.

Au bureau, la journée du lendemain passe très vite, pour une fois. Anthony revient de son heure de déjeuner avec un béret qu'il lui plante sur le crâne.

— Tu es maintenant une artiste officiellement

347

reconnue, tu es donc obligée de garder ça sur la tête en permanence.

De retour chez elle, elle s'affale sur le canapé pour revivre la soirée de la veille.

On sonne à la porte.

Ce n'est qu'un témoin de Jéhovah, se dit-elle. Ou alors, quelqu'un qui vient quêter pour des gnomes orphelins. A moins que ce ne soit Viv qui veut savoir comment on tamise la farine.

Elle s'arrête tout de même devant le miroir pour s'arranger les cheveux et se mord les lèvres pour les rendre plus roses. Elle ouvre la porte.

— Tu peux me dire ce que c'est que ça, mademoiselle Kreuzer ?

Gerald lui agite l'invitation au vernissage sous le nez.

— Oh, salut, papa. C'est une invitation. C'est ce qui se fait pour les expositions. Tu passais par là ?

— Très amusant. C'était quand, la date ? Et pourquoi la nôtre est-elle arrivée si tard ?

— Je ne sais pas. Ah, la poste ! C'est terrible, hein ? dit-elle en secouant la tête d'un air désapprobateur.

Par-delà l'épaule de son père, elle aperçoit sa mère. Alessandra fait le pied de grue dans la rue. Sans doute craint-elle de s'aventurer dans l'antre du tigre.

— Salut !

La voix de Bella sonne artificiellement haut perchée à ses propres oreilles. Elle se racle la gorge et répète :

— Hum, salut. Bonjour, maman. Entre, entre.

— Merci.

Alessandra avance dans le couloir d'un pas hésitant.

— Mais l'invitation a été postée hier. La galerie aurait dû l'envoyer plus tôt.

— Ou-oui, confirme Bella en l'aidant à enlever son manteau. Je suppose que c'est une erreur.

— Nous sommes allés voir, reprend sa mère. C'est superbe. Nous aimons beaucoup.

Ouais. Evidemment. C'est sûr.

Au tour de Gerald, maintenant : c'est fantastique ; pourquoi ne les a-t-elle pas prévenus ? elle doit être aux anges ; lui, il est aux anges ; ils auraient aimé être là pour le vernissage ; ils seraient venus, évidemment ; et les tableaux, ils sont extraordinaires, inoubliables, on se demande pourquoi ils ont exposé d'autres artistes, ça prend de la place...

Il est interrompu par Alessandra qui dit les avoir trouvés magnifiques, avec des couleurs tellement riches, une texture si réelle qu'on a envie de toucher... et ils ont discuté pour savoir lequel acheter parce que, bien sûr, il fallait qu'ils en aient au moins un ; d'ailleurs, ils en auraient acheté un même si elle n'avait pas été leur fille ; et la jeune fille de la galerie a été très gentille, elle leur a offert le café quand ils se sont présentés, elle a été aux petits soins pour eux... et Alessandra en a acheté un en prévision de l'anniversaire de Gerald ; Bella pourra-t-elle le leur apporter à sa prochaine visite, si elle envisage de venir, bien sûr, si elle trouve le temps...

Puis un silence s'installe. Gerald toussote.

— Nous ne voulons pas t'interrompre si tu as des choses à faire, dit-il en jetant un coup d'œil autour de lui. Mais nous aimerions voir la maison. J'espère que nous n'avons pas besoin d'attendre une invitation en bonne et due forme... par la poste... tu sais ce que c'est.

— Pas de problème.

Décontenancée, Bella croise les bras, puis les laisse retomber.

— Du thé ou du café ?

— Du thé, s'il te plaît, répondit Gerald.

— Du café, ce serait parfait, annonce simultanément Alessandra.

Les regards de la mère et de la fille se croisent.

— Du thé, très bien, rectifie Alessandra.

— Ou du café, propose Gerald.

Bella enlève un petit tas de journaux qui traîne sur une chaise et le pose à côté du canapé.

— J'aurais passé un petit coup d'aspirateur si j'avais su que vous veniez.

Alessandra ouvre les tiroirs et les placards de la cuisine, comme toutes les cuisinières émérites. C'est petit, reconnaît-elle, mais c'est très bien agencé. Bella fait-elle beaucoup de cuisine ou est-elle trop occupée par sa peinture ?

Ils contemplent le jardin à travers les portes-fenêtres et s'extasient sur la beauté des plantes si joliment éclairées et des ombres qu'elles projettent sur les murs. Puis ils admirent le cadre formé par les rideaux sur la vue vers l'extérieur, s'enchantent de la clarté régnant à l'intérieur, du raffinement du décor, de la cheminée, des corniches, de l'espace, c'est beaucoup plus grand qu'ils ne l'imaginaient.

— Je peux faire un tour dans le jardin ?

Son père, planté devant la porte-fenêtre, est incapable de se contenir plus longtemps. Bella lui ouvre la porte.

— Tu arrives à y voir quelque chose ? Surtout, ne te gêne pas pour enlever les mauvaises herbes, si tu en as envie.

Les deux femmes se retrouvent en tête à tête.

— Tu veux aller jeter un coup d'œil avec lui ?

— Tout à l'heure, peut-être.

— Encore du café ?

— Oui, s'il te plaît.

Alessandra la suit dans la cuisine.

— Je suis désolée pour ce qui s'est passé la dernière fois, commence Bella en se forçant à lever les yeux vers sa mère.

Je ne voulais pas… Je suis allée un peu trop loin. Enfin, beaucoup trop loin. J'étais… heu, avec Will, c'était… mais je ne veux pas me chercher d'excuses.

— Je ne savais pas, à ce moment-là. Je suis désolée. J'aurais essayé d'être un peu plus…

Alessandra hausse les épaules.

Bella se retient de formuler sa pensée tout haut : « Un peu plus… genre complètement différente ? »

— O.K., n'en parlons plus, dit-elle.

Alessandra paraît particulièrement nerveuse ; elle cherche à remettre de l'ordre dans des mèches de cheveux déjà parfaitement en place.

— Ton père dit que je devrais te mettre au courant de quelque chose. D'une chose que je devrais t'avoir racontée depuis longtemps.

— Je suis adoptée ? Je suis la dernière survivante de la famille du Tsar ? J'étais un garçon quand je suis née ? Papa n'est pas mon vrai père, c'était le laitier, et c'est ce qui explique pourquoi j'ai les cheveux frisés et pourquoi je siffle si bien ?…

Alessandra attend en silence que sa fille s'interrompe.

— Excuse-moi, dit Bella.

— Ça ne paraît pas si terrible, maintenant. C'est idiot de l'avoir caché si longtemps… Tu te souviens ? Quand tu étais petite, tu demandais sans arrêt pourquoi tu n'avais pas de frère ou de sœur. En fait… eh bien… j'ai attendu un autre enfant. Tu avais presque trois ans. Mais je ne ressentais pas la même chose que pour toi… Au septième mois, presque au huitième, je ne sentais toujours pas le bébé bouger. Alors que toi… tu n'arrêtais pas de me donner des coups de pied. Tu étais toujours en mouvement.

Ses yeux effleurèrent le visage de Bella. Une visite chez le médecin lui avait confirmé ses craintes.

— Elle… le bébé… était mort.

Alessandra se mit à farfouiller dans son sac.

— Tiens.

Bella lui tendit un morceau d'essuie-tout.

— C'est idiot, après tout ce temps ! s'énerve Alessandra. Et ensuite… eh bien… je suis sûre qu'on ne fait plus la même chose maintenant … On ne pourrait pas. J'espère que ça ne se fait plus. Mais moi… ils m'ont provoqué l'accouchement. J'ai dû… j'ai dû souffrir les douleurs de l'accouchement en sachant que mon bébé était déjà mort.

Elle semble se ratatiner sur sa chaise, complètement défaite.

Bella avale sa salive.

— C'est affreux. On n'aurait pas dû te faire subir ça.

Ils avaient appelé le bébé Suzanna.

— Tu as essayé d'en avoir un autre ?

Alessandra secoue lentement la tête.

— Les médecins me disaient que je n'avais aucune raison de ne pas essayer. Ton père le souhaitait vraiment. Je le voyais sur sa figure, même s'il se forçait à ne rien dire.

Elle se mouche à grand bruit dans l'essuie-tout et éclate de rire.

— Pas très élégant, ce bruit ! Non, non, je ne pouvais pas. Je ne pouvais pas l'envisager. Au cas où… Non, je ne pouvais pas recommencer.

Elle ouvre son poudrier et se refait une beauté.

— Alors, et ce café ?

Bella sort la cafetière et plonge la tête dans le placard pour trouver sa réserve de biscuits. Elle dispose des sablés au beurre sur une jolie assiette. Alessandra hoche la tête pour montrer son approbation.

— Et toi, tu étais en bonne santé ? s'enquiert Bella.

Pendant quelques instants, sa mère paraît être ailleurs :

elle fixe les sablés avec fascination, semblant ignorer sa présence.

— Ou-oui. Physiquement, oui. Après, je suis rentrée à la maison, nous sommes allés te chercher chez Mme Mellors, la voisine... et toi, tu m'as tendu les bras. Tu étais adorable, mais si... petite, tu comprends ? Je ne pouvais pas le supporter. Gerald m'a dit que je n'étais plus... je n'étais plus la même après. Avec toi.

Tout à coup, le biscuit de Bella devient sec dans sa bouche ; ce n'est plus que de la farine transformée en ciment. Sa gorge se serre. Elle se détourne et vide discrètement le contenu de sa bouche dans un essuie-tout. Elle se tamponne les lèvres pour les sceller.

— Bon, on va rejoindre papa dans le jardin ?
Alessandra se lève. Devant la porte-fenêtre, elle s'arrête et pose une main légère sur le bras de sa fille.
— Je suis contente de t'avoir parlé.
— Moi aussi.
— Mais... je préférerais que nous en restions là. Je ne peux pas... tu comprends ?
Elle regarde sa fille en penchant la tête de côté, écarquillant les yeux, comme une enfant.
— Tu comprends, n'est-ce pas ?
— Bien sûr.
Bella pose sa main sur celle de sa mère et sourit.
Alessandra sort dans le jardin.
— Très bien. Oh, c'est vraiment splendide ! L'éclairage ! *Magnifico !* Gerald chéri, tu dois être vert d'envie !

Bella voit les yeux de sa mère faire le tour de la pièce. Elle semble chercher quelque chose. Oh oh ! La lampe ! Leur cadeau pour la crémaillère ! Dans un instant, elle va dire : « La lampe ne t'a pas plu ? » ; puis elle parcourra la pièce d'un regard signifiant que le goût de sa fille n'est pas très sûr.

Bella cherche une réponse. La lampe, placée sur une table basse, a été renversée par quelqu'un ; le système électrique a été endommagé, et elle est en réparation. Elle est dans son atelier, mais on ne peut pas la déplacer : elle lui sert de modèle pour une nature morte. Elle a tant plu à Viv que celle-ci la lui a empruntée pour la semaine, de façon à pouvoir convaincre Nick d'acheter la même.

— C'est vraiment élégant, tu ne trouves pas ? commente Alessandra avec un geste vers les appliques murales.

— Si c'est la lampe que tu cherches, tu le dis, tout simplement. En fait, cette lampe paraissait venir tout droit d'un château. Elle n'allait pas avec le cadre.

Elle étudie leurs visages, guettant sur celui de sa mère le fameux regard offensé qu'elle connaît si bien.

— C'est très bien, dit Gerald, amusé. Si je t'ai donné le reçu, c'est justement pour que tu puisses l'échanger.

Elle se détend un peu.

— Ça ne correspondait pas à ma personnalité. Je suis désolée.

— Et tu as pris quoi à la place ? demande Alessandra en regardant autour d'elle pour deviner.

Le visage de Bella s'éclaire.

— Venez voir là-haut.

Elle les conduit au premier.

Ils se retrouvent tous les trois dans sa chambre, rangés en demi-cercle comme pour juger des qualités d'une bête de concours.

— Je n'en avais jamais eu, explique Bella, avec un embarras soudain.

Elle se sent comme une enfant qui montre sa poupée

préférée tout en se demandant si elle n'est pas trop vieille pour ça.

— J'aurais dû y penser ! se reproche Alessandra. Mais bien sûr. Tout le monde devrait en avoir une.

Gerald avance d'un pas et se poste devant la psyché en tenant les revers de sa veste.

— J'ai tout à fait l'air d'un gentleman là-dedans.

Postées derrière lui, Bella et sa mère l'encadrent. Dans la psyché, leurs yeux se rencontrent. Alessandra sourit timidement, tel un jeune garçon qui demande à une fille de sortir avec lui pour la première fois. Sa fille lui rend son sourire. Puis elles retrouvent l'image de Gerald se pavanant devant la glace, ravi, apparemment disposé à aller faire la fête.

En bas, Alessandra aperçoit les vieilles photos posées sur le manteau de la cheminée.

— Oh, ça me rappelle quelque chose.

Elle ouvre son sac et, de ses longs doigts fins, fouille l'intérieur.

— Elles sont jolies, non ? Tu es tellement mignonne là-dessus. Je suis contente que tu les aies mises là. Gerald chéri, il faut les encadrer. Tu ne devineras jamais ce que j'ai trouvé au fond du tiroir de ma coiffeuse. J'ai fait un peu de rangement. Attends une seconde. Voilà, ça y est.

Elle tend à Bella une petite boîte recouverte de velours bleu pâle et lui fait signe de l'ouvrir.

— Ce sont des bijoux de famille ? demande Bella.

A l'intérieur, elle trouve un coquillage sur un lit de coton rose, telle une pierre précieuse ou une bague de prix.

Elle le sort et passe doucement son doigt à l'intérieur, sur le bord, à l'endroit où la coquille commence à s'enrouler sur elle-même. Légèrement rosé, il est très doux au contact. Elle le fait tourner entre ses doigts.

— Il est beau, commente-t-elle. Il vient d'où ?

— Tu ne t'en souviens pas ? s'étonne Alessandra, mi-souriante, mi-vexée. Je pensais que tu t'en souviendrais. Tu me l'as donné quand tu étais toute petite. Tu l'as ramassé à la plage. C'était ce jour-là, dit-elle en prenant la photo pour la regarder. Oui, j'en suis sûre. On venait de me dire que j'étais enceinte... avant... oui.

Elle hoche la tête.

Et tu l'as gardé tout ce temps-là ?

Cette scène, elle l'a déjà revue en rêve : deux bras tendres l'entourent. Un parfum de jasmin et de poudre de riz et de mer. Elle et maman frottent leurs nez l'un contre l'autre. Ce n'était pas un rêve, c'étaient des souvenirs.

Le ciel a la pureté éclatante des étés de l'enfance. Il est si bleu qu'il fait presque mal. Mais cela n'empêche pas Bella de renverser la tête en arrière et d'essayer de l'avaler tout entier, afin de garder cette couleur en elle pour toujours. Elle ferme les yeux en appuyant très fort sur ses paupières pour vérifier. Elle zigzague comme un crabe le long de la plage. A l'intérieur de ses yeux, le ciel reste là, vif et clair.

— Tu veux que je te montre comment on construit un château ?

Maman s'agenouille à côté d'elle sur le sable dur. Elle met du sable dans le seau flambant neuf, jusqu'à ce qu'il déborde, puis elle montre à Bella comment le renverser après avoir tassé le sable avec la pelle en métal rouge.

— Voilà.

Elle retourne le seau avec un mouvement rapide et conspirateur, et chantonne.

— Da-di-dou...

Papa revient en portant trois glaces avec autant de précautions que s'il s'agissait des beaux verres en cristal de maman. De la glace à la fraise coule le long d'une de ses mains, et de la glace au chocolat sur l'autre. Il les leur tend en léchant ses doigts. Maman mord dans le bas de son cornet et montre à Bella comment en faire un mini cornet en le remplissant d'une minuscule portion de glace. Puis elle aspire par le bout cassé de son grand cornet. Bella la regarde, fascinée, et l'imite. La glace coule le long de son menton et lui barbouille le tour de la bouche.

— Tu as l'air d'un clown !

Papa rit, maman lèche un mouchoir sorti de son sac et essuie la figure de Bella.

Ils ajoutent trois autres tours de sable à la première pour former les angles d'un carré, puis les relient entre elles par un mur de sable et tapent, doucement mais fermement. Ils creusent un fossé tout autour du château. Papa dit que ce sera une douve et qu'ils pourront faire partir un canal depuis la mer.

Ils creusent une étroite tranchée en partant du bord de l'eau, qui se trouve à plusieurs mètres du château. Arrivé près de la douve, Gerald s'arrête et tend la pelle à Bella. Elle creuse dans la dernière barrière de sable compact en s'appliquant bien.

La mer s'engouffre dans le trou, se sépare en deux, à l'endroit où elle rejoint la douve, et fait le tour du château.

— Voilà. Maintenant, personne ne peut entrer.

Papa recule d'un pas pour juger de leur œuvre et se caresse le menton. Bella hoche la tête avec sérieux en passant elle aussi ses doigts sur son menton.

— Sauf si on veut que quelqu'un entre, bien sûr.

— Il est très beau, Bella.

Maman prend le joli coquillage dans sa main comme

une petite souris. C'est un petit coquillage en colimaçon, pas plus grand que le pouce de maman. Il est presque blanc, et tout décapé par le sel et le soleil. A l'ouverture, il est très doux sous le doigt, et légèrement rose, comme s'il reflétait son teint de pêche.

— Tu veux le reprendre pour décorer ton château ? propose maman.

— Non.

Elle secoue la tête. Elle regarde sa mère et non pas le coquillage, pour ne pas être tentée de changer d'avis. Elle a pris sa décision.

— Pour toi.

Deux bras tendres l'entourent. Un parfum de jasmin et de poudre de riz et de mer. Maman la serre contre elle, la serre très, très fort. Elle et maman frottent leurs nez l'un contre l'autre. Elles rient comme des folles toutes les deux. L'appareil photo fait *clic*.

33

Cinq tableaux ont été vendus au vernissage : « Un début prometteur », s'était réjoui Donald MacIntyre avec force hochements de tête satisfaits. Ses parents en ont acheté un second le lendemain. Néanmoins, rien, absolument rien ne permet de penser qu'elle a pu en vendre d'autres. Ils ne sont pas vraiment bon marché, et ne représentent pas de jolies peintures de vases de fleurs. « Vos tableaux ne sautent pas tout de suite aux yeux, mais on les intériorise. Les gens vont revenir les acheter après les avoir vus », avait prédit Donald.

La galerie est presque sur son chemin. De plus, elle est située près du meilleur poissonnier de la ville, donc, le détour se justifie. Elle se le répète dans sa tête pour se prémunir contre la déception : elle va acheter du poisson et, comme elle passe devant, elle va jeter un coup d'œil dans la galerie…

Deux de ses tableaux sont en vitrine : un petit, le premier qu'elle a peint, celui de la femme dans le cloître, et un plus grand, basé sur son premier dessin de Will, qu'elle a finalement retravaillé en peinture. De nouveau, elle ressent un choc de les voir en ce lieu, de voir ses propres œuvres. C'est comme si elle entrait dans une boutique de vêtements et tombait sur un rayon exposant le contenu de sa propre armoire. C'est un peu embarrassant, dans un sens ; elle s'attend presque à voir les gens s'approcher d'elle en lui disant : « On vous connaît, maintenant. On a vu ce qui se passe à l'intérieur de votre tête. Ce n'est pas la peine d'essayer de le cacher. » Elle regarde le portrait de Will comme si elle le voyait pour la première fois. Elle pose sa tête sur son épaule, c'est vraiment celle de Will, elle est mieux réussie qu'elle ne le pensait. La pierre du mur, à côté… elle peut presque tendre la main et la caresser ; son visage, à moitié plongé dans l'ombre ; la lumière qui tombe derrière…

— Salut ! dit Fiona. Vous venez voir si les ventes marchent bien ?

— Non, non. Je passais faire un tour, c'est tout.

— Ah oui ? Allez, ne soyez pas gênée. Si c'était moi, je téléphonerais toutes les demi-heures pour voir si les affaires marchent. Du café ?

Bella se promène dans l'exposition et regarde les étiquettes rouges. Il y en a huit sur ses tableaux. Ça paraît peu, mais elle sait que c'est bien, c'est mieux que ce qu'elle était en droit d'attendre en un temps si court. Mais elle se dit qu'elle ne peut prendre en compte ceux achetés par Viv, Seline et ses parents ; il n'en reste donc plus que cinq. Elle compte subrepticement les étiquettes placées sur les œuvres des autres exposants, tout en se disant qu'il ne s'agit pas d'une compétition. L'un des artistes en a vendu six, un autre trois, tandis que les œuvres du dernier ne comportent aucune étiquette. C'est terrible, mais ce n'est pas inhabituel du tout. Elle aurait donné l'argent à Viv pour qu'elle lui en prenne un, si cela lui était arrivé.

Fiona feuillette le carnet de ventes.

— Neuf. C'est pas mal. C'est même très bien. Vous aurez du succès, la prochaine fois, quand vous ferez votre propre exposition.

La prochaine fois.

— Neuf ? Je n'en ai compté que huit.

— Vous avez compté celui de la vitrine ?

Le petit avait été vendu ? Ce serait bien, c'était sa toute première toile.

— Non, le plus grand. D'ailleurs, j'allais vous appeler. Je n'ai pas trouvé de prix, mais ce doit être le même que les autres de la même dimension. Quelqu'un l'a réservé hier matin. C'est mon préféré, je crois. On devine presque les pensées du personnage, mais pas tout à fait. J'en ai quasiment des frissons.

Le plus grand ? Pas celui de Will ?

— Il doit y avoir une erreur. Celui-là n'est pas à vendre. Je l'ai dit à Donald, mais il m'a répondu qu'il voulait le mettre en vitrine parce qu'il attirerait du monde.

— Ah bon ? Il ne m'a pas prévenue.

Fiona entre dans la vitrine et soulève le tableau.

— Vous voyez, il n'y a pas d'étiquette, insiste-t-elle.

Puis elle aperçoit un petit bout de papier par terre sur lequel est écrit « Propriété de l'artiste ».

— Oh, zut !

Elle se confond en excuses, puis demande à Bella si elle est susceptible de changer d'avis.

Ce n'est qu'une toile, se dit cette dernière. A quoi bon s'y cramponner ? Si je la mets chez moi, elle me collera le cafard. Mais, mais…

Mais c'est tout ce qui me reste de lui.

— Eh bien… commence-t-elle.

Fiona l'interrompt. Elle va essayer de joindre l'acheteur, lui expliquer. Peut-être en achètera-t-il un autre à la place, ce qui leur éviterait de perdre la vente. Elle va voir s'il est chez lui, elle n'en a que pour cinq minutes.

— Allô ? Oh, bonjour. C'est Fiona, de la galerie MacIntyre. Vous êtes monsieur Henderson ?

Henderson. Oh, mon Dieu ! Will.

— … si vous teniez absolument à ce tableau…

Will.

— … un petit cafouillage…

Will.

— … si vous pouviez réfléchir…

Bella fait signe à Fiona de lui passer un crayon et écrit sur la première page de son bloc-notes : « Laissez-le-lui. »

— Euh, excusez-moi, monsieur Henderson. Il semble qu'il n'y ait pas de problème. Oui. C'est entièrement de ma faute. Désolée de vous avoir fait perdre votre temps.

Elle rit. Combien de fois Will avait-il fait rire Bella au téléphone ?

— Oui, poursuit Fiona. Excusez-moi encore. Oui. Quand vous voulez, après le 18. Merci. Au revoir.

— Pfuit ! souffla Fiona en faisant semblant de s'essuyer la sueur du front. Gentil, comme mec, mais il n'avait pas l'air prêt à lâcher son tableau. Merci beaucoup d'avoir changé d'avis. Donald m'aurait fait sa tête d'enterrement pendant tout le reste de la semaine.

Bella s'apprête à partir lorsque Fiona lui demande si elle a jeté un coup d'œil sur le livre d'or. Un livre d'or ? Ah bon ? L'assistante le lui tend.

Durant le vernissage, les invités ont signé, et certains ont écrit des commentaires.

Viv : « Epoustouflant ! La place de ces tableaux est à la *National Gallery*. »

Nick : « Achetez maintenant, pendant que vous pouvez encore vous le permettre. »

Jane : « Je ne m'y connais peut-être pas bien en peinture, mais ces tableaux sont fabuleux. »

Seline : « Une atmosphère envoûtante et évocatrice. »

Anthony : « Tu bats Vermeer à plate couture ! »

Même ses parents ! L'écriture minutieuse de son père exprime sa fierté, et celle, très classe, de sa mère traduit son enthousiasme : « *Magnifico !* Un grand peintre est né. »

Il y en a quelques autres, écrits par des inconnus : de vraies personnes ont pris une ou deux minutes de leur temps pour écrire quelques mots sur sa peinture, sur des choses qu'elle a créées. C'est une sensation extraordinaire. Elle a l'impression d'avoir traîné pendant toute sa vie comme un fantôme, un souffle de vent, et de se retrouver vivante, réelle, incandescente, d'attirer les regards de tous. Elle parcourt les commentaires et elle a envie de les noter pour s'en souvenir, mais elle est trop gênée. Elle les regarde un par un, pour les photographier : « Inoubliable, excitant »… « Une atmosphère menaçante, mystérieuse »… « On se retrouve dans un rêve, une fantasmagorie »… « Une atmosphère évocatrice »…

Elle regarde la date de la veille. Will Henderson. Le contact de la page sous ses doigts, les légères marques à l'endroit où il a appuyé son stylo pour écrire. Elle a envie de pleurer. Elle suit la ligne du doigt et retrace ses mots : « Je t'aime toujours. »

34

Dimanche matin. Normalement, c'est le jour où je traîne, mais aujourd'hui, ce matin, maintenant, j'ai quelque chose à faire. Le trajet à pied n'est pas long et le ciel est clair et lumineux. Plus je me rapproche, plus je me sens nerveuse. J'ai l'impression de me préparer à passer un examen, ou à entrer en scène, avant de me retrouver tout à coup à cligner des yeux sous les projecteurs et à ouvrir ma bouche comme un poisson rouge, parce que je ne connais pas mon texte.

Personne ne répond quand je sonne à la porte ; le seul bruit audible est celui de mon cœur qui bat dans mes oreilles. J'aurais dû téléphoner avant, bien sûr, mais pour dire quoi ?

Ce serait idiot de rapporter mon paquet à la maison : peut-être devrais-je le laisser dans le jardin, sous la pergola, et appeler plus tard.

J'entre par la porte latérale, je longe le sentier. Je respire le parfum d'un viburnum rose. Je ne le vois pas tout de suite, mais j'entends le cliquetis du sécateur et son souffle quand il tire sur une mauvaise herbe récalcitrante. Il est là, derrière le siège de jardin, à demi caché par les feuilles qui émergent de la plate-bande, comme s'il avait poussé au milieu des végétaux. A travers les lamelles, j'aperçois des rayures de Will, des rectangles de jean noir et cette chemise de velours que je n'ai jamais vraiment aimée ; maintenant, je voudrais qu'il la porte tout le temps : c'est comme ça que je le verrai quand je me le représenterai dans ma tête. Il travaille en me tournant le dos et je suis ses gestes quelques instants : il creuse le sol et se penche sur les plantes à élaguer, jouant du sécateur avec des gestes fluides et précis.

Je suis tentée de ramper jusqu'à lui, de tendre la main et de le toucher, de lui faire peur avec cette assurance des gens qui aiment ; mais je ne suis pas sûre qu'il le prenne bien, alors je crie :

— Tu en as oublié un bout, là !

Il sursaute légèrement et se relève, puis se retourne lentement, dans un mouvement que j'ai dessiné un jour, comme sur le tableau que j'ai dans les bras.

Il me regarde et ne parle pas ; moi non plus, je ne parle pas.

Je m'avance vers lui et je lui tends le paquet. Il sourit en comprenant de quoi il s'agit, retire le papier, regarde son portrait : il est debout devant la peinture murale de mon jardin… avec l'arche de pierre qui s'effrite, une promesse de soleil qui pointe derrière.

— J'ai eu si souvent envie de t'appeler, dis-je.

— Moi aussi.

Il tend la main pour m'enlever une mèche de cheveux de la figure.

— Tu es simplement venue en messagère, ou tu as le temps de me faire une vraie visite ?

Je regarde ma montre et je prends une inspiration.

— Hum, hum, j'ai bien le temps de prendre une tasse de thé… disons… j'ai environ cinquante ans à t'accorder.

— Donc, c'est oui, en quelque sorte ?

— Oui, c'est tout à fait oui. Un oui grand comme un gratte-ciel.

Je lui caresse le sourcil du bout du doigt et je m'arrête sur sa cicatrice.

— Est-ce que je t'ai déjà dit que je t'A... vraiment de façon phénoménale ? Ça t'embête ?

— Oui, mais j'arriverai bien à m'y faire.

Il sourit et me prend dans ses bras.

Je prends son cher, son précieux visage, dans mes mains et je me hisse sur la pointe des pieds pour l'embrasser.

— On peut commencer dès maintenant ?

Achevé d'imprimer en août 2000
sur presse Cameron
par **Bussière Camedan Imprimeries**
à Saint-Amand-Montrond (Cher)

Nº d'édition : 6838. Nº d'impression : 003645/1.
Dépôt légal : août 2000.

Imprimé en France